UNE SECONDE CHANCE

NICHOLAS SPARKS

UNE SECONDE CHANCE

Traduit de l'anglais (États-Unis)
par Jean-Noël Chatain

Titre original : *The Best of Me*
© Nicholas Sparks, 2011.
Publié par Grand Central Publishing, 2011.
Tous droits réservés.

© Michel Lafon Publishing, 2012, pour la traduction française
7-13, boulevard Paul-Émile-Victor – Ile de la Jatte
92521 Neuilly-sur-Seine Cedex
www.michel-lafon.com

Pour Scott Schwimmer,
un ami merveilleux.

1

Dawson Cole commença à avoir des hallucinations après l'explosion de la plate-forme, le jour où il aurait dû mourir.

En quatorze ans de travail offshore, il croyait pourtant avoir tout connu. En 1997, il avait vu un hélicoptère perdre le contrôle au moment d'atterrir. L'appareil s'était écrasé sur le pont pour se transformer en une boule de feu, et Dawson avait eu le dos brûlé au second degré, pendant qu'il attendait les secours. À l'époque, treize personnes étaient mortes, dont la plupart se trouvaient à bord de l'hélicoptère. Quatre ans plus tard, après l'écroulement d'une grue sur la plate-forme, une pièce métallique de la taille d'un ballon de basket avait failli le décapiter en dégringolant avec les débris. En 2004, il compta parmi les rares ouvriers à rester sur la plate-forme lorsque l'ouragan Ivan la percuta de plein fouet, avec des rafales de vent atteignant plus de 150 kilomètres/heure et des vagues assez énormes pour que Dawson hésite à saisir un parachute en cas d'effondrement de la structure. Mais d'autres dangers surgissaient au quotidien. Les hommes glissaient, certaines parties de la tour se brisaient, si bien que coupures et ecchymoses se révélaient monnaie courante dans l'équipe. Dawson avait vu plus de fractures qu'il ne pouvait en dénombrer, connu deux intoxications alimentaires qui affectèrent toute l'équipe et, deux ans plus tôt, en 2007, il avait assisté au naufrage d'un bateau de ravitaillement qui s'éloignait de la plate-forme et fut sauvé *in extremis* par une vedette des garde-côtes qui patrouillait dans le secteur.

L'explosion, en revanche, se distinguait du reste. Comme elle n'avait provoqué aucune fuite de pétrole – en l'occurrence, les dispositifs de sécurité et leurs systèmes de secours évitèrent une importante marée noire –, l'événement fut à peine mentionné dans les quotidiens nationaux et rapidement oublié. Mais ceux qui se trouvaient sur place, dont Dawson, vécurent un véritable cauchemar.

Jusqu'alors, la matinée se déroulait normalement ce jour-là. Il surveillait les stations de pompage quand l'un des réservoirs explosa subitement. Avant même de pouvoir comprendre ce qui s'était produit, l'impact de la déflagration le projeta dans un abri voisin de son poste de travail. Ensuite, le feu se propagea de tous côtés. Maculée de graisse et de pétrole, la plate-forme se transforma bientôt en un gigantesque brasier. Deux autres grosses explosions suivirent, qui ébranlèrent l'installation avec un regain de violence. Dawson se rappelait avoir éloigné quelques corps du feu, mais une quatrième explosion, plus puissante que les précédentes, le fit décoller du sol une seconde fois. Il se souvint vaguement d'être tombé dans l'eau, une chute qui aurait quasiment dû le tuer. Bref, sans trop savoir comment, il se retrouva flottant dans le golfe du Mexique, à quelque 150 kilomètres de la baie Vermillion, en Louisiane.

À l'instar de la plupart de ses collègues, il n'avait pas eu le temps de revêtir sa combinaison de survie ni d'attraper une bouée ; mais, entre deux vagues, il aperçut un homme aux cheveux bruns qui lui faisait signe au loin, comme pour lui dire de nager vers lui. Dawson partit donc dans cette direction et lutta contre la houle qui l'épuisait et lui donnait des vertiges. Comme ses vêtements et ses bottes l'attiraient vers le fond, et que ses bras et ses jambes commençaient à céder, il comprit qu'il allait mourir. Il croyait s'approcher de l'individu, mais les vagues l'empêchaient d'en être certain. Ce fut alors qu'il repéra un gilet de sauvetage flottant parmi les débris. Dans un ultime effort, il s'y accrocha. Plus tard, il apprit qu'il se trouvait dans l'eau depuis près de quatre heures et avait dérivé sur environ deux kilomètres, avant d'être récupéré par un navire de ravitaillement qui s'était rué sur les lieux de la catastrophe. On le transporta à bord, puis sur le pont inférieur avec d'autres survivants. Souffrant d'hypothermie, Dawson grelottait et avait les idées confuses. En dépit de sa vision trouble – on lui diagnostiqua ensuite une légère commotion cérébrale –, il n'en demeurait pas moins conscient de sa chance. Il vit des hommes avec de vilaines brûlures sur les bras et les épaules, et d'autres dont les oreilles saignaient ou avec des membres fracturés. Dawson les connaissait presque tous par leur nom. Il n'existait pas une multitude d'endroits où se promener sur la plateforme, qui s'apparentait à une sorte de village au milieu de l'Océan, et chacun finissait toujours par atterrir tôt ou tard à la cafétéria, à la salle de jeux ou au gymnase. Un homme lui paraissait toutefois familier et semblait le regarder fixement, à l'autre bout de la cabine bondée. Brun, la quarantaine, il portait un coupe-vent bleu qu'un des membres de l'équipage avait dû lui prêter. Aux yeux de Dawson, l'homme n'avait pas vraiment l'air à sa place, évoquant davantage un employé de bureau qu'un ouvrier. L'individu lui fit signe, lui rappelant soudain la silhouette qu'il avait aperçue plus tôt dans l'eau – c'était lui ! – et, tout à coup, Dawson sentit un frisson lui parcourir la nuque. Avant qu'il ait eu le temps d'identifier la source de son malaise, on lui flanqua une couverture sur les épaules et on le conduisit auprès du médecin de bord, qui attendait de pouvoir l'examiner.

Au moment où Dawson s'installa, l'homme brun avait disparu.

Dans l'heure qui suivit, on amena d'autres survivants et, tandis qu'il se réchauffait peu à peu, Dawson commença à s'interroger au sujet du reste de l'équipe. Des hommes avec lesquels il travaillait depuis des années demeuraient introuvables. Plus tard, il apprendrait que vingt-quatre personnes avaient été tuées. On avait fini par retrouver la plupart des corps, mais pas la totalité. Pendant qu'il se rétablissait à l'hôpital, Dawson songea malgré lui que certaines familles n'avaient pu faire leurs adieux à leurs chers disparus.

Depuis l'explosion, il avait du mal à dormir, non pas à cause d'éventuels cauchemars mais parce qu'il ne pouvait se débarrasser de cette sensation d'être observé. Il avait l'impression d'être… hanté, aussi ridicule que cela puisse paraître. De jour comme de nuit, il lui arrivait d'entrevoir un vague mouvement du coin de l'œil mais, chaque fois qu'il se retournait, il n'y avait rien. À tel point que Dawson se demanda s'il ne perdait pas la tête. Le médecin mit cela sur le compte d'une réaction post-traumatique et de légères séquelles de sa commotion cérébrale néanmoins en voie de guérison. Une explication certes logique, mais qui ne satisfaisait pas Dawson pour autant. Il acquiesça et le médecin lui prescrivit des somnifères, que Dawson ne prit jamais la peine d'aller chercher à la pharmacie.

Alors que la justice entrait en action, il se vit accorder six mois de congés payés. Trois semaines plus tard, la compagnie lui proposa un accord et il signa tous les documents. Dans l'intervalle, une demi-douzaine d'avocats l'avaient déjà contacté, chacun souhaitant être le premier à lancer une action de groupe, mais Dawson ne voulait pas se compliquer la vie. Il accepta l'offre de la compagnie et déposa le chèque le jour où il le reçut. Son compte se retrouvant suffisamment approvisionné pour que les gens l'estiment riche, il se rendit à sa banque et vira la majeure partie de son argent sur un compte aux îles Caïmans. De là, il fut transféré sur un compte société au Panama, lequel avait été ouvert avec un minimum de formalités administratives, avant d'être transféré à sa destination finale. Comme toujours, il était quasi impossible de retrouver la provenance de l'argent.

Dawson en avait gardé suffisamment pour le loyer et quelques autres dépenses. Il n'avait pas de gros besoins. Ni de grosses envies. Il vivait dans un petit mobile-home installé au bout d'un chemin de terre, à la périphérie de La Nouvelle-Orléans, dont les gens devaient se dire en le voyant que sa seule qualité était sans doute d'avoir été épargné par l'ouragan Katrina en 2005. Avec son revêtement en plastique délavé et fissuré, le mobile-home reposait sur des parpaings, un soubassement provisoire devenu permanent avec le temps. Il disposait d'une seule chambre et d'une salle de bains, d'un séjour exigu et d'une kitchenette avec à peine assez d'espace pour abriter un mini-réfrigérateur. L'isolation étant quasi inexistante, l'humidité avait déformé le sol au fil des années, si bien que Dawson avait toujours l'impression de marcher sur une pente. Le linoléum de la cuisine se fendillait dans les coins, la fine moquette était élimée, et Dawson avait meublé l'endroit de bric et de broc. Pas une seule photo ne décorait les cloisons et, même s'il y vivait depuis près de quinze ans, ce mobile-home était davantage un lieu où il se restaurait, dormait et prenait ses douches qu'une véritable maison.

Malgré sa vétusté, ce logement était presque toujours aussi bien entretenu que les belles demeures du Garden District de La Nouvelle-Orléans. Depuis toujours, Dawson se révélait un maniaque de l'ordre et de la propreté. Deux fois par an, il réparait les fissures et colmatait les brèches pour éloigner les rongeurs et les insectes, de même que, chaque fois qu'il s'apprêtait à regagner la plate-forme pétrolière, il astiquait la cuisine et la salle de bains au désinfectant et vidait les placards de tout ce qui risquait de se gâter ou moisir. En général, il travaillait trente jours d'affilée, suivis par trente jours de repos et, à l'exception des conserves, tout aliment s'avariait en moins d'une semaine, surtout en été. À son retour, il récurait de nouveau l'endroit à fond, tout en l'aérant pour se débarrasser au maximum de l'odeur de renfermé.

Toutefois, c'était un logement tranquille qui comblait ses besoins. Dawson habitait à quatre cents mètres de la route principale, et le voisin le plus proche vivait même un peu plus loin. Après avoir passé un mois sur la plate-forme, c'était exactement ce qu'il souhaitait. L'un des aspects de la vie offshore auquel il ne s'était jamais habitué, c'était le bruit incessant. Un bruit anormal. Depuis les grues qui entreposaient le ravitaillement jusqu'aux hélicoptères, en passant par les pompes et les éléments métalliques qui s'entrechoquaient, la cacophonie ne cessait jamais. Le pétrole était pompé vingt-quatre heures sur vingt-quatre, si bien que, même lorsque Dawson essayait de dormir, le vacarme continuait. Sur place, il tentait de faire abstraction du bruit mais, chaque fois qu'il retrouvait son mobile-home, il n'en revenait pas du silence ambiant quasi impénétrable, quand le soleil était à son zénith. Le matin, il entendait le chant des oiseaux dans les arbres, et le soir il écoutait les criquets et les grenouilles, dont parfois les stridulations et coassements respectifs se synchronisaient au crépuscule. C'était souvent apaisant mais, de temps à autre, ces bruits de la nature lui faisaient penser à sa région natale, auquel cas il ne quittait pas son mobile-home et s'efforçait de chasser ses souvenirs. Il préférait se concentrer sur les activités qui rythmaient sa vie, lorsqu'il regagnait la terre ferme.

Dawson mangeait, dormait, s'adonnait au footing et à la musculation, et bricolait sur sa voiture. Il faisait de longues virées sans but précis. Parfois, il allait pêcher. Il lisait chaque soir et écrivait à l'occasion une lettre à Tuck Hostetler. Et voilà tout. Il ne possédait ni télévision ni radio et, même s'il avait un téléphone mobile, son répertoire comprenait seulement des numéros professionnels. Il faisait ses courses en voiture et passait une fois par mois à la librairie, mais sinon il ne s'aventurait jamais dans La Nouvelle-Orléans. En quatorze ans, il n'avait jamais mis les pieds dans Bourbon Street, ni flâné dans le Quartier français ; il n'avait jamais dégusté un expresso au Café du Monde, ni siroté un Hurricane au Lafitte's Blacksmith Shop Bar. Plutôt que de fréquenter un gymnase, il faisait du sport derrière le mobile-home, sous une bâche patinée par les intempéries qu'il avait tendue entre son logement et les arbres voisins. Il n'allait pas au cinéma, ni se détendre chez un copain pour voir jouer l'équipe des Saints le dimanche après-midi. À quarante-deux ans, il n'était pas sorti avec une femme depuis son adolescence.

La plupart des gens n'auraient pas mené ou n'auraient pas pu mener leur vie de cette manière, mais ils ne le connaissaient pas. Ils ignoraient celui qu'il avait été ou ce qu'il avait fait, et lui préférait qu'il en soit ainsi.

Mais, tout à coup, par un bel après-midi de la mi-juin, il reçut un coup de téléphone et tous les souvenirs de son passé rejaillirent. Voilà neuf semaines que Dawson était en congé. Pour la première fois depuis près de vingt ans, il allait enfin retourner chez lui. Cette seule pensée le mettait mal à l'aise, mais il savait qu'il n'avait guère le choix. Tuck représentait pour lui plus qu'un ami ; il avait été comme un père. Dans le silence de son mobile-home, tandis qu'il repensait à l'année qui avait marqué un tournant dans sa vie, Dawson crut de nouveau percevoir un mouvement non loin de lui. Quand il se retourna, il ne vit absolument rien et se demanda une fois de plus s'il ne devenait pas fou.

*
* *

L'appel provenait de Morgan Tanner, un avocat d'Oriental, en Caroline du Nord, qui lui apprit que Tuck Hostetler venait de décéder.

— Certaines dispositions nécessitent votre présence, expliqua Tanner.

Sitôt après avoir raccroché, le premier réflexe de Dawson fut de réserver son vol et une chambre dans un bed & breakfast local, puis d'appeler un fleuriste.

Le lendemain matin, après avoir verrouillé la porte d'entrée du mobile-home, Dawson fit le tour par derrière et gagna le petit hangar en tôle ondulée où il garait sa voiture. C'était le jeudi 18 juin 2009, et il emportait le seul costume qu'il possédait ainsi qu'un sac fourre-tout, qu'il avait rempli en pleine nuit comme il ne trouvait pas le sommeil. Il ouvrit le cadenas et souleva la porte en regardant le soleil darder ses rayons sur le véhicule qu'il avait restauré et réparé depuis le lycée. C'était un coupé sport modèle 1969, le genre de voiture qui attirait l'attention à l'époque où Nixon était le Président et produisait toujours le même effet. Elle donnait l'impression de sortir tout droit de l'usine et, d'année en année, d'innombrables inconnus avaient proposé de la lui racheter. Dawson refusait chaque fois leur offre. « C'est plus qu'une simple voiture pour moi », leur disait-il invariablement, sans plus d'explication. Tuck aurait tout à fait compris à quoi il faisait allusion.

Dawson laissa tomber le sac de voyage sur le siège passager et posa le costume par-dessus, avant de s'installer au volant. Dès qu'il tourna la clé de contact, le moteur rugit. Il recula sur le gravier avant de sortir refermer le garage. Ce faisant, il vérifia mentalement s'il n'avait rien oublié. Deux minutes plus tard, il roulait sur la route principale et, une demi-heure après, se garait dans le parking longue durée de l'aéroport de La Nouvelle-Orléans. Ça le chagrinait de devoir laisser sa voiture, mais il n'avait pas le choix. Il rassembla ses affaires puis se dirigea vers le terminal, où un billet l'attendait au comptoir de la compagnie aérienne.

L'aéroport grouillait de monde. Couples bras dessus, bras dessous ; familles en partance pour Disney World ; étudiants en vacances ; hommes d'affaire traînant leur bagage cabine à roulettes, le portable vissé à l'oreille. Dawson rejoignit la lente file d'attente et patienta jusqu'à ce qu'il atteigne le comptoir. Il montra ses papiers d'identité et répondit aux habituelles questions de sécurité, avant de se voir remettre ses cartes d'embarquement. Il n'eut qu'une escale à Charlotte, à peine plus d'une heure. Rien de terrible. Arrivé à New Bern et installé au volant de sa voiture de location, il lui resterait encore quarante minutes de trajet. Si ça roulait bien, il parviendrait à Oriental en fin d'après-midi.

Dawson ne réalisa à quel point il était fatigué qu'une fois installé dans l'avion. Il ne savait plus trop à quel moment il avait somnolé — la dernière fois qu'il avait regardé sa montre, celle-ci indiquait presque 4 heures —, mais il avait prévu de dormir un peu pendant le vol. De toute manière, il n'aurait pas grand-chose à faire lorsqu'il serait en ville. Fils unique, sa mère s'était enfuie alors qu'il avait trois ans, et son père violent et alcoolique avait rendu service à la société en s'enivrant à mort. Voilà des années que Dawson ne parlait plus à aucun membre de sa famille, et il ne souhaitait pas davantage renouer avec eux à présent.

Sa visite se limiterait donc à un aller-retour rapide. Il ferait ce qu'il avait à faire et ne prévoyait pas de s'attarder plus que nécessaire. Il avait certes grandi à Oriental, mais ne s'était jamais vraiment senti un enfant du cru. L'Oriental qu'il connaissait n'avait rien à voir avec l'image accueillante que vantait l'office du tourisme régional. Pour la plupart des gens qui y passaient l'après-midi, Oriental donnait l'impression d'être une petite ville originale, peuplée d'artistes, de poètes et de retraités venus couler des jours paisibles au crépuscule de leur vie, en naviguant sur la Neuse River. La bourgade abritait un centre-ville pittoresque à souhait, riche en boutiques d'antiquités, galeries d'art et autres cafés, de même qu'elle accueillait plus d'animations de rue hebdomadaires que n'importe quelle autre commune comptant moins d'un millier d'âmes. Mais la véritable Oriental, celle qu'il avait connu enfant et jeune homme, était également peuplée par de vraies dynasties implantées dans la région depuis l'époque coloniale. Des gens comme le juge McCall et le shérif Harris, Eugenia Wilcox, et les familles Collier et Bennett. Ils représentaient ceux qui avaient toujours possédé et exploité la terre, pratiqué le négoce du bois et prospéré dans les affaires ; ils formaient la société invisible et puissante d'une ville qui leur appartenait depuis toujours.

Dawson en fit personnellement l'expérience à l'âge de dix-huit ans, puis de nouveau à vingt-trois, quand il quitta définitivement la ville. Il n'était guère facile d'être un Cole dans le comté de Pamlico, et en particulier dans la localité d'Oriental. À sa connaissance, tous les Cole avaient fait de la prison, si l'on remontait dans l'arbre généalogique jusqu'à son arrière-grand-père. Plusieurs membres de sa famille avaient été condamnés pour différents motifs : voies de faits, incendie criminel, tentative de meurtre et assassinat. La propriété boisée et rocailleuse qui abritait le vaste clan s'apparentait à un territoire régi par ses propres règles. Une poignée de cabanes délabrées, de petits mobile-homes et de vieilles granges à bric-à-brac parsemaient le domaine où sa famille avait élu domicile et, sauf s'il n'avait pas d'autre choix, le shérif lui-même évitait l'endroit. Les chasseurs ne s'en approchaient pas et supposaient à juste titre que la pancarte « Défense d'entrer sous peine de se faire tirer dessus » n'était pas un simple avertissement, mais bel et bien une promesse. Bouilleurs de cru clandestins, revendeurs de drogue, alcooliques, maris violents, pères et mères maltraitants, voleurs et souteneurs, les Cole se distinguaient avant tout par leur brutalité pathologique. À en croire un article publié dans un magazine à présent disparu des kiosques, les Cole étaient considérés à une certaine époque comme la famille la plus malveillante et la plus revancharde qui puisse exister à l'est de Raleigh. Le père de Dawson ne faisait pas exception. Jusqu'au début de la trentaine, il avait passé le plus clair de son temps en prison pour diverses infractions, parmi lesquelles une agression au pic à glace sur la personne d'un automobiliste qui lui avait fait une queue de poisson. Il avait été jugé et acquitté à deux reprises pour meurtre, après que les témoins eurent disparu, et même le reste de la famille savait suffisamment à quoi s'en tenir pour ne pas l'irriter. Pourquoi ou comment sa mère avait-elle épousé cet homme, cela restait un mystère pour Dawson. Il ne lui en voulait pas de s'être enfuie. Lui-même avait passé le plus clair de son enfance à vouloir échapper au clan. Il ne tenait pas non plus rigueur à sa mère de ne pas l'avoir emmené avec elle. Bizarrement, les hommes de la famille Cole se sentaient propriétaires de leur progéniture, si bien que son père aurait sans nul doute pourchassé sa mère pour le récupérer, de toute manière. Il l'avait d'ailleurs dit plus d'une fois à Dawson, lequel s'était bien gardé de lui demander ce qu'il aurait fait si sa mère avait refusé de le lui rendre. Dawson connaissait déjà la réponse.

Il se demandait combien de membres de sa famille vivaient encore sur le domaine. Lorsqu'il était enfin parti, outre son père, le clan comptait un grand-père, quatre oncles, trois tantes et seize cousins. À présent, les cousins étaient adultes et avaient eux-mêmes des enfants, si bien que la famille avait dû s'agrandir, mais Dawson n'éprouvait aucun désir de le vérifier. C'était peut-être l'univers où il avait grandi mais, comme à Oriental, il ne s'était jamais senti à sa place parmi eux. Isolé parmi ses cousins, il ne se bagarrait jamais à l'école et rapportait des bulletins scolaires corrects. Il évitait la drogue et l'alcool et, à l'adolescence, se tenait à l'écart de ses cousins quand ils sillonnaient la ville pour s'attirer des ennuis, en leur disant la plupart du temps qu'il devait surveiller la distillerie clandestine ou aider à démonter une voiture qu'un membre de la famille avait volée. Bref, il faisait de son mieux pour garder si possible un profil bas.

Autant dire qu'il devait jouer les équilibristes. Car si les Cole formaient une bande de criminels patentés, ils n'étaient pas idiots pour autant, et Dawson savait d'instinct qu'il devait masquer ses différences. C'était sans doute le seul élève dans l'histoire de son école à étudier comme un forcené pour rater volontairement une interrogation, et il apprit lui-même à falsifier ses relevés de notes afin qu'ils paraissent moins bons qu'ils ne l'étaient en réalité. Il apprit aussi à vider en douce une canette de bière en la perçant d'un coup de canif, sitôt que son interlocuteur avait le dos tourné ; et quand le travail lui servait d'excuse pour éviter ses cousins, il se tuait à la tâche jusqu'à une heure avancée de la nuit. Il ne se débrouilla pas trop mal pendant un temps mais, peu à peu, sa carapace se fissura. L'un de ses professeurs confia à un copain de bar de son père que Dawson était le meilleur élève de sa classe, de même que les oncles et les tantes commencèrent à remarquer qu'il restait le seul parmi les cousins à ne jamais s'éloigner du droit chemin. Dans une famille qui privilégiait avant tout la loyauté et la conformité, Dawson sortait du lot, et il n'existait pas pire transgression.

Cela rendait son père fou furieux. Même s'il le battait régulièrement depuis son plus jeune âge – avec une prédilection pour la ceinture et le fouet –, lorsqu'il eut douze ans, les corrections prirent une tournure singulière. Son père le frappait jusqu'à lui bleuir et lui noircir le dos et le torse, puis il revenait s'en prendre à son visage et à ses jambes une heure plus tard.

Les enseignants étaient au courant de la situation mais, par crainte de représailles sur leur propre famille, ils fermaient les yeux. Le shérif faisait mine de ne pas voir les bleus et les marques de coups, quand il croisait Dawson au retour de l'école. Et le reste de la famille s'en accommodait fort bien. Abee et Ted le Cinglé, ses cousins les plus âgés, lui sautaient volontiers dessus pour le tabasser aussi violemment que son père ; Abee parce qu'il jugeait que Dawson le méritait, et Ted le Cinglé uniquement par plaisir. Abee, grand et costaud, avec des poings gros comme des jambonneaux, était brutal et soupe au lait, mais plus malin qu'il ne le laissait paraître. Ted le Cinglé, en revanche, portait la méchanceté dans ses gènes. À la maternelle, il avait poignardé à coups de crayon un petit camarade avec lequel il se disputait un Twinkie [1] et, avant de se faire finalement renvoyer en CM2, il avait envoyé un autre camarade de classe à l'hôpital. À en croire la rumeur, il aurait tué un junkie quand il était adolescent. Dawson pensait qu'il valait mieux ne pas riposter. Au lieu de quoi, il apprit à se protéger tout en amortissant les coups, jusqu'à ce que ses cousins se lassent, se fatiguent, ou les deux.

Toutefois, Dawson ne marcha pas sur les traces de sa famille et devint plus résolu que jamais. Avec le temps, il apprit que plus il criait, plus son père le frappait, si bien qu'il ne protestait plus. Par ailleurs, il savait d'instinct que son père, comme toutes les brutes de son acabit, ne livrait que les combats qu'il était certain de gagner. Nul doute que le jour viendrait où Dawson serait assez fort pour se défendre, quand il n'en aurait plus peur. Tandis que les coups pleuvaient sur lui, il imaginait non sans peine le courage que sa mère avait témoigné en coupant les ponts avec la famille.

Dawson s'employa au maximum à accélérer le processus. Il attacha à un arbre un sac bourré de vieux chiffons, qu'il cognait comme un punching-ball plusieurs heures par jour. Le plus souvent possible, il faisait des exercices en soulevant des grosses pierres et des moteurs de voiture, ainsi qu'en effectuant des tractions, pompes et autres abdominaux. Avant l'âge de treize ans, son corps s'étoffa de cinq kilos de muscle, auxquels vinrent s'ajouter une dizaine d'autres pour ses quatorze ans. Il grandit dans le même temps, si bien qu'à quinze ans il atteignait presque la stature de son père. Une nuit, alors que Dawson avait seize ans depuis un mois, son père s'approcha de lui avec une ceinture, après une soirée de beuverie. Dawson se

---

1. Célèbre génoise américaine fourrée à la crème et généralement vendue par paquet de deux. (*Toutes les notes sont du traducteur.*)

cabra en la lui arrachant des mains. Il prévint son père que si jamais celui-ci le touchait encore, il le tuerait.

Ce soir-là, n'ayant d'autre endroit où aller, Dawson trouva refuge dans le garage de Tuck. Lorsque Tuck le découvrit le lendemain matin, Dawson lui demanda un travail. Tuck n'avait aucune raison de l'aider, dans la mesure où Dawson était non seulement un étranger mais aussi un Cole. Tuck s'essuya les mains sur le bandana qu'il gardait dans sa poche arrière et tenta de lire dans les pensées du jeune intrus, avant d'attraper son paquet de cigarettes. À l'époque, Tuck avait soixante et un ans, et était veuf depuis deux ans. Lorsqu'il prit la parole, Dawson sentit l'alcool dans son haleine, de même que sa voix râpeuse témoignait des Camel sans filtre qu'il fumait depuis sa jeunesse. Son accent, comme celui de Dawson, trahissait le gars du cru.

— J'imagine que tu sais désosser les bagnoles, mais sauras-tu les remonter ?

— Oui, M'sieur, répondit Dawson.

— T'as pas école aujourd'hui ?

— Si, M'sieur.

— Alors tâche de revenir juste après, et j' verrai comment tu t' débrouilles.

Dawson revint le voir et fit de son mieux pour prouver sa valeur. Après le travail, il plut la majeure partie de la soirée et, quand Dawson se faufila de nouveau en catimini dans le garage, Tuck l'attendait.

Il tira fort sur sa Camel en lorgnant Dawson sans piper mot, puis regagna la maison. Dawson ne passa plus jamais une seule nuit sur le domaine familial. Tuck n'exigea pas le moindre loyer, et Dawson apportait sa propre nourriture. Au fil des mois, il commença à penser à son avenir pour la première fois de sa vie. Il économisait au maximum, sa seule folie se limitant au coupé sport acquis dans un dépôt de ferraille et aux litres de thé glacé achetés au snack-bar du coin. Il réparait la voiture le soir, après le travail, tout en buvant son thé, et rêvait d'aller à l'université, ce qu'aucun Cole n'avait jamais fait. Il envisageait de s'engager dans l'armée ou simplement de louer son propre appartement mais, avant qu'il puisse prendre la moindre décision, son père se pointa à l'improviste au garage, accompagné d'Abee et de Ted le Cinglé. Tous deux étaient armés d'une batte de base-ball, et il entrevit les contours d'un couteau dans la poche de Ted.

— File-moi l'argent qu' t'as gagné, exigea son père sans préambule.

— Non, rétorqua Dawson.

— J' me doutais bien qu' t'allais dire ça, fiston. C'est pourquoi j'ai amené Ted et Abee avec moi. Ils peuvent te dérouiller et j' le prendrai d' toute manière, ou bien tu peux me donner c' que tu m' dois pour avoir foutu l' camp d' chez nous.

Dawson resta muet, tandis que son père mastiquait un cure-dent.

— Tu vois, pour mettre fin à ta p'tite vie, j'aurais juste besoin d' commettre un acte criminel là-bas, en ville. Un cambriolage ou un incendie, peut-être. Pourquoi pas ? Ensuite, il nous suffirait simplement d' laisser deux ou trois preuves sur place, puis d' passer un coup d' fil anonyme au shérif et d' laisser les forces de l'ordre faire leur boulot. T'es tout seul ici l' soir et t'auras pas d'alibi, et pour c' que j'en ai à foutre, tu peux passer l' restant d' tes jours à pourrir entouré d' fer et d' béton. Ça m' gênera pas du tout. Alors, pourquoi n' pas tout bonnement m' filer l'oseille ?

Dawson savait que son père ne bluffait pas. Visage de marbre, il sortit l'argent de son portefeuille. Après avoir compté les billets, son père cracha le cure-dent et sourit jusqu'aux oreilles.

— Je r' passerai la s'maine prochaine.

Dawson fit avec. Il se débrouilla pour grappiller un peu d'argent sur sa paie, afin de continuer à réparer le coupé et s'acheter du thé glacé, mais la majeure partie de ce qu'il gagnait allait dans la poche de son père. Même s'il soupçonnait Tuck d'être au courant de la situation, celui-ci ne lui en fit jamais part de vive voix. Non pas qu'il craignait les Cole, mais ce n'était pas ses affaires, voilà tout. Au lieu de ça, il prépara désormais des repas trop copieux pour lui.

— Il m'en reste un peu, si ça te tente, disait-il en lui apportant une assiette au garage.

La plupart du temps, il regagnait la maison sans un mot de plus. C'était le genre de relation qu'ils avaient, et Dawson la respectait. Tout comme il respectait Tuck. À sa manière, Tuck était devenu la personne la plus importante de son existence, et Dawson ne voyait pas ce qui aurait pu changer cet état de fait.

Jusqu'au jour où Amanda Collier entra dans son univers. Bien qu'il la connaisse depuis des années – le comté de Pamlico n'abritait qu'un lycée et Dawson avait presque toujours été en cours avec elle –, ce ne fut qu'au printemps de son année de première qu'ils échangèrent un peu plus que quelques mots. Il l'avait toujours trouvée jolie, mais n'était pas le seul à le penser. C'était une fille très appréciée, du genre à être entourée d'amis à la cafétéria, alors que les garçons se disputaient son attention, d'autant qu'elle était non seulement déléguée de classe mais aussi pom-pom girl. Par ailleurs, elle était aussi riche et inaccessible à ses yeux qu'une actrice de série télévisée. Il ne lui dit jamais un mot, jusqu'à ce que tous deux se retrouvent en binôme pour le cours de chimie.

Tandis qu'ils travaillaient avec leurs tubes à essai et révisaient ensemble ce semestre-là, Dawson découvrit qu'elle ne ressemblait en rien à celle qu'il imaginait. Pour commencer, le fait qu'elle soit une Collier et lui un Cole ne semblait absolument pas la déranger, ce qui le surprit. Elle avait le rire facile, un humour débridé, et lorsqu'elle souriait, c'était toujours avec un soupçon d'espièglerie, comme si elle connaissait quelque chose qui aurait échappé aux autres. Ses cheveux étaient d'un joli blond doré, ses yeux du bleu étincelant d'une belle journée d'été et, parfois, quand ils griffonnaient des équations sur leur cahier, elle effleurait son bras pour attirer son attention sur tel ou tel détail. Dawson en conservait alors l'agréable sensation des heures entières. L'après-midi, lorsqu'il travaillait au garage, il se surprenait à penser à elle. Ce ne fut pourtant qu'au printemps qu'il prit enfin son courage à deux mains pour lui demander si elle accepterait de se voir offrir une crème glacée. Dès lors, à mesure que la fin des cours approchait, ils passèrent de plus en plus de temps ensemble.

C'était l'année 1984, et Dawson avait dix-sept ans. À la fin de l'été, il comprit qu'il était amoureux. Quand le temps se rafraîchit et que les feuilles d'automne commencèrent à consteller le sol d'or et de roux, il eut la certitude de vouloir passer le reste de sa vie avec elle, aussi fou que cela puisse paraître. Ils continuèrent à se fréquenter l'année suivante, devinrent de plus en plus intimes et passèrent un maximum de temps ensemble. En compagnie d'Amanda, Dawson n'éprouvait aucune difficulté à être lui-même et se sentait épanoui pour la première fois de sa vie. Encore aujourd'hui, cette dernière année passée avec elle restait gravée dans sa mémoire.

Ou, plus précisément, le souvenir d'Amanda demeurait gravé dans sa mémoire.

*
* *

Dans l'avion, Dawson s'installa pour le vol. Il occupait un siège côté hublot vers l'arrière, à côté d'une jeune femme rousse élancée d'environ trente-cinq ans. Pas exactement son type, mais assez jolie. Elle se pencha vers lui en cherchant sa ceinture de sécurité et sourit comme pour s'excuser.

Dawson lui fit un signe de tête mais, comme il sentait qu'elle allait entamer la conversation, il se tourna vers le hublot. Il regarda le chariot à bagages s'éloigner de l'appareil et laissa son esprit vagabonder, comme souvent, vers les souvenirs lointains d'Amanda. Dawson songea à ce premier été où ils allaient nager dans le fleuve Neuse, leurs corps lisses se frôlant dans l'eau, ou encore à cette habitude qu'elle avait prise de se jucher sur l'établi, en enroulant les bras autour de ses jambes repliées, pendant qu'il travaillait sur sa voiture dans le garage de Tuck. À tel point qu'il se disait qu'il ne désirait rien d'autre que de la voir là, auprès de lui pour toujours. En août, lorsqu'il fit enfin démarrer son coupé pour la première fois, il emmena Amanda à la mer. À la plage, ils s'étaient allongés sur leurs serviettes et tenu la main, les doigts entrelacés, tandis qu'ils parlaient de leurs livres et de leurs films favoris, de leurs secrets et de leurs rêves d'avenir.

Ils discutaient ferme aussi, et Dawson découvrit à cette époque le caractère fougueux d'Amanda. Ils n'étaient certes pas sans cesse en désaccord, mais cela pouvait arriver ; le plus remarquable, c'était que ces querelles s'apaisaient la plupart du temps tout aussi vite qu'elles éclataient. Parfois, elles portaient sur des vétilles — Amanda avait des avis sur tout — et ils se chamaillaient sans trouver le moindre point d'accord. Mais même dans ces moments-là, où il se mettait vraiment en colère, Dawson ne pouvait s'empêcher d'admirer la sincérité d'Amanda, laquelle s'ancrait dans le fait qu'elle tenait bien plus à lui qu'à quiconque dans sa vie.

Hormis Tuck, personne ne comprenait ce qu'elle lui trouvait. Bien qu'ils aient au début tenté de cacher leur relation, Oriental était une petite ville et les gens se mirent inévitablement à murmurer. L'une après l'autre, Amanda vit ses amies s'éloigner d'elle, et bientôt ses parents découvrirent le pot aux roses. Il était un Cole et elle une Collier, ce qui suffisait à provoquer leur consternation. Au début, ils s'accrochèrent à l'espoir qu'Amanda traversait simplement une phase de rébellion et ils tentèrent de l'ignorer. Comme cela ne fonctionna pas, la situation se compliqua pour Amanda. Ils lui confisquèrent son permis de conduire et lui interdirent d'utiliser le téléphone. À l'automne, elle fut consignée plusieurs semaines d'affilée et ils lui interdirent de sortir le week-end. Jamais ils ne reçurent Dawson chez eux, et l'unique fois où son père lui parla, il le traita de « petite racaille » et de « bon à rien ». Quant à sa mère, elle supplia Amanda de mettre un terme à sa relation avec Dawson ; et, en décembre, son père avait tout bonnement cessé de lui adresser la parole.

L'hostilité qui les entourait ne fit que rapprocher davantage Amanda et Dawson et, dès lors qu'il se mit à lui prendre la main en public, elle la lui serra fort, comme pour défier quiconque de l'en empêcher. Toutefois, Dawson n'était pas naïf : même si elle représentait énormément pour lui, il savait depuis toujours que leur temps était compté. Tout semblait jouer contre eux. Quand le père de Dawson eut vent de sa relation avec Amanda, il l'interrogea à ce sujet en venant percevoir sa « taxe ». Même si le ton employé n'avait rien d'ouvertement menaçant, le simple fait de l'entendre prononcer le nom d'Amanda flanqua la nausée à Dawson.

En janvier, Amanda eut dix-huit ans, mais si sa relation avec lui rendait ses parents furieux, ils n'allèrent pas jusqu'à la mettre à la porte. Elle se moquait alors de ce qu'ils pouvaient penser… du moins l'affirmait-elle depuis toujours à Dawson. Parfois, après une nouvelle dispute avec ses parents, elle se sauvait en douce par la fenêtre de sa chambre au beau milieu de la nuit et filait au garage. Souvent, Dawson l'attendait, mais il arrivait aussi qu'elle le réveille en le rejoignant sur le tapis de sol qu'il avait déroulé dans le bureau. Ils descendaient alors vers la rivière et Dawson la prenait par la taille, puis ils s'asseyaient au pied d'un chêne vert ancestral. Au clair de lune, tandis qu'ils regardaient les rougets faire des bonds dans l'eau, Amanda lui rapportait les propos échangés avec ses parents, parfois d'une voix chevrotante, mais en prenant toujours soin de préserver ses sentiments à lui. Il l'en aimait d'autant plus, bien qu'il sache parfaitement ce que les parents d'Amanda pensaient de lui. Un soir qu'elle ne pouvait retenir ses larmes après une nouvelle altercation familiale, Dawson lui suggéra gentiment qu'il vaudrait peut-être mieux pour elle qu'ils cessent de se fréquenter.

— C'est vraiment ce que tu souhaites ? demanda-t-elle, la voix entrecoupée.

Il la serra encore plus fort contre lui.

— Je ne veux que ton bonheur, répondit-il dans un murmure.

Elle posa alors la tête sur son épaule et, tandis qu'il l'étreignait, il s'en voulut plus que jamais d'être né au sein du clan Cole.

— C'est auprès de toi que je suis la plus heureuse, lui chuchota-t-elle enfin.

Plus tard, cette nuit-là, ils firent l'amour pour la première fois. Pendant les vingt années qui suivirent et même au-delà, Dawson conserva ces paroles et le souvenir de cette soirée tout au fond de lui, en sachant qu'Amanda s'était alors exprimée pour eux deux.

Après avoir atterri à Charlotte, Dawson prit son sac et son costume sur l'épaule, puis traversa l'aéroport en prêtant à peine attention à l'activité environnante, tandis qu'il égrenait ses souvenirs de son dernier été avec Amanda. Au printemps, elle avait reçu la lettre de son admission à l'université Duke, la concrétisation d'un rêve qu'elle caressait depuis toute petite. Le spectre de son départ, ajouté au rejet de sa famille et de ses amies, ne fit qu'intensifier leur désir d'être le plus souvent possible ensemble. Ils passèrent des heures à la plage, firent de longues virées en voiture avec la radio à plein tube, ou restèrent simplement au garage de Tuck. Ils se promirent que rien ne changerait après le départ d'Amanda ; soit il irait la voir à Durham, soit elle reviendrait lui rendre visite. Elle était certaine qu'ils trouveraient un moyen ou un autre de continuer leur relation, même à distance.

Les parents d'Amanda avaient toutefois d'autres projets en tête. Un samedi matin d'août, un peu plus d'une semaine avant son départ supposé pour Durham, ils l'interceptèrent avant qu'elle puisse s'échapper de la maison. Ce fut sa mère qui prit la parole, même si Amanda savait que son père soutenait fermement celle-ci.

— Cela dure depuis trop longtemps, commença sa mère.

Puis, d'une voix étonnamment posée, elle prévint Amanda que si elle continuait à voir Dawson, elle devrait alors quitter la maison en septembre et régler elle-même ses propres factures, et ils ne lui paieraient pas non plus ses études universitaires.

— Pourquoi devrions-nous gaspiller de l'argent pour ton éducation, alors que tu fiches ta vie en l'air ? ajouta sa mère.

Dès qu'Amanda voulut protester, elle lui coupa la parole.

— Il te rabaissera à une condition inférieure à la tienne, Amanda, mais tu es encore trop jeune pour le comprendre. Donc, si tu souhaites avoir la liberté d'une adulte, tu devras aussi en assumer les responsabilités. Si tu préfères gâcher ta vie en restant avec Dawson… nous n'allons pas t'en empêcher. Mais nous ne t'aiderons pas non plus.

Amanda quitta aussitôt la maison coudes au corps, avec une seule idée en tête : trouver Dawson. Lorsqu'elle arriva devant le garage, elle sanglotait si fort qu'elle ne pouvait parler. Dawson sortit et la serra dans ses bras, tandis qu'elle lui livrait peu à peu des bribes de sa conversation avec sa mère, jusqu'à ce qu'elle se calme.

— On va habiter ensemble, décida-t-elle, les joues encore humides de larmes.

— Où ça ? demanda-t-il. Ici ? Au garage ?

— J'en sais rien. On trouvera une solution.

Dawson restait muet, le regard rivé au sol.

— Tu dois aller à la fac, reprit-il enfin.

— Je me moque de la fac, riposta-t-elle. C'est à toi que je tiens.

Il se détacha d'elle en lui disant :

— Moi aussi, je tiens à toi. Et c'est pour cette raison que je ne peux pas t'en priver.

Elle secoua la tête d'un air ébahi.

— Tu ne me prives de rien. C'est mes parents. Ils me traitent comme si j'étais encore une gamine.

— C'est à cause de moi, et tous les deux, on le sait très bien, dit-il en grattant la terre battue du bout de sa chaussure. Quand on aime quelqu'un, on ne le retient pas, si ?

Pour la première fois, les yeux d'Amanda lancèrent des éclairs.

— Et si ce quelqu'un revient, c'est qu'il t'aime vraiment ? C'est ta façon de voir les choses ? Tu n'as pas plus éculé comme cliché ? (Elle lui attrapa le bras et y enfonça ses ongles.) Notre histoire n'est pas un cliché, affirma-t-elle. On trouvera un moyen pour que ça marche. Je peux prendre un job de serveuse ou autre, et on peut louer un appart.

Il s'efforça de garder son calme, de ne pas craquer.

— Comment ? Tu crois que mon père va arrêter son racket ?

— On peut aller ailleurs.

— Où ça ? Avec quoi ? Je n'ai rien. Tu comprends ça, au moins ? (Il laissa la phrase en suspens et, comme elle ne répondait pas, il enchaîna.) J'essaye juste d'être réaliste. C'est de ta vie que nous parlons. Et… je ne peux plus en faire partie.

— Qu'est-ce que tu dis ?

— Je dis que tes parents ont raison.

— Tu ne le penses pas.

Dans sa voix, il perçut comme de la peur. Alors même qu'il mourait d'envie de la reprendre dans ses bras, il fit volontairement un pas en arrière.

— Rentre chez toi, lui dit-il.

Elle s'avança vers lui.

— Dawson…

— Non ! riposta-t-il en reculant davantage. Tu ne m'écoutes pas. C'est fini, OK ? On a essayé, ça n'a pas marché. La vie continue.

Le visage d'Amanda blêmit.

— Alors, c'est tout ?

Plutôt que de répondre, il s'obligea à tourner les talons pour rentrer dans l'atelier. Il savait que s'il lançait un seul regard par-dessus son épaule, il changerait d'avis, et il ne pouvait pas agir ainsi. Il ne lui ferait pas subir cela. Il plongea la tête sous le capot ouvert du coupé, se refusant à la laisser voir ses larmes.

Lorsqu'elle s'en alla enfin, Dawson se laissa glisser sur le béton poussiéreux, près de sa voiture, et y resta prostré pendant des heures, jusqu'à ce que Tuck sorte et s'installe sur une chaise à ses côtés. Il resta muet pendant un petit moment.

— T'as rompu, dit-il enfin.

— Il le fallait…

Dawson pouvait à peine parler.

— Ouais, acquiesça Tuck. J'ai entendu ça aussi.

Le soleil à son zénith enveloppait les abords du garage d'une chape de plomb silencieuse évocatrice de la mort.

— J'ai fait le bon choix ?

Tuck sortit ses cigarettes et gagna du temps avant de répondre. Il tapota une Camel pour tasser le tabac.

— J'en sais fichtre rien, reprit-il. C'est magique, entre vous deux, j' peux pas le nier. Et la magie, ça laisse des souvenirs drôlement coriaces, ma foi.

À ces mots, Tuck lui tapota affectueusement le dos et se leva pour s'en aller. Il ne lui avait jamais autant parlé de sa relation avec Amanda. Tandis qu'il s'éloignait, Dawson le regarda en plissant les yeux sous le soleil aveuglant, et les larmes lui revinrent. Il savait qu'Amanda représenterait toujours le meilleur de lui-même, la personnalité profonde qu'il rêverait toujours de connaître.

Il ne savait pas, en revanche, qu'ils ne se verraient ou ne se reparleraient plus. La semaine suivante, Amanda s'installa sur le campus de l'université Duke et, un mois plus tard, Dawson fut arrêté.

Il passa les quatre années qui suivirent derrière les barreaux.

2

Amanda descendit de sa voiture et contempla la vieille baraque aux abords d'Oriental que Tuck appelait sa maison. Elle avait roulé pendant trois heures et appréciait de pouvoir se dégourdir les jambes. La tension dans sa nuque et ses épaules persistait, témoin de sa discussion animée avec Frank ce matin-là. Il n'avait pas compris pourquoi elle tenait tant à assister aux obsèques et, avec le recul, elle admettait qu'il n'avait sans doute pas tort. En près de vingt ans de mariage, elle n'avait jamais fait allusion à Tuck Hostetler ; à la place de Frank, elle-même aurait été contrariée.

Toutefois, la conversation ne portait pas réellement sur Tuck ou les secrets d'Amanda, ni même sur le fait qu'elle passerait une fois de plus un long week-end loin de sa famille. Tous deux savaient pertinemment que ce n'était que la suite de la même discussion qu'ils avaient ces dix dernières années, laquelle se déroulait invariablement sur le même mode. Sans colère et sans violence, certes. Dieu merci, Frank n'était pas ce genre d'homme, et il s'était excusé brièvement, avant de partir au travail. Comme toujours, elle avait passé le reste de la matinée et l'après-midi à essayer d'oublier l'incident. Après tout, elle n'y pouvait rien et avait appris à la longue à se prémunir contre les brouilles et les tensions qui définissaient leur relation.

Pendant qu'elle roulait vers Oriental, Jared et Lynn, ses deux aînés, avaient appelé, ce qui lui avait heureusement changé les idées. Depuis qu'ils étaient en vacances d'été, la maison résonnait des allées et venues continuelles propres aux adolescents. Les obsèques tombaient pour ainsi dire à point nommé. Jared et Lynn avaient prévu de passer le week-end avec leurs amis, Jared en compagnie d'une certaine Melody, et Lynn avec une copine de lycée pour faire du bateau sur le lac Norman, au bord duquel les parents de celle-ci possédaient une maison. Annette – leur « merveilleux accident », comme disait Frank – était en colonie pour deux semaines. Nul doute qu'elle aurait aussi appelé Amanda, si les portables n'étaient pas interdits – ce qui était une bonne chose, sinon sa petite pipelette aurait téléphoné matin, midi et soir.

Amanda sourit en songeant à ses enfants. Malgré son activité de bénévole au Centre d'oncologie pédiatrique de l'hôpital universitaire Duke, sa vie était essentiellement axée sur sa progéniture. Depuis la naissance de Jared, elle était une mère au foyer et, même si ce rôle lui plaisait, une partie d'elle-même n'en mesurait pas moins ses limites. Amanda se plaisait à croire qu'elle représentait davantage qu'une épouse et une mère. Elle avait étudié à l'université pour devenir professeur et même envisagé un doctorat, dans l'optique d'enseigner dans une des facs de la région. Son diplôme en poche, elle avait occupé un poste d'institutrice… puis la vie reprit ses droits. À présent, à l'âge de quarante-deux ans, elle plaisantait parfois en disant qu'il lui tardait de grandir pour savoir quel métier exercer.

Certains pourraient attribuer cela à la crise de la quarantaine, mais elle n'était pas certaine que ce soit tout à fait le cas. Non pas qu'elle éprouve le besoin de s'acheter une voiture de sport, de rendre visite à un chirurgien esthétique ou de filer aux Caraïbes. Pas plus qu'elle ne craignait de mourir d'ennui : Dieu sait qu'entre les enfants et l'hôpital, elle n'avait pas le temps de rêvasser. Non, Amanda sentait plutôt qu'elle avait perdu de vue la personne qu'elle était dans le passé et doutait d'avoir un jour la chance de la retrouver.

Elle s'était longtemps estimée heureuse, et Frank faisait largement partie de ce bonheur. Ils s'étaient rencontrés dans une fête étudiante, pendant son avant-dernière année à Duke. En dépit du tohu-bohu ambiant de la soirée, ils se débrouillèrent pour dénicher un coin tranquille où ils bavardèrent jusqu'aux aurores. De deux ans son aîné, c'était un garçon sérieux et intelligent et, même lors de cette première rencontre, elle savait déjà qu'il finirait par réussir dans tout ce qu'il choisirait d'entreprendre. Il lui suffirait de se lancer. Au mois d'août, il rejoignit la faculté de chirurgie dentaire de Chapel Hill, mais ils continuèrent à se fréquenter les deux années qui suivirent. Les fiançailles étaient donc à prévoir et, en juillet 1989, quelques semaines après qu'elle eut obtenu son diplôme, ils se marièrent.

Après leur lune de miel aux Bahamas, Amanda commença à enseigner dans une école primaire ; puis, quand Jared vint au monde l'été suivant, elle prit un congé exceptionnel. Lynn suivit dix-huit mois plus tard, et le congé devint permanent. Dans l'intervalle, Frank était parvenu à emprunter suffisamment d'argent pour ouvrir son propre cabinet et acquérir leur première maison à Durham. Ils vécurent alors des années de vaches maigres ; Frank souhaitait réussir par lui-même et refusait toute aide de la famille ou de la belle-famille. Une fois les factures réglées, ils avaient de la chance s'ils pouvaient louer un film le week-end. Les dîners au restaurant étaient rares, et quand leur voiture rendit l'âme Amanda se retrouva bloquée pendant un mois à la maison, jusqu'à ce qu'ils puissent se permettre de faire réparer le véhicule. Par ailleurs, ils dormaient avec des couvertures supplémentaires afin d'éviter des notes de chauffage trop élevées. Mais avec le recul, aussi stressantes et éprouvantes que furent parfois ces années, Amanda savait aussi qu'elles constituèrent les plus heureuses de son mariage.

Le cabinet de Frank se développa peu à peu et, à maints égards, leur vie prit une tournure prévisible. Frank travaillait, tandis qu'elle s'occupait du foyer et des enfants. Bea, leur troisième, naquit au moment où ils vendaient la petite maison pour s'installer dans une demeure plus vaste qu'ils avaient fait construire au cœur d'un quartier plus cossu. Ensuite, ils furent de plus en plus occupés. Le cabinet de Frank prospéra de plus belle, tandis qu'elle faisait la navette en voiture pour emmener Jared à l'école, Lynn au parc et sur les aires de jeux, avec Bea sanglée sur son siège-auto entre les deux. Ce fut à cette époque qu'Amanda se mit à revoir ses projets de troisième cycle universitaire ; elle prit même le temps de compulser deux ou trois programmes de maîtrise, songeant qu'elle pourrait s'inscrire quand Bea entrerait en maternelle. Mais au décès de Bea, ses ambitions s'effondrèrent. Calmement, elle rangea dans un tiroir de son bureau ses manuels de préparation à l'examen d'entrée en troisième cycle et ses formulaires d'inscription.

Sa grossesse surprise, qui préceda la naissance d'Annette, scella sa décision de ne plus reprendre ses études. Au lieu de cela, elle redoubla même d'énergie en s'appliquant à reconstruire sa vie de famille avec une détermination farouche, à travers son rôle de mère au jour le jour, ne serait-ce que pour tenir le chagrin à distance. À mesure que les années s'écoulaient et que le souvenir de leur défunte petite sœur s'estompait, Jared et Lynn recouvrèrent une jeunesse un tant soit peu normale, et Amanda s'en félicita. La radieuse petite Annette apporta un regain de bonheur dans la maison, si bien que, de temps à autre, Amanda pouvait même faire comme s'ils formaient une famille unie et aimante, épargnée par la tragédie.

En revanche, difficile pour elle de se voiler la face à propos de son couple.

Amanda ne se berçait pas – et ne s'était jamais bercée – d'illusions sur le mariage, au point de le croire synonyme de bonheur conjugal éternel. Réunissez deux personnes, ajoutez les inévitables hauts et bas de l'existence, secouez énergiquement le cocktail et vous obtiendrez à coup sûr quelques discussions orageuses, aussi grand que puisse être l'amour. Le temps apportait aussi son lot de défis. Le bien-être et l'intimité, c'était merveilleux, mais cela émoussait aussi la passion et l'ardeur. Les habitudes et le quotidien ne laissaient guère de place aux surprises. Il ne restait plus d'anecdotes à raconter et chacun pouvait finir les phrases de l'autre, si bien que Frank et Amanda étaient parvenus au stade où un simple regard devenait suffisamment lourd de sens pour rendre toute parole superflue. Cependant, la perte de Bea les avait changés. La tragédie incita Amanda à s'impliquer comme bénévole à l'hôpital ; Frank, en revanche, passa de buveur occasionnel à alcoolique avéré.

Elle savait faire la différence et n'avait jamais joué les bégueules en matière d'alcool. Il y eut plusieurs occasions à l'université où elle but une bière de trop, de même qu'elle appréciait toujours un verre de vin au dîner. À l'occasion, elle l'accompagnait même d'un deuxième, ce qui lui suffisait la plupart du temps. Mais pour Frank, le verre de trop qui, au début, lui servait à calmer sa peine, s'était mué en une accoutumance qu'il ne pouvait plus contrôler.

Avec le recul, Amanda pensait parfois qu'elle aurait dû le voir venir. À la fac, il aimait regarder les matchs de basket en buvant avec ses copains ; à la faculté dentaire, il avait coutume de se détendre avec deux ou trois bières en fin de journée, après les cours. Mais durant les mois lugubres de la maladie de Bea, deux ou trois canettes par soirée devinrent bientôt un pack de six ; après le décès de la petite, un pack de douze. Lorsqu'ils parvinrent au deuxième anniversaire de la mort de Bea, alors qu'Annette était en route, il buvait à l'excès, même quand il devait travailler le lendemain matin. Ces derniers temps, la fréquence atteignait quatre à cinq soirs par semaine, et la veille au soir ne faisait pas exception. À minuit passé, il était entré dans la chambre en titubant, plus ivre que jamais, puis avait ronflé si fort qu'Amanda avait dû aller dormir dans la chambre d'amis. C'était son alcoolisme, et non pas Tuck, qui constituait la véritable raison de leur dispute de ce matin.

Au fil des années, rien n'avait été épargné à Amanda : depuis l'époque où Frank balbutiait au dîner ou lors d'un barbecue jusqu'à ce qu'il tombe ivre mort par terre, dans leur chambre. Pourtant, comme il était considéré de toutes parts comme un excellent dentiste, s'absentait rarement au travail et payait ses factures rubis sur l'ongle, Frank ne pensait pas avoir un problème. Comme il ne devenait jamais mauvais ou violent, il ne pensait pas avoir un problème. Comme ce n'était d'ordinaire que de la bière, ça ne pouvait pas être un problème.

Mais le problème existait bel et bien, parce qu'il était peu à peu devenu le genre d'homme qu'elle n'aurait jamais pu envisager d'épouser. Amanda ne comptait plus le nombre de fois où elle avait pleuré. Et où elle lui en avait parlé, en l'exhortant à penser aux enfants. Elle l'avait supplié de consulter avec elle un conseiller conjugal pour trouver une solution, quand elle ne s'était pas emportée contre son égoïsme. Elle lui avait battu froid des jours durant, l'avait obligé à dormir dans la chambre d'amis pendant des semaines, et avait prié Dieu avec ferveur. Une ou deux fois par an, Frank accédait à ses supplications et cessait de boire pendant un temps. Puis, après quelques semaines, il prenait une bière au dîner. Juste une. Et ce soir-là, ça ne posait aucun problème. Ou peut-être même qu'il en buvait une autre la fois suivante. Mais il avait rouvert la porte à son vieux démon, et le tourbillon infernal de la boisson l'emportait à nouveau.

Elle se reposait alors la même question que par le passé ? Pourquoi, lorsque l'envie de boire l'assaillait, ne pouvait-il pas simplement s'en détourner ? Et pourquoi refusait-il d'admettre que cela détruisait leur couple ?

Elle l'ignorait, mais savait en revanche que ça devenait épuisant. La plupart du temps, elle avait l'impression d'être l'unique parent responsable pour s'occuper des enfants. Jared et Lynn étaient certes en âge de conduire, mais que se passerait-il si l'un d'eux avait un accident quelconque pendant que Frank était en train de boire ? Allait-il sauter dans la voiture, sangler Annette sur la banquette arrière et foncer à l'hôpital ? Ou si quelqu'un tombait malade ? C'était déjà arrivé. Pas aux enfants, mais à Amanda. Quelques années auparavant, après avoir mangé des fruits de mer gâtés, elle avait passé des heures à vomir dans la salle de bains. À l'époque, Jared ne possédait qu'un permis de conducteur accompagné et n'avait pas le droit de rouler le soir, et Frank avait bu comme un trou. Comme elle frôlait la déshydratation, Jared finit par emmener sa mère à l'hôpital aux alentours de minuit, tandis que Frank se tenait vautré sur la banquette arrière, prétendant être bien moins ivre qu'il ne l'était. Malgré son état fiévreux avancé, elle vit que Jared ne cessait de lancer des regards dans le rétroviseur, son visage hésitant entre la colère et la déception. Amanda se disait parfois que son fils avait perdu une grande partie de son innocence, cette nuit-là, tel un enfant confronté aux horribles défauts de son père.

C'était une source d'angoisse constante qui la déprimait, et Amanda n'en pouvait plus de se faire du mauvais sang. Elle se souciait de ce que les gosses pensaient ou éprouvaient lorsqu'ils voyaient leur père tituber dans la maison. Elle s'inquiétait parce que Jared et Lynn ne semblaient plus vraiment le respecter. Elle craignait même de voir plus tard Jared, Lynn ou Annette marcher sur les brisées de Frank en trouvant refuge dans l'alcool, les pilules ou Dieu sait quoi, jusqu'à ce qu'ils gâchent leur vie.

En outre, elle n'avait pas vraiment trouvé d'aide extérieure. Même sans l'association Al-Anon[2], Amanda comprenait qu'elle ne pouvait guère changer Frank ; et tant qu'il n'admettrait pas qu'il avait un problème et ne voudrait pas y remédier, il resterait alcoolique. Dans l'intervalle, qu'est-ce que cela signifiait pour Amanda ? Qu'elle devait décider si oui ou non elle continuait à supporter la situation. Qu'elle devait dresser la liste des conséquences et s'y tenir. En théorie, c'était facile. En pratique, tout cela ne faisait que la mettre en colère. Si Frank avait un problème, pourquoi Amanda devait-elle en assumer les conséquences ? Et si l'alcoolisme était une maladie, cela ne signifiait-il pas que Frank avait besoin de son aide, ou du moins de sa loyauté ? Auquel cas, comment Amanda – son épouse ayant fait le serment de lui rester fidèle pour le meilleur et pour le pire – était-elle censée justifier la rupture de leur mariage, la désunion de leur famille, après toutes les épreuves qu'ils avaient traversées ? Elle deviendrait alors une mère et une épouse sans cœur, ou carrément la piteuse complice de

_____

2. Association de parents et amis d'alcooliques.

41

l'alcoolisme de Frank, alors qu'elle désirait plus que tout retrouver l'homme qu'il était autrefois.

Voilà ce qui rendait si difficile sa vie de tous les jours. Elle ne souhaitait pas divorcer et faire exploser la famille. Même si leur mariage frisait la déconfiture, une partie d'elle-même croyait encore au vœu solennel qu'elle avait prononcé. Elle aimait l'homme qu'il avait été et celui qu'il pourrait être… Mais à présent qu'elle se tenait devant la maison de Tuck Hostetler, Amanda se sentait seule et triste, et se demandait malgré elle comment elle avait pu en arriver là.

*
* *

Elle savait que sa mère l'attendait, mais n'était pas encore prête à l'affronter. Il lui fallait encore quelques minutes et, tandis que la lumière déclinait, elle s'engagea dans le jardin envahi de mauvaises herbes pour gagner l'atelier en désordre, où Tuck avait passé ses journées à restaurer des voitures de collection. À l'intérieur était garée une Corvette Stingray, un modèle des années 1960, devina-t-elle. En passant la main sur le capot, elle n'eut aucun mal à imaginer Tuck revenant au garage d'une minute à l'autre, sa silhouette courbée se découpant dans le soleil couchant. Avec sa salopette tachée, les rares cheveux gris de son crâne passablement dégarni et ses rides si marquées qu'elles évoquaient des cicatrices.

Malgré les questions intrusives de Frank au sujet de Tuck le matin même, Amanda s'était peu confiée, hormis pour le présenter comme un vieil ami de la famille. Ce n'était que la partie visible de l'iceberg, mais que pouvait-elle lui dire d'autre ? Même elle, admettait l'étrangeté de son amitié avec Tuck. Elle l'avait connu lorsqu'elle était au lycée, mais ne l'avait revu que six ans auparavant. À l'époque, Amanda se trouvait en visite chez sa mère. Un jour qu'elle sirotait une tasse de café à l'Irvin's Diner, elle avait entendu des hommes d'un certain âge qui jacassaient à une table voisine.

— Ce Tuck Hostetler reste un vrai génie de la mécanique, mais il est devenu totalement barjot, disait l'un d'eux en secouant la tête. Parler à sa défunte femme, c'est une chose, mais de là à jurer qu'elle lui répond, y a un monde, pardi !

— Il a toujours été un drôle de gars, ma foi.

Ce portrait ne ressemblait pas au Tuck qu'elle avait connu. Après avoir payé son café, elle monta dans sa voiture et refit le trajet presque oublié sur le chemin de terre qui menait à Tuck. Tous deux passèrent alors l'après-midi assis sur les rocking-chairs de sa véranda défoncée, et depuis ce jour-là elle avait pris l'habitude de faire un saut chez lui chaque fois qu'elle était de passage en ville. Au début, ce ne fut qu'une ou deux fois par an — elle ne pouvait supporter davantage de visites chez sa mère : mais, ces derniers temps, elle venait le voir à Oriental y compris quand sa mère était absente. Souvent même, elle lui préparait à dîner. Tuck avançait en âge et, même si Amanda se plaisait à croire qu'elle venait simplement prendre des nouvelles d'un vieil homme, tous deux savaient fort bien pourquoi elle lui rendait visite.

Les hommes croisés à l'Irvin's Diner disaient vrai, en un sens. Tuck avait changé. Il n'était plus ce personnage taciturne et mystérieux, parfois bourru, dont elle gardait le souvenir, mais il n'était pas fou non plus. Il faisait certes la différence entre illusion et réalité, et savait que sa femme était décédée voilà longtemps. Toutefois, Amanda découvrit que Tuck n'avait pas son pareil pour rendre réel, du moins à ses yeux, quelque chose dont il souhaitait l'existence. Lorsqu'elle finit par l'interroger sur ses « conversations » avec sa défunte épouse, il lui répondit, l'air de rien, que Clara était encore dans les parages et le serait toujours.

Non seulement ils se parlaient, lui avoua Tuck, mais il la voyait aussi.

— Vous voulez dire que c'est un fantôme ? s'enquit Amanda.

— Non, répondit-il. J' dis juste qu'elle veut pas qu' je sois tout seul.

— Elle est là en ce moment ?

Tuck jeta un regard par-dessus son épaule.

— J' la vois pas, mais j' l'entends bricoler dans la maison.

Amanda tendit l'oreille, mais ne perçut rien d'autre que le grincement des rocking-chairs sur les lattes du plancher.

— Est-ce qu'elle était… par ici… à l'époque ? Quand je vous connaissais déjà ?

Il inspira profondément et sa voix trahit une grande lassitude quand il répondit.

— Non. Mais je n'essayais pas de la voir à c' moment-là.

Il y avait quelque chose de touchant et de romantique dans sa conviction. Selon lui, ils s'aimaient assez fort pour avoir trouvé un moyen de rester ensemble, même après la mort de Clara. Qui n'aurait pas trouvé cela romantique ? Tout le monde voulait croire en l'amour éternel. Amanda elle-même y avait cru autrefois, quand elle avait dix-huit ans. Mais elle savait que l'amour était compliqué, tout comme la vie. Il prenait certaines tournures que personne ne pouvait prévoir ou même comprendre, en laissant une kyrielle de regrets dans son sillage. Presque toujours, ces regrets menaient à ces fameuses questions commençant par « Et si », auxquelles personne ne pouvait jamais répondre. « Et si » Bea n'était pas morte ? « Et si » Frank n'était pas devenu alcoolique ? « Et si » elle avait épousé son seul véritable amour ? Reconnaîtrait-elle seulement cette femme qu'elle voyait chaque matin dans le miroir ?

Tandis qu'elle s'appuyait contre la voiture, Amanda se demanda ce que Tuck aurait pensé de ses divagations. Tuck, qui mangeait chaque matin des œufs au gruau de maïs chez Irvin et des cacahuètes grillées en buvant son Pepsi. Tuck, qui avait vécu près de soixante-dix ans dans la même maison et n'avait quitté l'État qu'une fois pour aller servir son pays, pendant la Seconde Guerre mondiale. Tuck, qui écoutait la radio ou son phonographe plutôt que de regarder la télévision, parce qu'il l'avait toujours fait. Contrairement à elle, Tuck semblait adopter le rôle que la vie lui avait attribué. Amanda reconnaissait qu'il y avait sans doute une forme de sagesse dans une acceptation inébranlable, même si elle ne serait jamais capable de la faire sienne.

Bien sûr, Tuck avait Clara, et peut-être ceci expliquait-il cela. Mariés à l'âge de dix-sept ans, ils en avaient passé quarante-deux ensemble. Au fil de ses conversations avec Tuck, Amanda avait découvert peu à peu leur histoire. D'une voix paisible, il lui avait parlé des trois fausses couches de Clara, dont la dernière avait entraîné de graves complications. Selon Tuck, quand les médecins confièrent à sa femme qu'elle n'aurait jamais d'enfant, Clara s'était endormie tous les soirs en pleurant pendant près d'un an. Amanda apprit par ailleurs que Clara entretenait un jardin potager, lequel lui valut un jour de remporter le concours de la plus grosse citrouille de l'État. Du reste, Amanda aperçut le ruban bleu fané glissé derrière le miroir de leur chambre à coucher. Tuck lui raconta qu'après avoir monté son atelier ils avaient fait construire une petite maison au bord de la Bay River, non loin de Vandemere, une bourgade auprès de laquelle Oriental prenait des allures de grande ville. Chaque année, ils y passaient plusieurs semaines, car c'était pour Clara le plus merveilleux endroit au monde. Tuck décrivit aussi la manière dont sa femme fredonnait en écoutant la radio, quand elle faisait le ménage, et il révéla qu'il l'emmenait parfois danser au Red Lee's Grill, un lieu qu'Amanda fréquentait elle-même dans sa jeunesse.

Bref, c'était une vie fondée sur l'entente mutuelle, où l'amour et le bien-être se retrouvaient dans les plus infimes détails du quotidien. Une vie de dignité et d'honneur, avec certes son lot de chagrins, mais toujours enrichissante. Elle savait que Tuck comprenait cela mieux que quiconque.

— Avec Clara, c'était toujours agréable, lui dit-il un jour, comme pour résumer en un mot son bonheur passé.

Peut-être cela venait-il de la nature intime de ses anecdotes ou de la solitude croissante d'Amanda mais, avec le temps, Tuck devint pour elle aussi une sorte de confident, alors qu'elle ne l'aurait jamais imaginé. Ce fut avec lui qu'elle partagea sa peine après le décès de Bea, et ce fut sur la véranda de Tuck qu'elle put libérer sa colère contre Frank ; ce fut à Tuck qu'elle avoua son inquiétude au sujet des enfants, et sa conviction grandissante qu'elle avait fait le mauvais choix à un moment donné, dans sa vie. Elle lui parla des innombrables parents angoissés et des enfants incroyablement optimistes qu'elle rencontrait au Centre d'oncologie pédiatrique, et Tuck parut comprendre qu'elle trouvait une forme de salut dans le travail qu'elle effectuait là-bas, même s'il n'en souffla jamais mot. La plupart du temps, il lui tenait la main entre ses doigts noueux de mécanicien et l'apaisait par son silence attentif. À la fin, elle était devenue son amie la plus proche et en arrivait à penser que Tuck Hostetler connaissait mieux que n'importe qui la véritable Amanda.

Mais à présent, son ami et confident avait disparu. Alors qu'il lui manquait déjà, elle promena son regard sur la Stingray en se demandant s'il avait su que ce serait la dernière voiture qu'il restaurerait. Il ne lui avait rien dit de vive voix, mais en y repensant elle se rendit compte qu'il avait sans doute dû se douter qu'il allait bientôt partir. Lors de sa dernière visite, il lui avait donné un double de la clé de sa maison, en ajoutant avec un clin d'œil qu'elle ne « devait pas la perdre, sous peine d'être obligée de casser une vitre ». Amanda l'avait glissée dans sa poche, sans trop réfléchir, d'autant que Tuck avait dit d'autres choses assez bizarres ce soir-là. Elle se revoyait fouiller dans les placards en quête d'aliments pour préparer à dîner, pendant qu'il fumait une cigarette, assis à la table.

— Tu préfères le vin rouge ou le blanc ? lui demanda-t-il tout à coup.

— Ça dépend, répondit-elle en faisant le tri parmi les boîtes de conserve. Il m'arrive de prendre un verre de rouge au dîner.

— Ben j'ai du rouge, annonça-t-il. Là, dans ce placard.

Elle se retourna.

— Vous voulez que j'ouvre une bouteille ?

— Bah, j'ai jamais trop aimé ça. J' vais m'en tenir à mon Pepsi et à mes cacahuètes, dit-il en faisant tomber sa cendre dans une tasse à café ébréchée. J'ai toujours des steaks bien frais aussi. Le boucher m'en livre tous les lundis. Tu les trouveras en bas du frigo. Le gril est dehors, derrière la maison.

Elle s'avança vers le réfrigérateur.

— Vous voulez que je vous cuise un steak ?

— Non. En général, j' les garde pour plus tard dans la semaine.

Elle hésita, ne sachant trop où il voulait en venir.

— Donc… c'était juste pour me prévenir ?

Comme il hochait la tête sans en dire plus, Amanda mit cela sur le compte de l'âge et de la fatigue. Elle lui prépara des œufs au bacon puis mit un peu d'ordre, pendant que Tuck écoutait la radio dans le fauteuil près de la cheminée, avec un plaid sur les épaules. Amanda remarqua malgré elle combien il paraissait flétri, infiniment plus petit que l'homme qu'elle avait connu dans sa jeunesse. Tandis qu'elle se préparait à partir, elle rajusta le plaid en pensant qu'il s'était endormi. Sa respiration était lourde et laborieuse. Elle se pencha et l'embrassa sur la joue.

— Je vous aime beaucoup, Tuck, murmura-t-elle.

Il remua un peu et devait sans doute rêver mais, en tournant les talons, elle perçut un soupir.

— Tu me manques, Clara…

Ce furent les dernières paroles qu'Amanda l'entendit prononcer. Celles-ci trahissaient toute la douleur de sa solitude, et elle comprit soudain pourquoi Tuck avait pris Dawson sous son aile, si longtemps auparavant. *Tuck se sentait seul, lui aussi*, songea-t-elle.

*
* *

Après avoir brièvement appelé Frank pour lui dire qu'elle était arrivée – il avait déjà la voix pâteuse –, Amanda raccrocha et remercia le ciel que les enfants soient occupés à l'extérieur pour le week-end.

Sur l'établi, elle trouva le bloc-notes du garage et se demanda que faire de la voiture. En feuilletant celui-ci, elle découvrit bientôt que la Stingray appartenait à un défenseur de l'équipe de hockey des Carolina Hurricanes ; aussi se promit-elle d'en parler avec l'exécuteur testamentaire de Tuck. Tandis qu'elle reposait le bloc-notes, ses pensées vagabondèrent vers Dawson. Lui aussi avait fait partie de son secret. Parler de Tuck à Frank impliquait de lui parler de Dawson, et Amanda ne l'avait pas souhaité. Tuck avait toujours compris que Dawson constituait la véritable raison de ses visites, surtout au début. Ça ne dérangeait pas Tuck, qui était le mieux placé pour mesurer toute la puissance des souvenirs. Quelquefois, quand la lumière du soleil traversait les feuillages à l'oblique et baignait le jardin de Tuck d'une brume vaporeuse de fin d'été, Amanda sentait presque la présence de Dawson à ses côtés et se rappelait alors que son hôte n'avait rien d'un vieux fou. Comme celui de Clara, le spectre de Dawson demeurait omniprésent.

Même si elle savait qu'il ne servait à rien de se demander si sa vie serait différente si Dawson et elle étaient restés ensemble, Amanda avait éprouvé de plus en plus souvent ces derniers temps le besoin de revenir à cet endroit. Et plus elle y revenait, plus ses souvenirs s'intensifiaient, tandis que des événements et des émotions oubliés de longue date resurgissaient des tréfonds de son passé. Ici, il lui était facile de se rappeler combien elle se sentait forte, belle et unique en compagnie de Dawson. Elle avait à l'époque la certitude que Dawson était la seule personne au monde à la comprendre. Mais elle se rappelait surtout l'avoir aimé pleinement et la passion farouche avec laquelle il l'avait aimée en retour. De sa manière tranquille, Dawson lui avait fait croire que tout était possible.

Alors qu'elle se promenait dans l'atelier en désordre, avec les odeurs d'essence et d'huile flottant dans l'atmosphère, Amanda sentit tout le poids des centaines de soirées qu'elle avait passées ici. Elle effleura l'établi où elle avait coutume de rester assise des heures durant à regarder Dawson penché sous le capot ouvert de son coupé, donnant un tour de vis ici ou là, les ongles noircis par la graisse. Même à cette époque, son visage n'affichait pas la douceur et la naïveté juvéniles des autres jeunes de leur âge ; et, quand les muscles saillants de son avant-bras fléchissaient alors qu'il saisissait tel ou tel outil, elle voyait la silhouette de l'homme adulte qu'il devenait déjà. À l'instar de tout habitant d'Oriental, elle savait que son père l'avait battu et, lorsqu'il travaillait torse nu, elle distinguait les marques des coups sur son dos, sans doute infligés par la boucle d'un ceinturon. Elle ignorait si Dawson était même encore conscient de ces cicatrices, ce qui les rendait d'autant plus pénibles à voir.

Il était grand et mince, avec des cheveux bruns qui retombaient sur ses yeux encore plus sombres, et elle devinait déjà qu'il serait encore plus séduisant la maturité venue. Rien dans son physique ne laissait supposer qu'il puisse appartenir au clan Cole, si bien qu'elle lui avait demandé un jour s'il ressemblait à sa mère. Ils se tenaient alors assis dans sa voiture, tandis que la pluie éclaboussait le pare-brise. À l'image de Tuck, sa voix était presque toujours douce, son attitude paisible.

— J'en sais rien, avait-il répondu en essuyant la vitre couverte de buée. Mon père a brûlé toutes ses photos.

Un soir, comme leur premier été ensemble touchait à sa fin, ils étaient descendus sur le petit embarcadère au bord de la rivière, bien après le coucher du soleil. Dawson avait entendu dire qu'il y aurait une pluie d'étoiles filantes cette nuit-là. Aussi, après avoir étendu une couverture sur les planches du quai, ils s'étaient installés pour admirer en silence les lumières zébrant le ciel. Elle savait que ses parents seraient furieux s'ils apprenaient qu'elle se trouvait là, mais rien ne comptait plus alors que les étoiles filantes, la chaleur du corps de Dawson et la douceur avec laquelle il la tenait dans ses bras, comme s'il ne pouvait imaginer l'avenir sans elle.

Tout le monde vivait-il ainsi son premier amour ? Amanda en doutait un peu, même s'il lui paraissait plus réel que tout ce qu'elle avait connu jusqu'ici. Parfois, cela l'attristait de penser qu'elle n'avait jamais revécu cette expérience, mais la vie n'avait pas son pareil pour laminer une passion aussi intense. Et Amanda avait trop bien appris que l'amour ne suffisait pas toujours.

Malgré tout, alors qu'elle contemplait le jardin de l'autre côté du garage, elle ne put s'empêcher de se demander si Dawson avait revécu une telle passion et s'il était heureux désormais. Elle avait envie d'y croire, mais la vie d'un ex-détenu n'était jamais facile. Pour ce qu'elle en savait, il était peut-être de nouveau sous les verrous, drogué ou même mort ; mais ces images ne pouvaient cadrer avec la personne qu'elle avait connue. C'était en partie pour cette raison qu'elle n'avait jamais demandé de ses nouvelles à Tuck ; elle craignait trop sa réponse, et son silence ne faisait que renforcer les soupçons d'Amanda. Elle avait préféré rester dans l'incertitude, ne serait-ce que pour se souvenir de lui tel qu'il était autrefois. Parfois, elle se demandait cependant ce qu'il éprouvait en songeant à cette année qu'ils avaient passée ensemble, ou s'il s'était jamais étonné de ce qu'ils avaient partagé tous les deux, ou même tout simplement s'il pensait à elle.

3

L'avion de Dawson atterrit à New Bern quelques heures après que le soleil eut entamé son inexorable descente vers l'horizon. Au volant de sa voiture de location, il emprunta un pont enjambant la Neuse pour entrer dans Bridgeton, puis s'engagea sur l'autoroute 55. De part et d'autre de la voie express, le paysage se parsemait de fermes et d'anciens séchoirs à tabac tombant en ruine. La plaine miroitait sous la lumière de l'après-midi, et il eut l'impression que rien n'avait changé depuis son départ voilà tant d'années, peut-être même depuis un siècle. Il traversa Grantsboro et Alliance, Bayboro et Stonewall, des localités encore plus petites qu'Oriental, et songea que le comté de Pamlico était comme figé dans le temps, un peu comme la page oubliée d'un livre laissé à l'abandon.

C'était sa région natale et, même si bon nombre de ses souvenirs restaient douloureux, c'était aussi là que Tuck l'avait pris sous son aile et qu'il avait rencontré Amanda. L'un après l'autre, il retrouva les repères de sa jeunesse et, dans le silence de la voiture, s'interrogea sur ce que sa vie serait devenue si Tuck et Amanda n'y étaient jamais entrés. Mais, surtout, il se demanda à quel point sa vie aurait été changée si le Dr David Bonner n'était pas sorti faire un jogging, le soir du 18 septembre 1985.

Ce médecin avait emménagé à Oriental un an plus tôt, en décembre, avec sa femme et ses deux enfants. Pendant des années, la ville n'avait pas eu de généraliste. Le précédent avait pris sa retraite en Floride en 1980, et le conseil municipal tentait de lui trouver un remplaçant depuis lors. Oriental en avait grandement besoin mais, en dépit de nombreux avantages offerts par la municipalité, peu de postulants convenables souhaitaient s'installer dans ce qui était pour l'essentiel un trou perdu. La bonne fortune voulut que l'épouse du Dr Bonner, Marilyn, ait grandi dans la région et, à l'instar Amanda, soit quasiment considérée comme faisant partie de l'aristocratie. Les parents de Marilyn, les Bennett, produisaient pommes, pêches, raisin et autres myrtilles dans une gigantesque propriété aux abords de la localité ; après avoir fini son internat, David Bonner emménagea donc avec sa famille dans la ville natale de sa femme pour y ouvrir son propre cabinet.

D'entrée de jeu, il ne chôma pas. Las d'effectuer le trajet de quarante minutes jusqu'à New Bern, les patients affluèrent en masse chez lui, mais il ne se voilait pas la face en pensant s'enrichir. C'était tout bonnement impossible dans une petite bourgade au sein d'un modeste comté, en dépit du nombre important de patients et de sa belle-famille. Même si personne d'autre en ville ne le savait, la propriété des Bennett était largement hypothéquée et, le jour même de l'arrivée de David, son beau-père lui avait demandé un prêt. Toutefois, même après avoir dépanné sa belle-famille, le coût de la vie se révéla suffisamment bas pour lui permettre d'acquérir une maison coloniale de quatre chambres surplombant la Smith Creek, et son épouse était enchantée de revenir habiter au pays. À ses yeux, Oriental représentait l'endroit idéal pour élever des enfants, et nul ne pouvait réellement la contredire sur ce point.

Le Dr Bonner adorait les sports de plein air. Il pratiquait le surf, la natation, le vélo et la course à pied. D'ailleurs, les gens avaient l'habitude de le voir faire son jogging dans Broad Street après ses consultations et même au-delà du virage marquant la sortie de la ville. Les gens le klaxonnaient ou lui faisaient signe, et le Dr Bonner répondait d'un hochement de tête sans ralentir son allure. Parfois, après une journée particulièrement longue, il ne s'y mettait pas avant la tombée de la nuit et, le 18 septembre 1985, ce fut justement le cas. Il quitta la maison au crépuscule. Le Dr Bonner l'ignorait alors, mais les routes étaient glissantes. Il avait plu un peu plus tôt dans l'après-midi, suffisamment pour faire ressortir l'huile du bitume mais pas assez fort pour la faire disparaître.

Il entama son itinéraire habituel, qui lui prenait une trentaine de minutes, mais n'arriva jamais chez lui ce soir-là. Quand la lune apparut dans le ciel, Marilyn commença à s'inquiéter et, après avoir demandé à une voisine de surveiller les enfants, elle sauta dans sa voiture pour partir à la recherche de son mari. Juste au-delà du virage, à l'orée de la bourgade, près d'un bouquet d'arbres, elle aperçut une ambulance, ainsi que le shérif et un attroupement qui grossissait peu à peu. Elle découvrit alors qu'à cet endroit son mari venait d'être tué, quand le chauffeur d'un pick-up avait perdu le contrôle de son véhicule et dérapé en le percutant.

Marilyn apprit que la camionnette appartenait à Tuck Hostetler. Le conducteur, qui serait bientôt inculpé pour conduite criminelle d'un véhicule motorisé et homicide involontaire, était âgé de dix-huit ans et d'ores et déjà menotté.

Il s'appelait Dawson Cole.

À trois kilomètres de l'entrée d'Oriental – et du virage qu'il n'oublierait jamais –, Dawson repéra le vieil embranchement et le chemin de gravier menant au domaine familial et, d'instinct, pensa à son père. Quand Dawson était à la prison du comté dans l'attente de son procès, un gardien lui avait annoncé un beau jour qu'il avait une visite. Une minute plus tard, son père se tenait devant lui, mâchouillant un cure-dent.

— T'as foutu l' camp pour frayer avec c' te riche poulette et manigancer je n' sais quoi… et tout ça pour finir où ? En taule ! jubila son père dans une grimace malveillante. Tu t' croyais meilleur que moi, eh ben non. Tu vaux pas mieux, ma foi !

Dawson ne dit rien, mais éprouva un sentiment proche de la haine et, du fond de sa cellule, lui décocha un regard plein de mépris. Il se promit sur-le-champ de ne plus jamais lui adresser la parole, quoi qu'il puisse arriver.

Il n'y eut pas de procès. Contre l'avis de l'avocat commis d'office, Dawson plaida coupable ; et, contre l'avis du procureur, il écopa de la peine maximale. Au pénitencier Caledonia de Halifax, en Caroline du Nord, il travailla à la ferme de la prison et cultiva le maïs, le blé, le coton et le soja, transpirant sous l'implacable canicule au moment des récoltes, ou frigorifié par les vents glacés du nord à l'époque des labours. Bien qu'il ait correspondu par courrier avec Tuck, il ne reçut aucune visite en quatre ans.

À sa sortie de prison, Dawson fut placé en liberté conditionnelle et retourna à Oriental. Il travaillait pour Tuck et entendait les gens du cru chuchoter sur son passage, chaque fois qu'il faisait un saut au magasin de pièces détachées. Il savait qu'il était un paria, un Cole bon à rien qui avait tué non seulement le gendre des Bennett mais aussi le seul médecin de la ville, et il en éprouvait une culpabilité écrasante. À cette époque, il avait coutume de se rendre chez un fleuriste de New Bern, puis au cimetière d'Oriental où le Dr Bonner était enterré. Il déposait alors des fleurs sur sa tombe, tôt le matin ou tard le soir, quand peu de gens traînaient dans les parages. Parfois, il y restait une heure ou davantage, songeant à la femme et aux enfants que le généraliste avait laissés seuls. Dawson passa une grande partie de cette année-là dans l'ombre, essayant de se faire oublier.

Sa famille n'en avait cependant pas fini avec lui. Lorsque son père revint à l'atelier pour recommencer son petit racket, il était accompagné de Ted. Son père avait un fusil, Ted une batte de base-ball, mais ils avaient commis l'erreur de venir sans Abee. Quand Dawson leur demanda de quitter la propriété de Tuck, Ted ne réagit pas assez rapidement. Les quatre années de travaux agricoles sous un soleil de plomb avaient endurci Dawson, et il se tenait prêt à riposter. À coups de pied de biche, il brisa le nez et la mâchoire de Ted et désarma son père, lui fêlant quelques côtes au passage. Comme ils gisaient tous deux à terre, Dawson les visa avec le fusil en leur déconseillant de revenir. Ted gémit en promettant de le tuer, tandis que son père se contentait de lui lancer des regards assassins. Après cet épisode, Dawson dormit avec le fusil à côté de lui et quitta rarement la propriété de Tuck. Il savait qu'ils auraient pu venir à n'importe quel moment, mais le sort en décida autrement. Moins d'une semaine plus tard, Ted le Cinglé poignarda un homme dans un bar et finit en prison. Quant à son père, bizarrement, il ne revint plus à la charge. Dawson ne se posa pas de questions et préféra compter les jours jusqu'à ce qu'il puisse enfin quitter Oriental. Et lorsque sa liberté conditionnelle s'acheva, il emballa le fusil dans une toile cirée, le glissa dans un carton, puis l'enterra au pied d'un chêne situé au coin de la maison de Tuck. Ensuite, il fit ses bagages, qu'il chargea dans sa voiture, dit au revoir à Tuck et prit l'autoroute, avant de s'arrêter à Charlotte. Il y décrocha un job de mécanicien et apprit la soudure en cours du soir. De là, il partit pour la Louisiane, où il trouva un poste dans une raffinerie, ce qui l'amena finalement à travailler sur les plates-formes pétrolières.

Depuis sa sortie de prison, il gardait profil bas et restait seul la plupart du temps. Il ne rendait jamais visite à des amis, pour la bonne raison qu'il n'en avait pas. Il n'avait jamais fréquenté d'autre femme depuis Amanda qui, encore maintenant, demeurait la seule à occuper ses pensées. Devenir intime avec quelqu'un, n'importe qui, cela supposait de lui raconter son passé, et cette seule idée le faisait reculer. C'était un ancien taulard issu d'une famille de criminels, et il avait tué un brave homme. Même s'il avait purgé sa peine et tenté de faire amende honorable depuis lors, Dawson savait néanmoins qu'il ne se pardonnerait jamais son acte.

*
**

Il n'était plus très loin à présent. Dawson approchait de l'endroit où le Dr Bonner avait perdu la vie. Il remarqua vaguement que les arbres bordant le virage cédaient désormais la place à un bâtiment ramassé et flanqué d'un parking en gravier. Il garda les yeux sur la route, refusant de s'y attarder.

Moins d'une minute plus tard, il entrait dans Oriental. Il traversa le centre-ville, puis emprunta le pont qui enjambait la confluence des rivières Greens et Smith.

Enfant, lorsqu'il tentait d'éviter sa famille, il s'asseyait souvent dans le coin et observait les voiliers en s'imaginant les ports lointains où ceux-ci accosteraient peut-être, et les endroits que lui-même souhaitait un jour visiter.

Il ralentit, aussi fasciné qu'autrefois par le panorama. La marina grouillait de monde, tandis que les gens s'activaient sur leurs bateaux, chargeant des glacières à bord ou détachant leurs amarres avant de s'éloigner au fil de l'eau. Un coup d'œil sur l'oscillation des branches d'arbre lui indiqua que la brise suffirait à gonfler les voiles, même si les plaisanciers n'envisageaient qu'une simple balade jusqu'à la côte.

Dans le rétroviseur, il aperçut le bed & breakfast où il séjournerait, mais n'avait pas envie de se présenter tout de suite à l'accueil. Il préféra donc se garer sur le bas-côté et descendit de son véhicule, ravi de se dégourdir les jambes. Il se demanda distraitement si la livraison de fleurs était arrivée, mais songea qu'il le saurait assez tôt. Se tournant vers la Neuse, il se rappela que ce fleuve était le plus large des États-Unis en rejoignant le détroit de Pamlico, ce que peu de gens savaient. Il avait gagné plus d'un pari à ce sujet, notamment sur les plates-formes pétrolières, où la plupart de ses collègues pensaient que le Mississippi battait tous les records. Même en Caroline du Nord, cette particularité de la Neuse n'était pas de notoriété publique. Amanda fut d'ailleurs la première à la lui apprendre.

Comme toujours, il se demandait ce qu'elle était devenue, ce qu'elle faisait, où elle vivait, à quoi ressemblait son quotidien. Qu'elle soit mariée, il n'en doutait certes pas, si bien qu'au fil des années il avait tenté de se représenter le genre d'homme qu'elle aurait choisi. Même s'il l'avait bien connue, Dawson ne pouvait imaginer Amanda riant avec un autre homme ou partageant le même lit que celui-ci. Ça n'avait sans doute pas d'importance, supposait-il. On ne pouvait échapper au passé qu'en vivant une vie meilleure, et il se disait que c'était probablement le cas pour Amanda. Tout le monde en était, semble-t-il, capable, après tout. Tout le monde éprouvait des regrets et commettait des erreurs, mais celle de Dawson se détachait du lot. Elle le poursuivrait à jamais. Et il pensa une fois encore au Dr Bonner et à la famille qu'il avait détruite.

Tandis qu'il contemplait le fleuve, Dawson se mit soudain à regretter d'être revenu. Sachant que Marilyn Bonner vivait toujours à Oriental, il n'avait pas envie de la croiser, même par hasard. Et sa famille à lui aurait sans doute vent de son retour, il n'avait pas non plus envie de la voir.

Il n'était pas à sa place ici. Même s'il comprenait pourquoi Tuck avait pris des dispositions avec l'avocat pour prévenir Dawson de sa mort, il ne voyait pas en revanche pourquoi Tuck tenait expressément à ce que Dawson revienne au pays. Depuis qu'il avait reçu le message, il ne cessait de retourner la question dans sa tête, mais tout cela n'avait pas de sens. Pas une seule fois Tuck ne lui avait demandé de venir lui rendre visite, sachant pertinemment ce que Dawson avait laissé derrière lui. Pas plus que Tuck n'avait fait le déplacement jusqu'en Louisiane et, même si Dawson lui écrivait régulièrement, Tuck lui répondait rarement. Bref, Tuck avait ses raisons pour agir ainsi, mais Dawson ne parvenait toujours pas à deviner lesquelles.

Il allait regagner sa voiture, lorsqu'il perçut ce mouvement furtif et désormais familier, juste au-delà de son champ de vision. Il fit volte-face pour tenter de voir d'où cela venait, mais en vain. Cependant, pour la première fois depuis son sauvetage, Dawson sentit les poils de sa nuque se hérisser. Il comprit soudain qu'il y avait quelque chose là, quelque part… même si son esprit ne pouvait l'identifier. Le soleil couchant qui miroitait sur l'eau l'obligea à plisser les yeux. Une main en visière, Dawson scruta la marina. Il repéra un homme d'un certain âge et sa femme qui accostaient avec leur voilier, tandis qu'à mi-hauteur du quai un individu torse nu examinait le moteur de son embarcation. Dawson observa les plaisanciers : un autre couple dans la cinquantaine qui s'activait sur le pont d'un bateau et un groupe d'adolescents déchargeant une glacière, après une journée en mer. À l'autre bout du port de plaisance, un autre voilier sortait en profitant de la brise de fin de journée… Rien d'inhabituel. Dawson allait se détourner, lorsqu'il entrevit un homme brun en coupe-vent bleu qui regardait dans sa direction. Celui-ci se tenait au pied du quai et, comme lui, mettait sa main en visière. Alors que Dawson abaissait lentement la sienne, l'homme brun l'imita. Dawson recula aussitôt d'un pas, l'inconnu fit de même. Dawson manqua s'étrangler, tandis que son cœur martelait sa poitrine.

Ce n'est pas réel. Je suis en train de rêver.

La lumière déclinait, si bien qu'il discernait avec peine les traits de l'inconnu. Toutefois, il était persuadé qu'il s'agissait de l'homme vu une première fois dans la mer, puis à bord du navire de ravitaillement. Dawson battit vivement des paupières, tout en essayant de mieux y voir. Lorsque sa vue se fit plus perçante, il ne distingua plus que les contours d'un poteau d'amarrage auquel était attachée une corde effilochée.

*
* *

La vision avait secoué Dawson, qui éprouva l'envie soudaine de se rendre sans plus tarder chez Tuck. Pour y avoir trouvé refuge voilà des années, il se rappela tout à coup que l'endroit représentait alors pour lui un véritable havre de paix. Curieusement, la perspective d'échanger des banalités à la réception du bed & breakfast ne l'enchantait guère ; il avait envie d'être seul afin de réfléchir à cette apparition de l'homme brun. Soit sa commotion cérébrale se révélait pire que ce que les médecins soupçonnaient, soit ceux-ci disaient la vérité au sujet de son stress. Comme il regagnait la route, Dawson décida de retourner les consulter en Louisiane, même s'il s'attendait d'ores et déjà au même diagnostic.

Installé au volant, il chassa ces pensées dérangeantes, baissa la vitre et respira la forte odeur des pins mêlée à celle de l'eau saumâtre, tandis que la route serpentait parmi les arbres. Quelques minutes plus tard, il bifurquait vers la propriété de Tuck. La voiture cahota sur le chemin de terre pierreux, au détour duquel la maison apparut. À sa grande surprise, une BMW était garée devant. Il savait que le véhicule n'appartenait pas à Tuck. Trop propret, pour commencer, mais surtout Tuck n'aurait jamais conduit une voiture étrangère. Non pas parce que la qualité ne lui semblait pas fiable, mais parce qu'il n'aurait pas eu les outils en système métrique pour d'éventuelles réparations. En outre, Tuck avait toujours préféré les pick-up, surtout ceux construits au début des années 1960. Au fil du temps, il avait dû en acheter et en réparer une demi-douzaine ; il roulait un moment avec, puis les vendait à quiconque lui faisait une offre. Aux yeux de Tuck, c'était moins l'argent que la restauration elle-même qui l'intéressait.

Dawson se gara à côté de la BMW et sortit de la voiture, étonné de constater que la maison avait peu changé. À l'époque de Dawson, elle évoquait déjà une sorte de cahute qui donnait l'impression d'être inachevée et avait besoin d'être retapée. Un jour, Amanda avait acheté à Tuck un bac rempli de plantes afin d'égayer un peu l'endroit, et celui-ci trônait encore dans un coin de la véranda bien que ses fleurs soient fanées depuis des lustres. Il se rappelait l'enthousiasme d'Amanda lorsqu'ils avaient offert la jardinière à Tuck, même si celui-ci n'avait pas vraiment su quoi en faire.

Promenant son regard alentour, Dawson vit un écureuil détaler le long d'une branche de cornouiller. Un pinson donna l'alerte dans les arbres… sinon l'endroit semblait désert. Dawson contourna la demeure et se dirigea vers l'atelier. Il y faisait plus frais, à l'ombre des pins. Comme il tournait à l'angle et s'avançait au soleil, il entrevit une femme dans le garage, qui examinait ce qui devait être la dernière voiture de collection que Tuck ait restaurée. D'emblée, il pensa qu'elle devait appartenir au cabinet d'avocats et il allait l'interpeller pour la saluer, lorsqu'elle virevolta brusquement. Dawson resta sans voix.

Même à distance, elle se révélait encore plus jolie que dans son souvenir, et pendant un laps de temps qui lui parut infini il ne put émettre le moindre son. Il pensa même que sa vue lui jouait encore des tours, mais battit lentement des paupières et réalisa qu'il se trompait. Elle était bel et bien présente… dans cet atelier qui avait autrefois été leur refuge.

Et lorsque le regard d'Amanda croisa le sien après toutes ces années, il comprit soudain pourquoi Tuck Hostetler avait insisté pour qu'il revienne au pays.

4

Comme pétrifiés, ni l'un ni l'autre ne purent articuler la moindre parole, à mesure que l'effet de surprise se dissipait. De prime abord, Dawson trouva Amanda plus rayonnante que jamais. Sous la lumière de la fin d'après-midi, sa chevelure blonde prenait de fabuleux reflets dorés, tandis que ses yeux bleus scintillaient, même à distance. Toutefois, comme il continuait à la regarder, de subtils changements lui apparurent peu à peu. Son visage avait perdu la douceur de la jeunesse. Ses pommettes semblaient à présent plus marquées et ses yeux plus enfoncés, avec de légères rides au coin. Les années l'avaient néanmoins épargnée. Depuis la dernière fois qu'il l'avait vue, la jeune fille avait certes mûri pour devenir une femme d'une beauté remarquable.

Pour sa part, Amanda tentait aussi d'assimiler ce qui s'offrait à sa vue. Une chemise couleur sable négligemment rentrée dans un jean délavé, l'ensemble soulignant des hanches toujours étroites et de larges épaules. Son sourire n'avait pas changé, mais Dawson portait ses cheveux bruns plus longs que lorsqu'il était adolescent, et elle remarqua quelques mèches poivre et sel aux tempes. Son regard ténébreux demeurait aussi saisissant que dans son souvenir ; mais Amanda crut y déceler une nouvelle méfiance, témoin d'une vie qui avait dû être plus dure que celle qu'il espérait. Peut-être était-ce le fait de le voir là, dans ce lieu où tous deux avaient partagé tant de choses, mais à cause du trop-plein d'émotions qui l'assaillait, elle ne savait quoi dire.

— Amanda ? dit-il enfin en s'avançant vers elle.

Elle perçut une note d'émerveillement dans sa voix lorsqu'il prononça son prénom et ce fut cela, plus que le reste, qui lui prouva que Dawson était bel et bien réel. *Il est là*, se dit-elle. *C'est vraiment lui.* Tandis qu'il comblait la distance qui les séparait, elle crut remonter dans le temps, aussi impossible que cela puisse paraître. Quand il la rejoignit enfin, il ouvrit les bras et elle s'abandonna naturellement à son étreinte, ainsi qu'elle l'avait fait voilà si longtemps. Ils se serrèrent très fort, comme les amants qu'ils étaient autrefois, et elle retrouva soudain ses dix-huit ans.

— Bonjour, Dawson… murmura-t-elle.

Tous deux s'étreignirent longuement sous la lumière déclinante et, l'espace d'un instant, il crut la sentir trembler. Lorsqu'ils se détachèrent enfin, elle devina toute l'émotion qu'il éprouvait sans pouvoir l'exprimer.

Elle l'observa attentivement et nota les changements opérés par le temps. C'était un homme à présent. Il avait le visage buriné de qui a passé de longues heures au soleil, mais s'était à peine dégarni.

— Que fais-tu ici ? s'enquit-il en lui effleurant le bras, comme pour s'assurer de sa présence bien tangible.

La question aida Amanda à replonger dans la réalité, à se rappeler la femme qu'elle était devenue, et elle recula légèrement.

— Je m'y trouve sans doute pour la même raison que toi. Quand es-tu arrivé ?

— À l'instant, répondit-il en s'interrogeant sur ce qui avait bien pu l'inciter à se rendre chez Tuck à l'improviste. J'en reviens pas que tu sois là. Tu es… éblouissante.

— Merci. (Malgré elle, Amanda sentit le rouge lui monter aux joues.) Comment as-tu su que je serais là ?

— Je l'ignorais. J'ai eu l'envie subite de faire un saut et j'ai vu la voiture garée devant la maison. J'ai fait le tour et…

Comme ses paroles s'évanouissaient, Amanda acheva la phrase à sa place.

— … et tu m'as vue.

— Oui… dit-il dans un hochement de tête, en la contemplant longuement pour la première fois. Et je t'ai vue.

Il avait toujours son regard intense d'autrefois, si bien qu'elle recula encore dans l'espoir qu'une certaine distance faciliterait la situation… qu'il ne se ferait pas d'idées fausses. Elle reprit la parole en désignant la demeure.

— Tu comptais séjourner ici ?

Il regarda la maison en plissant les yeux, avant de se retourner vers elle.

— Non, j'ai pris une chambre au bed & breakfast en ville. Et toi ?

— Je suis descendue chez ma mère. (Voyant son expression intriguée, elle précisa :) Mon père nous a quittés il y a onze ans.

— Je suis désolé.

Elle hocha la tête sans rien ajouter, et il se souvint que c'était la manière dont elle avait coutume de clore un sujet. Comme elle jetait un regard vers le garage, Dawson fit un pas dans cette direction.

— Tu permets ? Ça fait des années que je n'y suis pas allé.

— Oui, bien sûr que oui. Vas-y.

Amanda le regarda passer devant elle et sentit ses épaules se détendre, alors qu'elle était jusque-là inconsciente de leur crispation. Il jeta un coup d'œil furtif dans le petit bureau encombré, avant de passer la main sur l'établi puis sur un démonte-pneu rouillé. Tandis qu'il avançait lentement, il contempla les murs de lattes, les poutres apparentes au plafond, le baril d'acier dans un coin, pour les huiles usées. Un cric hydraulique et un coffre à outils étaient posés dans le fond, derrière une pile de pneus. Une ponceuse électronique et un poste de soudure occupaient la partie située en face de l'établi. Un ventilateur poussiéreux trônait dans un coin, près du pistolet à peinture ; des baladeuses d'atelier disputaient la vedette à des pièces détachées sur toute la surface disponible.

— Rien n'a changé, commenta-t-il.

Elle le suivit dans l'atelier, toujours un peu nerveuse, s'efforçant de maintenir une distance confortable entre eux.

— Sans doute. Il était maniaque sur l'emplacement de chaque outil, surtout les derniers temps. À mon avis, il savait qu'il commençait à oublier certaines choses.

— Vu son âge, j'ai vraiment peine à croire qu'il travaillait encore sur des voitures.

— Il avait drôlement ralenti le rythme. Une ou deux par an, et seulement quand il savait qu'il pourrait accomplir le travail. Plus de restaurations de fond en comble ou ce genre de choses. C'est la première que je vois depuis un petit moment.

— À t'écouter, j'ai l'impression que t'as passé beaucoup de temps avec lui.

— Pas vraiment. Je le voyais tous les deux ou trois mois. Mais on s'était longtemps perdus de vue.

— Il n'a jamais parlé de toi dans ses lettres, observa Dawson.

Elle haussa les épaules.

— Il ne me parlait pas de toi non plus.

Il hocha la tête avant de reporter son attention sur l'établi. Il y découvrit le bandana de Tuck soigneusement plié et, tout en le soulevant, tapota le plan de travail du doigt.

— Mes initiales sont toujours gravées. Les tiennes aussi.

— Je sais…

Au-dessous était également inscrit « Pour toujours ». Amanda croisa les bras et tenta d'éviter de regarder les mains de Dawson. Burinées, robustes, c'étaient des mains d'ouvrier aux doigts néanmoins fuselés.

— Je n'arrive pas à croire qu'il soit mort, reprit-il.

— Je sais.

— Tu disais qu'il avait des pertes de mémoire ?

— Il oubliait juste des choses anodines. Compte tenu de son âge et de son tabagisme, il était même plutôt en bonne santé, la dernière fois que je l'ai vu.

— C'était quand ?

— En février dernier, je crois ?

Il désigna la Stingray.

— Tu sais quelque chose à propos de cette voiture ?

— Seulement que Tuck travaillait dessus. Il y a un bon de commande sur le bloc, avec les notes de Tuck concernant les réparations, mais hormis le nom de son propriétaire, je n'y comprends rien. Tout est inscrit là-dessus.

Dawson trouva le bon de commande et parcourut la liste avant d'examiner le véhicule. Amanda le regarda soulever le capot et vit ses puissantes épaules tendre le tissu de sa chemise, tandis qu'il se penchait sur le moteur. Elle détourna les yeux pour éviter qu'il se sente observé. Il s'intéressa ensuite aux petites boîtes posées sur l'établi. Il les ouvrit et fronça les sourcils en faisant l'inventaire des pièces détachées qu'elles contenaient.

— C'est bizarre, dit-il.

— Quoi donc ?

— C'était pas du tout une restauration, mais un travail sur le bloc-moteur. Pas grand-chose, en fait. Le carburateur, l'embrayage et deux ou trois trucs. D'après moi, il attendait simplement la livraison de ces pièces détachées. Parfois, avec ces vieilles bagnoles, ça peut prendre du temps.

— Et ça signifie quoi, au juste ?

— Ça veut dire, entre autres, qu'il y a peu de chances que le propriétaire puisse sortir de l'atelier au volant de son véhicule.

— Je vais demander à l'avocat de le contacter, suggéra Amanda en balayant une mèche rebelle de ses yeux. Je suis censée le rencontrer, de toute manière.

— L'avocat ?

— Oui. C'est lui qui m'a téléphoné pour m'annoncer le décès de Tuck. Il a dit que c'était important que je sois là.

Dawson rabaissa le capot.

— Il ne s'appellerait pas Morgan Tanner, par hasard ?

— Tu le connais ?

— C'est juste que je dois le rencontrer demain aussi.

— À quelle heure ?

— Onze heures. J'imagine que tu as rendez-vous à la même heure ?

Amanda mit quelques secondes avant de saisir ce que Dawson avait d'ores et déjà compris : Tuck avait à l'évidence programmé cette petite réunion. S'ils ne s'étaient pas retrouvés chez lui sans le vouloir, ils se seraient vus malgré tout le lendemain. À mesure que les implications de ces retrouvailles se faisaient jour, elle hésitait entre l'envie de flanquer une bourrade à Tuck et celle de l'embrasser pour ce geste posthume.

Son visage dut la trahir, car Dawson déclara :

— Je présume que tu n'avais aucune idée de ce que Tuck manigançait.

— Non.

Un vol d'étourneaux surgit des arbres. Amanda les regarda tournoyer et changer de direction, en traçant des motifs abstraits dans le ciel. Lorsqu'elle se retourna vers lui, Dawson était appuyé contre l'établi, le visage à moitié dans l'ombre. Dans cet endroit tellement chargé de leur passé, elle aurait juré voir le jeune homme qu'il était jadis, mais elle essaya de se rappeler que lui et elle étaient différents désormais. Des étrangers, à vrai dire.

— Ça fait si longtemps… dit-il en brisant le silence.

— Oui, en effet.

— Un millier de questions me traversent l'esprit.

Elle arqua un sourcil.

— Un millier seulement ?

Il s'esclaffa, mais elle crut percevoir un soupçon de tristesse dans cet éclat de rire.

— Moi aussi, j'en ai des tonnes, enchaîna-t-elle. Mais tout d'abord… sache que je suis mariée.

— Je sais. J'ai vu ton alliance, répliqua Dawson en glissant le pouce dans sa poche, avant de croiser les jambes. Depuis combien de temps ?

— Vingt ans le mois prochain.

— T'as des enfants ?

Elle ne répondit pas tout de suite et songea à Bea.

— Trois, dit-elle enfin.

Il remarqua son hésitation, sans trop savoir comment l'interpréter.

— Et ton mari ? Je le trouverais sympa ?

— Frank ?

Elle repensa aux conversations angoissées qu'elle avait eues avec Tuck et se demanda ce que Dawson savait déjà au sujet de son couple. Non pas qu'elle se méfiât de Tuck, mais parce qu'elle sentait que Dawson devinerait sur-le-champ si elle mentait.

— Disons que ça fait longtemps qu'on est ensemble…
déclara-t-elle.

Il parut méditer sur la phrase sibylline, avant de s'éloigner de l'établi. Il passa alors devant elle en se déplaçant avec la grâce fluide d'un athlète.

— Je suppose que Tuck t'a donné une clé, non ? J'ai besoin de boire quelque chose.

Elle battit des paupières, l'air surpris.

— Attends ! C'est Tuck qui te l'a dit ?

Dawson virevolta, tout en continuant de marcher à reculons.

— Non.

— Alors, comment tu le sais ?

— Parce qu'il ne m'en a pas envoyé, alors c'est toi qui dois l'avoir.

Elle resta plantée là, en se demandant toujours comment il avait pu deviner, avant de lui emboîter le pas.

Il gravit les marches de la véranda et s'arrêta devant la porte. Amanda sortit une clé de son sac à main et effleura Dawson en glissant celle-ci dans la serrure. La porte s'ouvrit en grinçant.

Il faisait agréablement frais à l'intérieur, et Dawson songea aussitôt que la maison était une sorte de prolongement naturel de la forêt voisine : bois, terre et teintes naturelles. Les murs et les planchers en lattes de bois s'étaient ternis et fissurés au fil des ans, de même que les rideaux marron cachaient difficilement les fuites sous les fenêtres. Les accoudoirs et les coussins du canapé écossais étaient si élimés qu'on voyait presque au travers. Le ciment de la cheminée se fendillait et les briques tout autour de l'âtre étaient noires de suie, vestige de mille et une flambées. Près de la porte, un guéridon accueillait une pile d'albums photo, un tourne-disque qui devait être plus vieux que Dawson et un ventilateur métallique branlant. L'odeur de tabac froid flottait dans l'atmosphère et, après avoir ouvert une fenêtre, Dawson alluma le ventilateur dont le socle se mit à trembler doucement.

Sur ces entrefaites, Amanda s'était approchée de la cheminée et contemplait les photos disposées sur le manteau. Tuck et Clara, le jour de leur vingt-cinquième anniversaire de mariage.

— Je me souviens de la première fois où j'ai vu ce portrait, dit-il en s'avançant vers elle. Tuck m'avait fait entrer chez lui, alors que j'étais là depuis près d'un mois. Je me rappelle lui avoir demandé qui était cette femme. J'ignorais même qu'il avait été marié.

À présent qu'il se trouvait tout près d'elle, Amanda sentait la chaleur que Dawson dégageait et essaya de l'ignorer.

— Tu ne le savais pas ?

— Non, parce que je ne le connaissais pas. Jusqu'à ce que je me pointe chez lui ce fameux soir, je n'avais jamais vraiment parlé à Tuck.

— Pourquoi tu es venu là, en fait ?

— J'en sais rien, répondit Dawson en secouant la tête. Et j'ignore pourquoi il m'a permis de rester.

— Parce qu'il le souhaitait.

— Il te l'a dit ?

— Pas en ces termes. Mais ça ne faisait pas longtemps que Clara était morte quand tu es arrivé, et je pense que tu correspondais tout à fait à ce dont il avait besoin.

— Et moi qui croyais que c'était simplement parce qu'il buvait ce soir-là. Comme la plupart des soirs, d'ailleurs.

Elle réfléchit en se replongeant dans ses souvenirs.

— Tuck n'était pas un gros buveur, si ?

Il effleura la photo dans son simple cadre en bois, comme s'il tentait encore d'imaginer un monde sans Tuck.

— C'était avant que tu fasses sa connaissance. Il avait un penchant pour le bourbon Jim Beam à l'époque et

71

se pointait parfois au garage en titubant, une bouteille à moitié vide à la main. Il s'essuyait le visage avec son bandana et me disait que ce serait mieux pour moi de trouver un autre endroit où dormir. Il a dû me le répéter tous les soirs pendant six mois. Et chaque soir, je dormais là, en espérant que le lendemain il aurait oublié ce qu'il m'avait dit. Puis, un beau jour, il a cessé de boire et ne me l'a plus dit.

Dawson se tourna vers elle, quelques centimètres séparant à peine son visage du sien.

— C'était un brave homme, ajouta-t-il.

— Je sais, confirma-t-elle. (Il se tenait si près qu'elle sentait son odeur : un mélange de savonnette et de musc. Trop près…) Il me manque à moi aussi.

Elle s'éloigna et tendit la main pour tripoter l'un des coussins râpés du divan, cherchant toujours à garder une certaine distance. À l'extérieur, le soleil plongeait derrière les arbres et la pièce s'assombrissait encore. Dawson s'éclaircit la voix.

— Si on buvait ce verre ? Je parie que Tuck a du thé glacé au frigo.

— Tuck ne boit pas de thé glacé. Il a sans doute du Pepsi.

— Allons vérifier, suggéra-t-il en gagnant la cuisine.

Toujours cette fluidité, cette grâce athlétique dans ses mouvements. Amanda secoua la tête comme pour chasser ses pensées.

— T'es sûr qu'on devrait faire ça ?

— Je suis même certain que c'est tout à fait ce que Tuck souhaiterait.

À l'instar du salon, la cuisine semblait tout droit sortie d'un catalogue d'ameublement des années 1940, avec un grille-pain de la taille d'un four à micro-ondes et un réfrigérateur ventru, doté d'une imposante poignée. Le plan de travail en bois était noir aux abords de l'évier à cause de l'humidité, et la peinture blanche des placards s'écaillait près des boutons de porte. Les rideaux à fleurs – sans doute accrochés par Clara – avaient viré au jaune grisâtre, souillés par la fumée de cigarettes. Il y avait une petite table ronde pour deux, dont on avait calé un pied avec des serviettes en papier. Dawson ouvrit le frigo et en sortit un pichet de thé, qu'il posa sur le plan de travail alors qu'Amanda entrait dans la pièce.

— Comment savais-tu que Tuck avait du thé glacé ? s'enquit-elle.

— De la même manière que j'ai su que tu avais une clé, répondit-il en sortant deux grands verres d'un placard.

— Mais de quoi tu parles ?

Dawson remplit les verres.

— Tuck savait qu'on passerait ici et il s'est rappelé que j'aimais le thé glacé. Alors il a veillé à en laisser au frigo.

Bien sûr. Tout comme il avait prévenu l'avocat. Mais avant qu'elle puisse réfléchir à la question, Dawson lui tendit son verre et la ramena à la réalité. Leurs doigts s'effleurèrent.

— À la mémoire de Tuck, dit-il en levant son verre.

Amanda trinqua avec lui, et toute cette ambiance… le fait de se retrouver seule avec Dawson, le passé qui la tiraillait, ce qu'elle avait éprouvé tout à l'heure dans ses bras… tout cela lui paraissait presque trop dur à assimiler. Une petite voix dans sa tête lui murmura de rester prudente, que cette situation ne lui apporterait rien de bon, et lui rappela qu'elle avait un mari et des enfants. Mais ça ne fit que la dérouter davantage.

— Vingt ans, tu disais ? reprit enfin Dawson.

Il revenait sur son mariage, mais elle était si confuse qu'elle ne saisit pas tout de suite.

— Presque. Et toi ? Tu as été marié ?

— Je crois que c'était pas prévu au programme.

Elle l'observa en douce par-dessus le bord de son verre.

— Tu papillonnes toujours, c'est ça ?

— Je ne sors pas trop ces temps-ci.

Elle s'appuya contre le plan de travail, sans trop savoir ce qu'il voulait dire au juste.

— Tu vis où maintenant ?

— En Louisiane. Tout près de La Nouvelle-Orléans.

— Tu t'y plais ?

— Ça va. C'est en revenant ici que je me suis rendu compte à quel point ça ressemblait à la région. Il y a plus de pins et de mousse espagnole[3] là-bas, sinon je ne suis pas sûr de pouvoir faire la différence.

— Sauf pour les alligators.

— Ouais. Exact, admit-il dans un léger sourire. À toi maintenant. Tu habites où ?

— Durham. J'y suis restée quand je me suis mariée.

— Et tu reviens plusieurs fois par an voir ta mère ?

Elle acquiesça.

— Du vivant de mon père, ma mère et lui venaient nous voir à cause des enfants. Mais depuis qu'il est mort, c'est devenu plus difficile. Ma mère n'a jamais aimé conduire, alors à présent c'est moi qui dois me déplacer. (Elle but une gorgée de thé et indiqua la table d'un hochement de tête.) Ça t'ennuie si je m'assois ?

— Je t'en prie. Pour ma part, je vais rester un peu debout. J'ai passé ma journée dans un avion.

Verre en main, Amanda s'approcha de la table, sentant ses yeux sur elle.

— Tu fais quoi, en Louisiane ? demanda-t-elle en s'asseyant.

---

3. *Tillandsia usneoides* : également appelée « barbe du vieillard » ou « crin végétal », la tillandsie, une plante de la famille de l'ananas, vit à l'état naturel accrochée aux branches des arbres, notamment dans les lieux humides du sud des États-Unis. On l'a souvent associée aux images des romans gothiques sudistes.

— Je suis accrocheur sur une plate-forme pétrolière, ce qui signifie grosso modo que j'assiste le foreur. Je l'aide à guider la tige de forage à l'intérieur et à l'extérieur de l'élévateur, je vérifie toutes les connexions, je m'assure que les pompes fonctionnent correctement. J'imagine que ça ne doit pas te dire grand-chose, puisque tu n'as sans doute jamais mis les pieds sur une plate-forme, mais c'est assez dur à expliquer sans avoir l'engin sous les yeux.

— On est loin de la réparation automobile, dis donc.

— C'est pas si éloigné que tu le penses. Pour l'essentiel, je travaille sur des moteurs et des machines. Et je répare toujours des bagnoles pendant mon temps libre. Le coupé roule toujours comme s'il sortait de l'usine.

— Tu l'as encore ?

Il sourit à belles dents.

— J'aime bien cette voiture.

— Non, rectifia Amanda, tu adores cette voiture. Je devais t'arracher à elle, chaque fois je venais au garage. Et sans succès, la plupart du temps. Je m'étonne même que tu n'aies pas une photo d'elle dans ton portefeuille.

— J'en ai une.

— Vraiment ?

— Je plaisante.

Elle éclata de rire, retrouvant son insouciance d'autrefois.

— Depuis combien de temps tu travailles sur les plates-formes pétrolières ?

— Quatorze ans. J'ai commencé comme manœuvre, puis j'ai été sondeur et maintenant je suis accrocheur.

— Manœuvre, sondeur puis accrocheur ?

— Que veux-tu que je te dise ? C'est notre jargon là-bas, sur l'Océan, répondit-il en effleurant d'un air distrait les rainures du vieux plan de travail. Et toi ? Tu travailles ? Tu parlais de devenir prof à l'époque.

Elle reprit une gorgée de thé et hocha la tête.

— J'ai enseigné un an, puis j'ai eu Jared, mon fils aîné, et j'ai souhaité rester à la maison avec lui. Ensuite Lynn est venue au monde et… il s'est passé pas mal de choses, disons, pendant quelque temps… dont le décès de mon père. C'était une période vraiment difficile.

Amanda s'interrompit, consciente de tout ce qu'elle occultait, sachant que le moment ou le lieu étaient mal choisis pour parler de Bea. Elle se redressa et garda une voix égale.

— Deux ou trois ans plus tard, Annette est née et je n'avais plus aucune raison de retourner au travail. Mais ces dix dernières années, j'ai passé beaucoup de temps à faire du bénévolat à l'hôpital universitaire de Duke. J'organise aussi pour eux des déjeuners afin de lever des fonds. C'est parfois dur, mais j'ai l'impression de me rendre utile, au moins.

— Tes enfants ont quel âge ?

Elle les nomma à tour de rôle en comptant sur ses doigts.

— Jared aura dix-neuf ans en août et vient de finir sa première année de fac. Lynn en a dix-sept et va entrer en terminale. Annette, qui a neuf ans, entrera au cours moyen. C'est une petite fille adorable et insouciante. Jared et Lynn, en revanche, ont atteint l'âge où ils pensent tout connaître, alors que moi, bien sûr, je ne sais absolument rien de rien.

— Autrement dit, ils sont un peu comme nous à notre époque ?

Elle réfléchit à sa remarque, l'air un peu mélancolique.

— Peut-être…

Dawson se tourna vers la fenêtre et elle suivit son regard. Le lent cours d'eau prenait une couleur acier et reflétait le ciel qui s'assombrissait. Le vieux chêne n'avait guère changé depuis la dernière fois que Dawson s'était trouvé sur la berge, mais l'appontement détérioré ne laissait derrière lui que les pilotis.

— Il y a tant de souvenirs au bord de cette rivière, Amanda, observa-t-il d'une voix douce.

Peut-être était-ce la façon dont il les avait prononcés, mais Amanda sentit un déclic se produire en elle en entendant ces mots, comme si une clé venait d'ouvrir une porte fermée depuis longtemps sur le passé.

— Je sais…

Elle s'interrompit et se recroquevilla sur elle-même. Pendant un petit moment, seul le bourdonnement du réfrigérateur troubla le silence de la cuisine. La lumière du plafond projetait sur les murs une lueur jaunâtre et les ombres abstraites de leurs profils.

— Combien de temps as-tu l'intention de rester ? finit-elle par lui demander.

— J'ai un vol de bonne heure lundi matin. Toi ?

— Pas longtemps. J'ai dit à Frank que je serais de retour dimanche. Mais si ma mère avait eu voix au chapitre, elle aurait préféré que je reste à Durham ce week-end. Elle m'a dit que c'était pas une bonne idée de venir.

— Pourquoi ?

— Parce qu'elle n'aimait pas Tuck.

— Tu veux dire qu'elle ne m'aimait pas, moi.

— Ma mère ne t'a jamais connu, répliqua Amanda. Elle ne t'a jamais laissé la moindre chance. Elle a toujours eu des idées bien arrêtées sur la manière dont j'étais censée mener ma vie. Peu importe ce que je pouvais éventuellement souhaiter. Même à présent que je suis adulte, elle essaye encore de me dire ce que je dois faire. Elle n'a pas changé d'un iota. (Amanda frotta du doigt la condensation sur son verre.) Il y a quelques années, j'ai fait l'erreur de lui dire que j'étais passée dire bonjour à Tuck, eh bien on aurait cru que je venais de commettre un crime. Elle n'a pas arrêté de me sermonner, a voulu savoir pourquoi j'étais allée lui rendre visite et de quoi on avait discuté, lui et moi, tout en me houspillant comme si j'étais une gamine. Si bien que par la suite j'ai cessé de lui en parler. À la place, je lui disais simplement que je sortais faire des courses ou que j'allais déjeuner avec mon amie Martha à la plage. Martha et moi étions colocataires à la fac et elle vit à Salter Path, mais à l'heure où je te parle je ne l'ai pas revue depuis des lustres, en fait. Pour éviter de subir les questions indiscrètes de ma mère, je préfère tout bonnement lui mentir.

Dawson agita légèrement son verre en regardant le thé tournoyer, tandis qu'il réfléchissait à ce qu'il allait dire.

— Sur le trajet, pendant que je roulais, je n'ai pas pu m'empêcher de penser à mon père et à son besoin maladif de vouloir tout contrôler. Je ne dis pas que ta mère lui ressemble, mais peut-être qu'elle n'a rien trouvé de mieux pour t'éviter de faire une bêtise.

— T'es en train de me dire que c'était une erreur de rendre visite à Tuck ?

— Pas pour Tuck, précisa Dawson. Mais pour toi, non ? Tout dépend de ce que tu espérais trouver ici, et toi seule peux répondre à cette question.

Elle se sentit sur la défensive, mais n'eut pas le temps de réagir que ce sentiment l'abandonnait déjà, car elle retrouvait leur mode de fonctionnement d'autrefois. L'un d'eux avançait une idée qui provoquait plus ou moins l'autre, et souvent une discussion s'ensuivait. Amanda réalisa alors combien cette émulation lui avait manqué. Non pas à cause des disputes qu'elle occasionnait, mais de la confiance et de l'indulgence qu'elle supposait. Parce que, en définitive, ils se pardonnaient et se comprenaient toujours.

Une partie d'elle-même soupçonnait Dawson de vouloir la tester, mais elle ne releva pas sa remarque. Au lieu de quoi, elle se pencha au-dessus de la table, tandis que les paroles s'échappaient de sa bouche de manière quasi machinale, la laissant la première surprise.

— Qu'as-tu prévu de faire ce soir au dîner ?

— Je n'ai aucun projet. Pourquoi ?

— Il y a des steaks dans le frigo, si tu veux manger sur place.

— Et ta mère ?

— Je l'appellerai pour lui dire que je suis partie tard de chez moi.

— T'es sûre que c'est une bonne idée ?

— Non, avoua-t-elle. Pour l'heure, je ne suis absolument sûre de rien.

Il gratta distraitement le verre qu'il tenait, tout en l'observant en silence.

— OK, acquiesça-t-il enfin. Va pour les steaks ! En espérant qu'ils ne soient pas avariés.

— Il s'est fait livrer lundi, déclara-t-elle, en se rappelant ce que Tuck lui avait dit. Le barbecue se trouve dans le jardin, si tu veux l'allumer.

L'instant d'après, il avait franchi la porte. Mais sa présence imprégnait encore la pièce, alors qu'elle farfouillait dans son sac à main en quête de son portable.

5

Quand les braises furent à point, Dawson revint dans la cuisine récupérer les steaks qu'Amanda avait déjà beurrés et assaisonnés. En poussant la porte, il la surprit une boîte de conserve à la main, et examinant l'intérieur d'un placard.

— Qu'est-ce qui se passe ? demanda-t-il.

— J'essaye de trouver de quoi accompagner la viande, mais à part ça, répondit-elle en montrant la boîte de flageolets, il n'y a pas grand-chose.

— Qu'est-ce qu'on a de beau, sinon ? dit-il en se lavant les mains dans l'évier.

— Hormis les haricots, Tuck nous a laissé du gruau de maïs, une bouteille de sauce pour spaghettis, de la farine à pancakes, un paquet de pennes à moitié plein et des céréales. Dans le frigo, du beurre et des condiments. Sans oublier le thé glacé, bien sûr.

— Des céréales, pourquoi pas ? ironisa-t-il en secouant les mains avant de les sécher.

— Je crois que je vais opter pour les pâtes, répliqua-t-elle en roulant des yeux. Euh... tu ne devrais pas être dehors en train de faire griller les steaks ?

— Je suppose, dit-il comme elle réprimait un sourire.

Du coin de l'œil, elle le regarda s'emparer du plateau et sortir, puis la porte se referma doucement sur lui dans un cliquetis.

Le ciel prenait une nuance veloutée de violet et les étoiles y apparaissaient déjà. Derrière la silhouette de Dawson, le cours d'eau formait un ruban noir sous les feuillages qui se paraient d'argent, à mesure que la lune s'élevait sous la voûte céleste.

Elle remplit une casserole d'eau, ajouta un peu de sel et alluma le brûleur, avant de récupérer le beurre au frais. Quand l'eau commença à bouillir, elle versa les pennes et chercha un petit moment la passoire avant de la dénicher au fond du placard près de la cuisinière.

Quand les pâtes furent prêtes, elle les égoutta puis les remit dans la casserole, avec du beurre, de l'ail en poudre, et une pincée de sel et de poivre. Puis elle réchauffa rapidement la boîte de haricots et termina juste au moment où Dawson revenait avec les steaks.

— Ça sent bon, observa-t-il sans cacher sa surprise.

— Du beurre et de l'ail, acquiesça-t-elle. Ça marche à chaque fois. Comment sont les steaks ?

— L'un est saignant, l'autre à point. L'un comme l'autre me vont, mais j'hésitais pour la cuisson du tien. Je peux toujours en remettre un sur le gril.

— À point, ça me convient.

Dawson posa le plateau sur la table et sortit assiettes, verres et couverts des placards et tiroirs. Elle aperçut deux verres à vin sur une étagère et se souvint des paroles de Tuck, lors de sa dernière visite.

— Un verre de vin, ça te tente ? proposa-t-elle.

— Uniquement si tu m'accompagnes.

Elle hocha la tête, puis ouvrit le placard que Tuck avait indiqué ce soir-là et y découvrit deux bouteilles. Elle sortit le cabernet et le déboucha, pendant que Dawson finissait de mettre le couvert. Après avoir rempli deux verres, elle lui en tendit un.

— Il y a un flacon de sauce barbecue au frigo, si tu en veux, dit-elle.

Dawson trouva la sauce, tandis qu'elle versait les pâtes dans un saladier et les haricots dans un autre. Comme ils contemplaient tous deux la table dressée pour un dîner en tête à tête, Amanda observa du coin de l'œil la poitrine de Dawson qui se soulevait lentement au rythme de sa respiration. Brisant la magie, il récupéra la bouteille de vin sur le plan de travail, tandis qu'elle secouait la tête pour se ressaisir avant de se glisser sur sa chaise.

Amanda prit une gorgée de vin, dont elle savoura longuement le bouquet. Après qu'ils se furent servis, Dawson hésita, les yeux fixés sur son assiette.

— Tout va bien ? s'enquit-elle.

Le son de sa voix le ramena à la réalité.

— J'essayais seulement de me rappeler la dernière fois que j'ai fait ce genre de repas.

— Un steak ? s'étonna-t-elle en coupant un premier morceau qu'elle piqua ensuite de sa fourchette.

— Tout ça… dit-il dans un haussement d'épaules. Sur la plate-forme, je mange à la cafétéria avec une bande de gars, et chez moi je suis seul, alors je finis toujours par me préparer un truc tout simple.

— Et quand tu sors ? Il y a plein de bons restaurants à La Nouvelle-Orléans.

— Je vais rarement en ville.

— Même quand t'as un rendez-vous avec une fille ? questionna-t-elle entre deux bouchées.

— Je ne sors pas vraiment.

— Jamais ?

Il entreprit de couper sa viande.

— Non.

— Pourquoi ?

Il sentait qu'elle l'observait, tout en reprenant une gorgée de vin… et elle attendait sa réponse. Il se trémoussa sur sa chaise, l'air nerveux.

— C'est mieux comme ça, dit-il.

La fourchette en suspens, elle reprit :

— C'est pas à cause de moi, si ?

Il conserva une voix posée.

— Je ne sais pas trop ce que tu veux que je te réponde.

— Tu n'es quand même pas en train d'insinuer que…

Comme Dawson ne réagissait pas, elle tenta de nouveau sa chance.

— Sérieusement, est-ce que tu essayes de me dire que… que tu n'es sorti avec personne depuis qu'on s'est séparés ?

Dawson restait muet et Amanda reposa sa fourchette. Elle discernait un soupçon d'agressivité dans sa propre voix.

— Autrement dit, je suis la cause de ce… cette vie que t'as choisi de mener ?

— Une fois encore, je ne vois pas trop ce que t'as envie d'entendre.

Elle plissa les yeux.

— Dans ce cas, moi non plus, je ne sais pas très bien ce que je suis censée dire.

— Comment ça ?

— Eh bien, tu as l'air de laisser supposer que c'est à cause de moi si tu es seul. Que c'est… en quelque sorte de ma faute. Tu imagines ce que je peux éprouver en entendant ça ?

— Je n'ai pas dit ça pour te blesser. Je voulais simplement dire…

— Je vois tout à fait ce que tu voulais dire, rétorqua Amanda. Et tu sais quoi ? À l'époque, je t'ai aimé autant que tu m'as aimée, mais pour une raison X ou Y, ça ne devait pas se faire et ça s'est terminé. Mais moi, j'ai continué à vivre. Et toi aussi. (Elle posa les mains à plat sur la table.) Tu crois vraiment que j'ai envie de partir d'ici en me disant que tu vas passer le reste de ta vie tout seul ? À cause de moi ?

— Je ne t'ai jamais demandé de me plaindre, remarqua-t-il en la dévisageant.

— Alors, pourquoi m'annoncer un truc pareil ?

— Mais je n'ai rien dit, en réalité. Je n'ai même pas répondu à la question. T'as tiré tes propres conclusions.

— Alors je me suis trompée ?

Plutôt que de lui répondre, il reprit son couteau en main.

— On ne t'a jamais dit que si tu ne voulais pas connaître la réponse à une question, il valait mieux ne pas la poser ?

Bien qu'il lui ait renvoyé la balle – il excellait à ce genre de petit jeu dans le passé –, elle ne put s'empêcher d'insister.

— Eh bien, quoi qu'il en soit, c'est pas de ma faute. Si tu veux gâcher ta vie, libre à toi. Pourquoi je t'en empêcherais, après tout ?

À la plus grande surprise d'Amanda, Dawson éclata de rire.

— C'est sympa de constater que t'as pas changé du tout.

— Crois-moi, j'ai changé.

— Pas des masses. T'essayes encore de faire passer ton message, quel qu'il soit. Même si tu penses carrément que je gâche mon existence.

— De toute évidence, tu as besoin que quelqu'un te le dise.

— Dans ce cas, si j'essayais de te tranquilliser, OK ? Moi non plus, j'ai pas changé. Je suis seul à présent parce que je l'ai toujours été. Avant que tu me connaisses, j'ai fait tout mon possible pour tenir ma famille à distance. Quand j'ai débarqué ici, Tuck restait parfois des jours sans me parler, et après ton départ je suis allé purger ma peine au pénitencier Caledonia. À ma sortie, personne en ville n'avait envie de me voir, alors je suis parti. J'ai fini par travailler une bonne partie de l'année sur une plate-forme pétrolière en plein océan, ce qui n'est pas l'endroit idéal pour nouer une relation amoureuse… Je suis bien placé pour t'en parler. Bien sûr, certains couples survivent à ces séparations à répétition, mais il y a pas mal de cœurs brisés aussi. Bref, ça me paraît plus facile de vivre comme ça et j'y suis habitué, en plus.

Elle jaugea sa réponse.

— Tu veux savoir si je pense que tu me dis toute la vérité ?

— Pas vraiment.

Malgré elle, Amanda s'esclaffa à son tour.

— Je peux te poser une autre question, alors ? Tu n'es pas obligé de répondre, si tu préfères ne pas en parler.

— Tu peux me demander ce que tu veux, dit-il avant de prendre une bouchée de son steak.

— Qu'est-ce qui s'est passé le soir de l'accident ? J'ai eu des bribes d'infos par ma mère, mais jamais l'histoire au complet, si bien que je n'ai jamais su quoi en penser.

— Il n'y a pas grand-chose à dire, répondit-il après avoir avalé sa bouchée. Tuck avait commandé un train de pneus pour une Chevrolet Impala qu'il restaurait mais, pour une raison ou une autre, ils ont été livrés par erreur dans un atelier de New Bern. Il m'a demandé d'aller les récupérer et c'est ce que j'ai fait. Il avait un peu plu et, quand je suis sorti, il faisait déjà nuit.

Dawson marqua une pause, tandis qu'il tentait une fois encore de comprendre l'impossible.

— Une voiture venait d'en face et le gars roulait vite. Ou la femme. J'ai jamais su. Quoi qu'il en soit, l'automobiliste en question a mordu sur la ligne médiane juste au moment où je m'approchais, alors j'ai donné un coup de volant pour m'écarter. J'ai pas eu le temps de dire ouf que la voiture m'est passée devant et que mon pick-up a quitté la route. J'ai vu le Dr Bonner, mais…

Les images étaient encore bien nettes dans sa tête – toujours cet éternel cauchemar qui le hantait.

— C'est comme si tout se déroulait au ralenti. J'ai freiné comme un fou et j'ai contrebraqué, mais la route et l'herbe du bas-côté étaient glissantes et…

Sa voix se brisa. Dans le silence qui suivit, Amanda lui effleura le bras.

— C'était un accident, murmura-t-elle.

Dawson ne dit rien. Voyant qu'il s'agitait un peu, Amanda posa la question qui lui brûlait les lèvres.

— Pourquoi es-tu allé en prison ? Si tu n'avais pas bu et ne roulais pas vite ?

Comme il haussait les épaules, elle comprit qu'elle connaissait déjà la réponse. Aussi claire que l'orthographe du nom de famille Cole.

— Je suis désolée, dit-elle, même si les mots paraissaient dérisoires.

— Je sais. Mais tu n'as pas à l'être. Sois-le plutôt pour la femme et les enfants du Dr Bonner. À cause de moi, il n'est jamais rentré chez lui. À cause de moi, ses gamins ont grandi sans leur père. À cause de moi, sa femme vit toujours seule.

— Tu n'en sais rien, riposta-t-elle. Peut-être qu'elle s'est remariée.

— C'est pas le cas, dit-il.

Avant qu'elle puisse lui demander comment il le savait, Dawson réattaqua son assiette.

— Et toi, alors ? lui demanda-t-il de but en blanc.

À croire qu'il avait rangé leur précédente discussion dans une boîte avant d'en refermer le couvercle, si bien qu'Amanda regretta d'avoir abordé le sujet.

— Si tu me mettais au parfum de tout ce que t'as fait depuis la dernière fois qu'on s'est vus ?

— Je ne saurais même pas par où commencer.

Il saisit la bouteille de vin et remplit à nouveau leurs verres.

— Pourquoi pas par la fac ?

Amanda capitula et lui raconta d'abord sa vie dans les grandes lignes. Dawson écouta attentivement et posa parfois des questions. Petit à petit, elle s'exprima plus volontiers. Elle lui parla de ses colocataires, de ses cours et des professeurs qui l'avaient le plus marquée. Amanda admit ensuite que son année d'enseignante ne ressemblait en rien à ses espérances, ne serait-ce que parce qu'elle ne parvenait pas à se faire à l'idée de ne plus jamais être étudiante. Elle lui raconta sa rencontre avec Frank, encore qu'elle se sentît coupable rien qu'en prononçant son nom, si bien qu'elle n'en fit plus mention. Elle parla un peu de ses amies et des endroits qu'elle avait visités au fil des ans, mais s'attarda surtout sur ses enfants ; elle décrivit leurs personnalités et leurs rapports à l'autorité parentale, tout en évitant de trop vanter leurs talents respectifs.

De temps à autre, lorsqu'elle était allée au bout d'une pensée, elle interrogeait Dawson sur sa vie en pleine mer, ou sur ce qu'il faisait chez lui quand il était en congé, mais la plupart du temps il réorientait la discussion sur elle. Il semblait sincèrement intéressé par la vie d'Amanda, et elle trouva singulièrement naturel de bavarder avec lui, un peu comme s'ils reprenaient le fil d'une conversation interrompue depuis longtemps.

Par la suite, elle tenta de se rappeler la dernière fois où Frank et elle avaient discuté autant, même quand ils sortaient en tête à tête. Ces derniers temps, Frank buvait et se chargeait quasiment de la conversation ; lorsqu'ils évoquaient les enfants, c'était toujours au sujet de leur scolarité, de leurs éventuels problèmes et du meilleur moyen de les résoudre. En d'autres termes, Frank et elle avaient des discussions pragmatiques et axées sur un but précis, à tel point qu'il la questionnait rarement sur sa journée ou ses centres d'intérêt. Certes, elle savait que c'était le lot des couples de longue date ; autrement dit, leur vie commune ne leur offrait pas souvent matière à aborder de nouveaux sujets. Cependant, elle avait l'impression d'avoir toujours entretenu des rapports différents avec Dawson, si bien qu'elle se demandait si la routine aurait aussi fini par faire des ravages sur leur relation. Amanda n'aimait pas penser ainsi, mais comment pouvait-elle être certaine du contraire ?

À mesure que la soirée s'avançait, les étoiles se mirent à scintiller à travers la fenêtre de la cuisine et tous deux continuèrent à bavarder. Le vent se leva et agita les feuillages comme les vagues de l'Océan. La bouteille de cabernet était vide, et Amanda se sentait détendue et envahie d'une agréable chaleur. Dawson porta les assiettes et couverts dans l'évier et, côte à côte, tous deux attaquèrent la vaisselle, Dawson lavant les assiettes et couverts, tandis qu'elle les essuyait. Par moments, elle le surprit à l'observer comme il lui passait les plats et, même si toute une vie s'était écoulée pendant ces années de séparation, Amanda éprouvait le sentiment troublant qu'ils ne s'étaient jamais quittés.

*
**

Lorsqu'ils eurent terminé, Dawson désigna la porte donnant sur le jardin.

— Tu restes encore quelques minutes ?

Amanda jeta un œil sur sa montre et, même si elle savait qu'elle ne devait pas s'attarder, se surprit à répondre :

— OK. Juste quelques-unes alors.

Dawson tint la porte ouverte et elle passa devant lui en descendant les marches en bois grinçantes. Sous la lune enfin à son apogée, le paysage était d'une beauté à la fois étrange et exotique. Une rosée argentée recouvrait le sol et l'odeur des pins embaumait l'air nocturne. Ils marchèrent côte à côte, le bruit de leurs pas étouffé par les stridulations des criquets et le murmure des feuillages.

Près de la berge, un vieux chêne étirait ses branches longues et basses, et son image se réfléchissait dans l'eau.

— C'est ici qu'on avait l'habitude de s'asseoir, observa Dawson.

— C'était notre coin, admit-elle. Surtout après une de mes disputes avec mes parents.

— Attends deux secondes, ironisa-t-il. Tu te disputais avec eux à l'époque ? Pas à cause de moi, quand même ?

— Trop drôle, ce garçon, répliqua-t-elle en lui donnant un coup de coude. En tout cas, tu me prenais par l'épaule et je râlais, je pleurais… et tu attendais que je sois calmée. J'en faisais des tonnes à l'époque, non ?

— Non, ça ne m'a pas frappé.

Elle réprima un rire.

— Tu te souviens qu'on regardait les rougets bondir hors de l'eau ? Parfois, ils étaient si nombreux qu'on aurait dit qu'ils nous offraient un vrai spectacle.

— Je suis sûr qu'ils vont remettre ça ce soir.

— Je sais, mais ce ne sera plus pareil. Quand on venait ici, j'avais besoin de les voir. Un peu comme s'ils savaient qu'il me fallait un truc original pour m'aider à retrouver le moral.

— Tiens ! Je croyais que c'était moi qui t'y aidais.

— C'étaient les rougets, voyons, dit-elle en le taquinant.

Il sourit.

— Tuck et toi, vous veniez par ici ?

Elle secoua la tête.

— La pente était un peu trop raide pour lui. Mais moi, je suis venue. J'ai essayé, du moins.

— Comment ça ?

— Je crois que j'avais envie de savoir si cet endroit me faisait toujours le même effet, mais je ne suis pas descendue jusqu'ici. Non pas que j'aie vu ou entendu quoi que ce soit en chemin, mais j'ai pensé que n'importe qui pouvait traîner dans le bois et… mon imagination s'est chargée du reste. Je me suis rendue compte que j'étais toute seule et que s'il m'arrivait quelque chose je ne pourrais rien faire. Alors j'ai fait demi-tour, je suis rentrée et n'ai plus jamais remis les pieds dans le coin.

— Jusqu'à ce soir.

— Mais je ne suis pas seule, précisa-t-elle en observant les mouvements de l'eau dans l'espoir que des rougets en jailliraient, mais rien ne se produisit. J'ai peine à croire que ça fait si longtemps… murmura-t-elle. On était si jeunes.

— Pas trop jeunes non plus, dit-il d'une voix calme et étrangement confiante.

— On était des gamins, Dawson. À l'époque, on n'avait pas cette impression mais, quand tu deviens parent, tu vois les choses sous un autre angle. Par exemple… Lynn a dix-sept ans et je ne peux pas l'imaginer éprouver ce que je ressentais à cette période. Elle n'a même pas de petit copain. Et si elle filait en douce par la fenêtre de sa chambre en pleine nuit, j'agirais sans doute comme mes parents.

— Si tu n'aimais pas le petit copain, tu veux dire ?

— Même si je trouvais qu'il lui convient à merveille. (Elle se tourna vers lui.) Qu'est-ce qu'on avait dans la tête, franchement ?

— On était amoureux, voilà tout.

Elle le dévisagea, ses yeux brillant sous la lune.

— Désolée de ne pas être venue te voir ou même de t'avoir écrit. Après ton incarcération, je veux dire.

— C'est pas grave.

— Si, ça l'est. Mais je pensais… à nous. Tout le temps. (Elle tendit la main vers le chêne, comme pour y puiser la force de poursuivre.) Le hic, c'est que chaque fois que je m'apprêtais à t'écrire, j'étais pour ainsi dire paralysée. Comment débuter ? Est-ce que je devais te parler de mes cours ou de mes colocataires ? Te demander à quoi ressemblaient tes journées ? Chaque fois que je commençais une lettre, je relisais ce que j'avais écrit et ça sonnait faux. Alors, je déchirais la feuille et me promettais de recommencer le lendemain. Et ainsi de suite. De fil en aiguille, trop de temps s'est écoulé et…

— Je ne t'en veux pas, dit-il. Et je ne t'en voulais pas non plus à l'époque.

— Parce que tu m'avais déjà oubliée ?

— Non. Parce que, à cette période, j'arrivais à peine à m'assumer. Et le fait de te savoir partie signifiait tout pour moi. Je souhaitais que tu puisses avoir le genre de vie que je n'aurais jamais pu t'offrir.

— Tu n'es pas sérieux ?

— Bien sûr que si.

— Alors, c'est là que tu te trompes. Tout le monde aimerait pouvoir changer certains épisodes de son passé, Dawson. Même moi. Ma vie non plus n'a pas été parfaite.

— T'as envie d'en parler ?

Des années plus tard, elle aurait pu se confier à lui et, bien qu'elle ne soit pas encore prête, Amanda sentait qu'elle ne tarderait pas à le faire. Cette prise de conscience l'effrayait, même si elle admettait que Dawson avait réveillé en elle quelque chose qu'elle n'avait pas éprouvé depuis fort longtemps.

— Tu ne m'en voudras pas si je te dis que je ne suis pas encore en état d'en parler ?

— Pas du tout.

Elle le gratifia d'un sourire évanescent.

— Alors, profitons encore de ce cadre idyllique pendant un petit moment, OK ? Comme par le passé ? Ce coin est si paisible.

Tandis qu'ils se tenaient l'un près de l'autre, Dawson se demanda combien de fois elle avait songé à lui pendant toutes ces années. Moins souvent qu'il n'avait pensé à elle, il en était sûr, mais Dawson avait le sentiment qu'ils se sentaient tous les deux bien seuls, quoique de manière différente. Lui était un solitaire au cœur d'un immense territoire désert, tandis qu'elle était un visage parmi d'autres dans une foule anonyme. Mais n'en avait-il pas toujours été ainsi, au fond, même dans leur jeunesse ? C'était ce qui les avait rapprochés et, à leur manière, ils avaient trouvé le bonheur ensemble.

Dans la pénombre, il entendit Amanda soupirer.

— Je devrais sans doute rentrer…

— Je sais.

Sa réponse la soulageait, tout en la décevant un peu. Ils tournèrent les talons et reprirent en silence la direction de la maison, chacun perdu dans ses pensées. À l'intérieur, Dawson éteignit les lumières, puis elle verrouilla la porte avant qu'ils regagnent chacun leur voiture. Dawson passa devant elle et lui ouvrit sa portière.

— Je te vois demain chez l'avocat, dit-il.

— À 11 heures.

Sous la lune, les cheveux d'Amanda évoquaient une cascade argentée, et il résista à l'envie d'y passer la main.

— J'ai passé un super moment ce soir. Merci pour le dîner.

Comme elle se tenait face à lui, l'idée délirante lui traversa soudain l'esprit qu'il tenterait peut-être de l'embrasser et, pour la première fois depuis l'université, Amanda faillit perdre ses moyens sous le regard pénétrant d'un homme. Mais elle se détourna avant qu'il puisse même tenter quoi que ce soit.

— Ça m'a fait du bien de te voir, Dawson.

Elle se glissa derrière le volant et poussa un soupir de soulagement quand il referma la portière. Elle mit ensuite le contact et passa la marche arrière.

Dawson lui fit signe, tandis qu'elle faisait demi-tour, et il la regarda s'en aller sur le chemin de gravier. La lumière des feux arrière cahota un peu jusqu'à ce que le véhicule tourne et disparaisse dans la nuit.

Lentement, Dawson s'avança vers l'atelier. Il appuya sur l'interrupteur et, comme l'unique ampoule s'allumait, s'assit sur la pile de pneus. L'endroit était tranquille à présent, hormis un papillon de nuit qui voletait vers la lumière. En la regardant battre des ailes contre l'ampoule, Dawson songea qu'Amanda était allée de l'avant. Quels que soient les ennuis ou les chagrins qu'elle dissimulait – et il savait qu'ils existaient –, elle était malgré tout parvenue à se construire le genre de vie qu'elle avait toujours désiré. Elle avait un mari, des enfants, une maison, et ses souvenirs concernaient tout cela, ce qui était exactement dans l'ordre des choses.

Seul à présent dans le garage de Tuck, Dawson savait qu'il s'était menti à lui-même en pensant être allé de l'avant lui aussi. Car ce n'était pas le cas. Depuis toujours, il supposait qu'elle l'avait abandonné, mais il en avait désormais la confirmation. Tout au fond de lui, Dawson sentit quelque chose se briser. Voilà bien longtemps qu'il lui avait dit adieu et, depuis lors, il se plaisait à croire qu'il avait fait le bon choix. Maintenant, sous la lumière paisible d'un garage abandonné, il n'en était plus si sûr. Dawson avait aimé Amanda par le passé, mais cet amour n'avait jamais cessé… et la soirée qu'il venait de passer en sa compagnie ne changeait rien à cette simple évidence. Tandis qu'il prenait ses clés, une autre pensée, et non des moindres, lui vint… un fait dont il était le premier surpris.

Il se leva et éteignit, puis s'approcha de sa voiture en éprouvant une étrange fatigue. Certes, Dawson savait que ses sentiments envers Amanda demeuraient intacts, mais serait-il capable d'affronter l'avenir avec la conviction qu'ils ne changeraient jamais ?

6

Les rideaux du bed & breakfast étaient fins, et le soleil réveilla Dawson quelques minutes à peine après l'aurore. Il se retourna dans l'espoir de se rendormir, mais en vain. Il préféra donc se lever et s'étirer longuement. Le matin, il se sentait tout courbatu, notamment dans le dos et aux épaules. Du reste, il se demandait combien d'années il pourrait encore continuer à travailler sur une plate-forme pétrolière ; son corps était usé à force d'accumuler la fatigue, et ses blessures semblaient s'aggraver au fil du temps.

Après ses mouvements d'étirement, il sortit sa tenue de jogging de son sac, la revêtit et descendit tranquillement l'escalier. L'établissement ressemblait à l'idée qu'il s'en faisait : quatre chambres à l'étage, une cuisine, une salle à manger et un salon au rez-de-chaussée. Comme on pouvait s'y attendre, les propriétaires avaient privilégié une décoration nautique : maquettes de bateaux trônant sur les guéridons et tableaux de goélettes sur les murs. Au-dessus de la cheminée trônait un ancien gouvernail, tandis qu'une carte de la Neuse et des canaux était punaisée sur la porte.

Les propriétaires n'étaient pas encore réveillés. À son arrivée, la veille au soir, ils l'avaient informé que sa commande de fleurs l'attendait dans sa chambre et que le petit déjeuner serait servi à 8 heures. Cela lui laissait largement le temps de faire ce qu'il avait prévu avant son rendez-vous.

À l'extérieur, une brume légère flottait au-dessus du fleuve, mais le ciel sans nuages était d'un bleu lumineux. L'air déjà doux laissait présager une chaude journée. Dawson roula plusieurs fois des épaules, puis s'en alla à petites foulées avant d'atteindre la route. Il lui fallut quelques minutes pour s'échauffer et trottiner sans trop forcer.

Les rues étaient paisibles quand il arriva dans le centre d'Oriental. Il passa devant deux boutiques d'antiquités, une quincaillerie et plusieurs agences immobilières. Sur le trottoir d'en face, l'Irvin's Diner était déjà ouvert, et une poignée de voitures garées devant. Dawson jeta un regard vers le fleuve et constata que la brume commençait à se lever. Il respira à pleins poumons la forte odeur des pins et des embruns. Aux abords de la marina, il passa devant un café animé et, à mesure que ses douleurs articulaires disparaissaient, il put accélérer l'allure. Les mouettes tournoyaient et criaient dans le ciel, tandis que les plaisanciers chargeaient des glacières dans leurs bateaux.

Après une vieille boutique d'appâts et d'équipement de pêche, Dawson passa devant l'église baptiste et s'émerveilla de la beauté des vitraux, en se demandant s'il les avait seulement remarqués quand il était enfant, puis il se mit en quête du cabinet de Morgan Tanner. Il en connaissait l'adresse et finit par repérer la plaque sur la façade d'un petit immeuble en brique, entre une pharmacie et une boutique pour numismates. Le nom d'un autre avocat figurait également sur la plaque, mais il ne semblait pas partager le même cabinet. Il se demanda pourquoi Tuck avait choisi Tanner. Jusqu'à ce que celui-ci l'appelle, Dawson n'en avait jamais entendu parler.

Comme il avait fait le tour du centre-ville, il bifurqua dans une rue transversale du quartier et courut sans destination précise en tête.

Amanda et les Bonner n'ayant cessé d'occuper ses pensées, il n'avait pas bien dormi. En prison, hormis Amanda, il songeait souvent à Marilyn Bonner. Lors de l'audience où le juge avait rendu son verdict, le témoignage de Mme Bonner avait souligné le fait que non seulement Dawson la privait de l'homme qu'elle aimait et du père de ses enfants mais aussi qu'il détruisait toute sa vie. D'une voix brisée, elle avait admis ne pas savoir comment elle allait désormais pourvoir aux besoins de sa famille, ni ce qu'il adviendrait d'elle et des enfants. Il s'avéra que le Dr Bonner avait négligé de contracter une assurance vie.

Marilyn Bonner perdit donc la maison. Elle se réinstalla chez ses parents, à la propriété, mais sa vie continua d'être un combat. Son père déjà à la retraite souffrait d'emphysème au premier stade, et sa mère de diabète, tandis que les remboursements du prêt sur l'exploitation dévoraient presque tous les dollars que le verger rapportait. Comme ses parents nécessitaient des soins quasi permanents, Marilyn ne pouvait travailler qu'à mi-temps. Même en ajoutant son modeste salaire aux indemnités versées par leur assurance maladie, il lui restait à peine de quoi couvrir les dépenses courantes, et parfois elle n'y parvenait même pas. La vieille ferme où ils vivaient commençait à se délabrer, et les arriérés de paiements s'accumulèrent.

Lorsque Dawson sortit de prison, la situation de la famille Bonner était devenue désespérée. Il ne l'apprit qu'en se rendant à la ferme pour présenter ses excuses, près de six mois plus tard. Quand Marilyn vint lui ouvrir, il la reconnut à peine : ses cheveux étaient gris, et son teint cireux. Elle, en revanche, sut tout de suite à qui elle avait affaire et, avant même qu'il dise un mot, Marilyn lui hurla de s'en aller, disant qu'il avait anéanti son existence, tué son mari, et qu'elle n'avait même pas assez d'argent pour faire réparer son toit ou embaucher les ouvriers qu'il lui fallait. Elle ajouta que les banquiers menaçaient de saisir la propriété, puis fit mine d'appeler la police. Avant de lui enjoindre de ne plus jamais revenir. Dawson s'en alla, mais revint plus tard dans la soirée, afin d'examiner l'état de délabrement du bâtiment, puis parcourut le verger. La semaine suivante, après que Tuck lui eut remis son salaire, Dawson fit envoyer à Marilyn Bonner un chèque de banque couvrant la quasi-totalité du montant de sa paie, à laquelle s'ajoutaient toutes ses économies depuis sa sortie de prison, mais sans y joindre le moindre message.

Dans les années qui suivirent, la vie de Marylin s'améliora. À la mort de ses parents, elle hérita de la ferme et du verger ; bien qu'elle ait connu encore certaines difficultés, elle parvint peu à peu à régler les arriérés et à effectuer les réparations nécessaires. Elle détenait à présent la pleine possession de la propriété et avait lancé un commerce de vente de confitures par correspondance quelques années après que Dawson eut quitté la ville. Grâce à Internet, son affaire s'était si bien développée que Marilyn ne s'inquiétait plus du tout pour payer les factures. Bien qu'elle ne se soit jamais remariée, elle fréquentait un comptable du nom de Leo depuis près de seize ans.

Après être sortie diplômée de l'université d'East Carolina, Emily, sa fille, s'était installée à Raleigh, où elle dirigeait un grand magasin et se préparait sans doute à reprendre un jour l'entreprise maternelle. Alan, son fils, vivait quant à lui dans le grand mobile-home qu'elle lui avait offert et installé sur la propriété ; bien qu'il n'ait pas poursuivi ses études à la fac, il avait un bon travail et semblait toujours heureux sur les photos que Dawson recevait.

Une fois par an, les clichés lui parvenaient en Louisiane avec quelques brèves nouvelles concernant la situation de Marilyn, Emily et Alan ; le détective privé engagé par Dawson s'était toujours montré rigoureux, mais sans jamais enquêter trop en profondeur.

Dawson culpabilisait parfois d'avoir fait suivre les Bonner, mais il devait quand même savoir s'il avait pu améliorer un tant soit peu leur existence. C'était son souci majeur depuis le soir de l'accident et la raison pour laquelle il envoyait des chèques mensuels depuis vingt ans, presque toujours par l'entremise de comptes bancaires anonymes offshore. Après tout, il restait responsable de la perte la plus grande que cette famille avait connue et, tandis qu'il courait à présent dans les rues paisibles, il se savait prêt à tout pour s'amender.

*
* *

Abee sentait la fièvre l'envahir et lui donner la nausée, tandis qu'il grelottait en dépit de la chaleur. Deux jours plus tôt, il avait empoigné sa batte de base-ball pour frapper un gars qui l'avait provoqué, mais ce dernier l'avait surpris en brandissant un cutter. Un cutter dégueulasse qui lui avait laissé une sale balafre béante dans le bide. Un peu plus tôt, ce matin, il avait même vu du pus verdâtre en sortir et la blessure empestait les égouts, malgré les médicaments censés l'aider. Bref, si sa fièvre ne baissait bas, c'était à coups de batte qu'Abee allait chatouiller son cousin Calvin, celui-ci ayant juré que les antibiotiques qu'il avait volés chez le vétérinaire feraient effet.

Mais pour l'heure, Abee était distrait par la vue de Dawson qui courait de l'autre côté de la rue, et il réfléchissait à ce qu'il allait faire de lui.

Ted se trouvait dans la supérette derrière lui et Abee se demandait si lui aussi avait repéré Dawson. Probablement pas, sinon il serait sorti comme un fou furieux du magasin. Depuis qu'il savait que Tuck avait passé l'arme à gauche, Ted s'attendait à voir Dawson se pointer en ville. Sans doute qu'il aiguisait ses couteaux, chargeait ses flingues et vérifiait ses grenades, bazookas ou Dieu sait quelles autres armes il stockait dans ce trou à rat qu'il partageait avec Ella, sa petite traînée.

Faut dire que Ted, il lui manquait une case. Depuis toujours. Un enragé de première, ce gars. Neuf ans de prison ne lui avaient pas appris à se contrôler. Ces dernières années, c'était devenu quasi impossible qu'il se tienne à carreau ; mais comme Abee se le disait souvent, c'était pas toujours une mauvaise chose. Ça faisait de lui un homme de main drôlement efficace, histoire de veiller à ce que tous ceux qui participaient à la production de *crank*[4] sur leur propriété suivent ses règles. Ces derniers temps, Ted foutait la trouille à tout le monde, même à la famille, et ça convenait tout à fait à Abee. Ils ne venaient pas fourrer leur nez dans les affaires d'Abee et se contentaient de faire ce qu'on leur disait. Même s'il ne tenait pas particulièrement à son frère cadet, Abee le trouvait bien utile.

Mais Dawson était maintenant de retour, et Dieu seul savait comment Ted allait réagir. Abee se doutait que Dawson rappliquerait pour la mort de Tuck, mais il espérait aussi qu'il aurait la présence d'esprit de rester juste le temps de rendre hommage au vieux puis s'en irait avant même qu'on sache qu'il était venu. C'est ce que n'importe qui avec un peu de jugeote aurait fait, et il était sûr que Dawson était assez futé pour savoir que Ted voulait le tuer chaque fois qu'il se regardait dans le miroir et voyait son nez de travers.

_____

4. Terme argotique désignant le chlorhydrate de méthamphétamine, au même titre que *speed*, *meth* et *crystal meth*.

D'une manière ou d'une autre, Abee n'en avait rien à foutre de ce qui arriverait à Dawson. Mais il n'avait pas non plus envie que Ted sème inutilement la merde. C'était déjà assez compliqué de faire tourner la boutique, alors il manquerait plus que les fédéraux, la police d'État et le shérif viennent fourrer leur nez dans le business familial. C'était pas comme au bon vieux temps, quand les Cole faisaient la loi. Aujourd'hui, les flics avaient des hélicos, des chiens, des engins aux infrarouges et des indics partout. Abee devait en tenir compte. Abee tout seul devait prévoir ce genre de choses.

Le fait est que Dawson en avait bien plus dans la cervelle que les toxicos auxquels Ted avait généralement affaire. On pouvait dire ce qu'on voulait sur Dawson, mais ce gars-là avait quand même filé une bonne trempe à son paternel et à Ted, alors que tous les deux étaient armés, et c'était pas rien. Dawson n'avait pas peur de Ted ou d'Abee, et il se tiendrait prêt. Si on le chatouillait trop, il pouvait se montrer sans pitié, et ç'aurait déjà dû faire réfléchir Ted. Mais ça risquait pas d'arriver, parce que Ted raisonnait de travers, de toute manière.

Manquerait plus que Ted retourne en prison ! Avec la moitié de la famille sous amphés et toujours à deux doigts de faire des conneries, Abee avait besoin de lui. Mais s'il pouvait pas empêcher Ted de péter un câble quand il verrait Dawson, alors il risquait de se retrouver devant le juge. Rien que cette idée retournait déjà l'estomac d'Abee et son envie de gerber le reprit.

Il se pencha en avant et dégueula carrément sur le bitume. Puis il s'essuya la bouche du revers de la main, alors que Dawson disparaissait enfin à l'angle de la rue. Ted n'était toujours pas ressorti. Abee soupira et décida de ne rien dire de ce qu'il avait vu. Les boyaux en feu, il frissonna encore. Il s'était jamais senti aussi mal en point, bordel ! Qui aurait pu deviner que le type allait sortir un cutter ?

C'est pas comme si Abee essayait de lui faire la peau… Il voulait juste lui envoyer un message… à lui et à tous ceux qui se seraient fait des idées sur Candy. Mais la prochaine fois, Abee n'irait pas par quatre chemins. Sitôt qu'il agiterait la batte, il s'arrêterait plus. Il ferait gaffe quand même – il faisait toujours gaffe quand il risquait d'enfreindre la loi –, mais fallait quand même que les mecs comprennent que sa copine, c'était chasse gardée. Ils avaient intérêt à ne pas la regarder ou lui parler, et encore moins à s'imaginer pouvoir lui mettre la main au cul. Elle s'offusquerait sans doute, mais Candy avait besoin de savoir qu'elle était bien à lui maintenant. D'autant qu'Abee n'avait pas envie de lui fracasser son joli minois pour lui faire comprendre.

*

* *

Candy ne savait pas trop quoi penser d'Abee Cole. OK, ils étaient sortis deux ou trois fois ensemble, et elle savait qu'il devait s'imaginer pouvoir la mener par le bout du nez. Cependant, c'était un mec, et ça faisait longtemps qu'elle savait comment ils fonctionnaient, même les têtes de cochon comme Abee. Elle n'avait peut-être que vingt-quatre ans, mais ça en faisait sept qu'elle menait sa barque, si bien qu'elle avait compris que tant qu'elle porterait ses longs cheveux blonds lâchés et planterait ce regard-là dans celui des mecs, elle pourrait quasiment en faire ce qu'elle voulait. Elle savait comment agir pour qu'un homme se sente absolument génial, même si c'était le roi des abrutis. Et depuis sept ans, ça lui avait drôlement bien réussi. Elle possédait une Mustang décapotable, grâce à la générosité d'un vieil admirateur de Wilmington, et une petite statue de bouddha qu'elle exposait sur le rebord de sa fenêtre, qui était soi-disant en or et lui venait d'un adorable Chinois de Charleston. Si par hasard elle confiait à Abee qu'elle était à court de liquidités, il lui en filerait sans doute un peu, histoire de se la jouer grand seigneur.

Encore que, c'était peut-être pas une si bonne idée. En débarquant à Oriental quelques mois plus tôt, Candy ne connaissait pas la réputation des Cole. Plus elle en apprenait sur eux, plus elle hésitait à laisser Abee se rapprocher davantage d'elle. Pas parce que c'était un criminel. En quelques mois, elle avait plumé un dealer de coke d'Atlanta de près de vingt mille dollars, et le gars avait été aussi ravi qu'elle de leur petit arrangement. Non, c'était en partie parce que Ted la mettait mal à l'aise.

Ils étaient souvent ensemble, quand Abee se pointait et, franchement, Ted lui foutait la trouille. C'était pas seulement sa peau grêlée ou ses dents pourries qui l'effrayaient, mais plutôt les mauvaises… vibrations… qu'il dégageait. Quand il lui souriait, elle décelait une sorte de malveillance qui le faisait jubiler, comme s'il n'arrivait pas à décider s'il allait l'étrangler ou l'embrasser, tout en pensant que l'un comme l'autre lui procureraient autant de plaisir.

D'entrée de jeu, Ted lui avait foutu les jetons ; mais elle devait bien admettre que plus elle apprenait à connaître Abee, plus ça la chagrinait de savoir que ces deux-là sortaient du même moule. Ces derniers temps, Abee devenait un peu… possessif, et ça commençait à lui faire peur. En toute honnêteté, c'était peut-être le moment de tailler la route. Mettre le cap au nord sur la Virginie ou au sud sur la Floride, peu importe. Elle partirait volontiers dès le lendemain, sauf qu'elle avait pas encore assez de fric pour le voyage. Candy n'avait jamais été douée avec l'argent, mais elle se disait que si elle savait s'y prendre avec les clients du bar ce week-end, si elle utilisait tous ses atouts, elle gagnerait suffisamment d'ici dimanche pour pouvoir foutre le camp d'ici avant même qu'Abee Cole réalise qu'elle était partie.

*
* *

La camionnette de livraison fit un écart vers le bas-côté puis revint vers la ligne médiane, car son conducteur, Alan Bonner, tentait de sortir une cigarette du paquet en le tapant sur sa cuisse, tout en essayant de ne pas renverser son gobelet de café coincé entre ses jambes. À la radio, un chanteur country braillait sa ritournelle, une vague histoire de gars qui avait perdu son chien, ou qui voulait un chien, à moins qu'il adore manger les chiens… Bref, peu importe les paroles, dans la mesure où cette chanson avait un sacré bon rythme. Ajoutez à cela qu'on était vendredi : ça signifiait qu'il ne lui restait plus que sept heures de boulot avant un long et formidable week-end, ce qui le mettait déjà de bonne humeur.

— Tu devrais pas baisser le son ? demanda Buster.

Buster Tibson était le nouveau stagiaire de la boîte. C'était du reste la seule raison de sa présence dans la camionnette, et toute la semaine il n'avait fait que se plaindre ou poser des questions sur ceci ou cela. De quoi rendre cinglé n'importe qui.

— Ben quoi ? T'aimes pas cette chanson ?

— Dans le règlement, on dit que mettre la radio trop fort ça distrait le conducteur. Ron a d'ailleurs insisté là-dessus quand il m'a engagé.

Encore un truc agaçant chez Buster. Il suivait le règlement à la lettre. C'était sans doute pourquoi Ron l'avait choisi.

Alan parvint enfin à sortir la cigarette du paquet et la colla entre ses dents, pendant qu'il cherchait son briquet. Celui-ci était coincé dans sa poche et il lui fallut un soupçon de concentration pour éviter de renverser son café, tout en allant pêcher ce satané briquet.

— Te prends pas la tête. On est vendredi, tu te rappelles ?

Buster ne sembla pas ravi de la réponse, et quand Alan le lorgna du coin de l'œil, il constata que le gars avait repassé sa chemise. Nul doute qu'il s'était débrouillé pour que Ron le remarque. Il avait dû se pointer au bureau avec un calepin et un stylo, afin de pouvoir noter tout ce que Ron disait, sans omettre de le complimenter sur sa grande intelligence.

Et que dire du prénom de ce gars ? Encore un truc pas possible. Franchement, quel genre de parent appelait son gosse Buster ?

La camionnette fit une nouvelle embardée comme Alan sortait enfin le briquet de sa poche.

— Hé ! D'où te vient ce nom de Buster, au fait ? demanda-t-il.

— Il est courant dans la famille. Du côté de ma mère, répondit le jeune en fronçant les sourcils. Combien de livraisons aujourd'hui ?

Toute la semaine, Buster avait posé cette question, et Alan ne comprenait toujours pas en quoi ce nombre précis était si important. Ils livraient des crackers, des cacahuètes, des chips, des assortiments de fruits secs et des sachets de bœuf séché aux stations-service et aux supérettes, mais l'astuce consistait à ne pas rouler trop vite, sinon Ron rajouterait des livraisons. Alan en avait fait l'expérience cette dernière année, si bien qu'il n'était pas près de commettre à nouveau cette erreur. Son secteur couvrait pratiquement la totalité du comté de Pamlico, ce qui l'obligeait à rouler non stop sur les routes les plus soûlantes de l'histoire de l'humanité. Malgré tout, c'était de loin le meilleur job qu'il ait jamais eu. Bien meilleur que de bosser sur les chantiers, avec les paysagistes, laver les voitures ou tous les boulots qu'il avait faits depuis sa sortie du lycée. Ici, il avait l'air frais qui soufflait par la vitre, la musique aussi fort qu'il le souhaitait, et pas de patron constamment sur le dos. Sans compter que la paie n'était pas trop mauvaise non plus.

Tout en tenant le volant avec les coudes, Alan mit ses mains en coupe pour allumer sa cigarette. Il souffla la fumée par la vitre ouverte.

— On a assez de livraisons, crois-moi. On aura de la chance si on arrive au bout.

Buster se tourna vers la vitre passager et marmonna dans sa barbe.

— Dans ce cas, on ne devrait pas prendre d'aussi longues pauses déjeuner.

Ce gosse devenait sacrément pénible. Voilà bien ce qu'il était, d'ailleurs : un gosse ! Même si, en théorie, Buster se révélait plus âgé que lui. Toutefois, Alan n'avait pas franchement envie que Buster aille répéter à Ron qu'il tirait au flanc.

— Les repas n'ont rien à voir là-dedans, se défendit Alan en essayant d'adopter un ton sérieux. C'est une question de qualité de service. Tu peux pas te contenter d'entrer et de sortir en vitesse. Tu dois parler aux gens. Notre boulot, c'est de nous assurer que nos clients soient contents. C'est pourquoi je m'attache toujours à faire les choses selon les règles.

— Comme fumer ? Tu sais que tu n'es pas censé fumer dans la camionnette.

— Chacun ses défauts.

— Et écouter la radio à tue-tête ?

Oups ! Le môme avait visiblement préparé sa liste, Alan devait réagir sans tarder.

— Il se trouve que j'ai fait ça pour toi. Un peu comme pour fêter l'événement, tu vois ? C'est la fin de ta première semaine et t'as fait du bon boulot. Alors quand on aura fini ce soir, je veillerai à ce que Ron le sache.

La simple allusion à Ron suffit à calmer Buster pendant quelques minutes. C'était pas grand-chose mais, après une semaine à rouler avec le gars, tout silence était le bienvenu. Pour le moment, Alan avait hâte de voir cette journée se terminer, et la semaine prochaine il aurait de nouveau la camionnette pour lui tout seul. Dieu merci !

Et ce soir ? Il s'agissait de bien démarrer le week-end, autrement dit de faire de son mieux pour oublier Buster. Ce soir, il finirait au Tidewater, un boui-boui à la sortie de la ville et à peu près le seul endroit à proposer un semblant de vie nocturne. Alan boirait quelques bières, ferait deux ou trois parties de billard et, avec un peu de chance, cette barmaid plutôt mignonne servirait les clients. Elle portait un jean serré qui la moulait là où il faut et se penchait toujours en avant dans son petit haut minuscule, chaque fois qu'elle lui tendait une bière, et celle-ci n'en était que meilleure. Même scénario samedi soir et dimanche soir, d'ailleurs, en espérant que sa mère ait des projets avec son petit ami de longue date, Leo, et ne se pointe pas dans son mobile-home comme hier soir.

Pourquoi elle n'épousait pas tout bonnement Leo ? Ça dépassait Alan. Peut-être qu'elle aurait alors mieux à faire que de surveiller son fils adulte. Du reste, il n'avait vraiment pas envie que sa mère espère qu'il lui tienne compagnie, parce que ça ne risquait pas d'arriver. Qu'est-ce que ça pouvait bien faire s'il était un peu déchiré le lundi ? D'ici là, Buster serait au volant de sa propre camionnette, alors ça méritait bien de faire un peu la fête, non ?

**

Marilyn Bonner se faisait du souci pour Alan.

Pas en permanence, bien sûr, d'autant qu'elle évitait si possible de le montrer. Il était adulte, après tout, et elle le savait assez vieux pour prendre ses propres décisions. Marilyn n'en demeurait pas moins sa mère, et le problème majeur d'Alan, selon elle, c'était d'avoir toujours choisi la solution de facilité qui ne le menait nulle part, plutôt que d'opter pour des choix plus exigeants pouvant se révéler en définitive plus gratifiants. Ça la tracassait de le voir vivre encore comme un adolescent attardé, plutôt que comme un jeune homme de vingt-sept ans. La veille au soir, Marilyn était passée le voir dans son mobile-home, où elle l'avait surpris sur sa console de jeux vidéo, et la première réaction d'Alan avait été de lui proposer de jouer avec lui. Debout dans l'entrée, elle s'était alors demandé comment elle avait pu élever un fils qui semblait si mal la connaître.

Cependant, elle savait que c'aurait pu être pire. Bien pire. Au bout du compte, Alan était devenu quelqu'un de bien. Il était gentil, avait un bon travail et ne s'attirait jamais d'ennuis, ce dont elle n'allait certes pas se plaindre par les temps qui courent. On avait beau dire, mais elle lisait les journaux et entendait les commérages qui circulaient en ville. Elle savait que bon nombre des copains de son fils, des jeunes gars qu'elle avait connus tout petits, parfois issus des meilleures familles, avaient sombré dans la drogue ou la boisson, et même fini en prison. C'était somme toute assez logique, compte tenu de leur environnement. Trop de gens exaltaient l'Amérique provinciale en la transformant en tableau de Norman Rockwell, mais la réalité se révélait tout autre.

À l'exception des médecins, des avocats ou de ceux qui possédaient leur propre entreprise, on ne trouvait guère d'emplois au salaire élevé à Oriental, pas plus que dans n'importe quelle autre bourgade d'ailleurs. Et si l'endroit offrait un cadre idéal pour élever des enfants, les jeunes adultes ne pouvaient pas y aspirer à grand-chose. Il n'existait pas et n'existerait jamais de postes pour cadres moyens dans les petites villes, pas plus qu'on ne pouvait y trouver un large éventail de loisirs le week-end, ou même y faire de nouvelles rencontres. Si bien qu'elle ne comprenait pas vraiment pourquoi Alan tenait à y vivre, mais tant qu'il était heureux et autonome financièrement, Marilyn était prête à lui faciliter la vie, même si cela signifiait lui offrir un grand mobile-home installé à un jet de pierre de la ferme, afin de l'aider à bien démarrer dans l'existence.

Certes, elle ne se faisait aucune illusion sur Oriental. À ce titre, elle se distinguait des autres membres de la bourgeoisie locale ; mais dès lors qu'on perdait son mari en étant une jeune mère de deux enfants, on adoptait forcément un point de vue plus réaliste. Elle avait beau être une Bennet et diplômée de l'université de Caroline du Nord, ça n'avait pas empêché les banquiers d'essayer de saisir la propriété. De même que son patronyme ou ses relations ne l'avaient pas aidée à soutenir sa famille en grande difficulté. Même son diplôme ronflant en sciences économiques ne lui avait pas servi de sauf-conduit.

Au fond, tout se résumait à une question d'argent. À ce qu'une personne faisait réellement, plutôt qu'à ce qu'elle croyait être, d'où le fait que Marilyn ne puisse plus supporter le *statu quo* d'Oriental. Ces derniers temps, elle avait d'ailleurs préféré embaucher une immigrée consciencieuse plutôt qu'une jolie fille de la bonne société du Sud, diplômée de l'université de Caroline du Nord ou de Duke, qui pensait que tout lui était dû. Pareille attitude devait sans doute offusquer des femmes comme Evelyn Collier ou Eugenia Wilcox, mais voilà bien longtemps qu'elle les considérait, elles et leurs semblables, comme des dinosaures cramponnés à un monde qui n'existait plus. Lors d'une récente réunion de la municipalité, Marilyn l'avait même déclaré tout de go. Dans le passé, cela aurait sans doute causé du raffut, mais l'entreprise de Marilyn demeurait l'une des seules de la ville à se développer et personne, pas même Evelyn Collier ou Eugenia Wilcox, ne pouvait y trouver à redire.

Dans les années qui suivirent le décès de David, elle avait fini par savourer son indépendance durement gagnée. Elle avait aussi appris à se fier à son instinct, et enfin admis qu'elle aimait pouvoir contrôler sa propre vie, sans que les espérances de quiconque ne viennent entraver sa route. Marilyn supposait donc que c'était pour cette raison qu'elle avait repoussé les demandes en mariage réitérées de Leo. Comptable à Morehead City, c'était un homme intelligent, aisé et elle aimait passer du temps avec lui. Qui plus est, il la respectait et les enfants l'avaient toujours adoré. À tel point qu'Emily et Alan se demandaient pourquoi elle s'obstinait à lui refuser sa main.

Toutefois, Leo savait qu'elle dirait toujours non et ça ne le dérangeait pas outre mesure, car en vérité ils s'accommodaient tous deux fort bien de la situation. Demain soir, ils iraient sans doute au cinéma et dimanche, elle assisterait à la messe avant de rendre hommage à David au cimetière, comme elle le faisait chaque weekend depuis près d'un quart de siècle. Elle retrouverait ensuite Leo pour le dîner. À sa manière, elle l'aimait. Il s'agissait peut-être d'un amour que les autres ne comprenaient pas, mais peu importe. Ce que Leo et elle partageaient leur suffisait amplement.

*
* *

À l'autre bout de la ville, Amanda buvait son café, atta-
blée dans la cuisine, et faisait de son mieux pour ignorer le
silence sans équivoque de sa mère. La veille au soir, après
son retour, sa mère l'attendait au salon, et Amanda n'était
pas sitôt assise que les questions avaient fusé.

— Où étais-tu ? Pourquoi rentres-tu si tard ? Pourquoi
ne pas avoir téléphoné ?

— Je l'ai fait, lui rappela Amanda, mais, plutôt que
de se laisser entraîner dans la conversation émaillée de
reproches que sa mère tenait visiblement à avoir, elle marmonna qu'elle avait la migraine et un réel besoin de s'allonger dans sa chambre.

Quant au comportement matinal d'Evelyn, s'il reflétait son humeur, alors nul doute qu'elle était mécontente
de l'attitude de sa fille, la veille au soir. Hormis un bref
bonjour en entrant dans la cuisine, elle ne lui avait pas
adressé la parole. Après avoir ponctué son silence d'un
soupir, elle avait glissé une tranche dans le grille-pain et,
pendant que le toast dorait, elle avait soupiré à nouveau,
un peu plus fort, cette fois.

J'ai pigé, voulut répliquer Amanda. *Tu es contrariée. Tu as
fini, maintenant ?*

Mais elle préféra siroter son café, bien résolue à ne pas
se laisser embarquer dans une dispute, quels que soient les
efforts déployés par sa mère.

Amanda entendit la tranche jaillir du grille-pain. Evelyn
ouvrit le tiroir, en sortit un couteau, puis le referma d'un
geste brusque. Elle entreprit de beurrer son toast.

— Tu te sens mieux ? finit-elle par lui demander sans
se retourner.

— Oui, merci.

111

— Es-tu prête à me dire ce qui se passe ? Ou à quel endroit tu étais ?

— Je te l'ai dit, je suis partie tard.

Amanda essayait de garder une voix posée.

— J'ai essayé de te joindre, mais je n'ai pas cessé de tomber sur ta boîte vocale.

— Ma batterie était morte.

Ce mensonge lui avait traversé l'esprit hier, sur le trajet. Sa mère se révélait tout ce qu'il y a de prévisible.

Elle prit son assiette.

— C'est pour cette raison que tu n'as jamais appelé Frank ?

— Je lui ai parlé hier, environ une heure après son retour du travail, répondit Amanda.

Elle s'empara du journal, parcourant les gros titres avec une nonchalance étudiée.

— Eh bien, il a également appelé ici.

— Et ?

— Il s'étonnait que tu ne sois pas encore arrivée, observa sa mère d'un air pincé. Pour ce qu'il en savait, tu étais partie vers les 2 heures.

— J'ai dû faire quelques courses avant de m'en aller.

Je mens comme je respire, constata Amanda, mais elle avait de la pratique.

— Il avait l'air inquiet.

Non, il avait l'air de quelqu'un qui a bu et je doute qu'il se souvienne même du coup de fil.

Amanda se leva et remplit de nouveau sa tasse.

— Je l'appellerai plus tard.

Evelyn s'installa.

— J'étais invitée à jouer au bridge, hier soir.

Voilà donc le fin mot de l'histoire, se dit Amanda. *Ou une partie, du moins.* Sa mère était accro à ce jeu et faisait des parties avec le même groupe de femmes depuis près de trente ans.

— Tu aurais dû y aller.

— Impossible, puisque que je savais que tu viendrais et que je pensais que nous dînerions ensemble, rétorqua sa mère avec raideur. Eugenia Wilcox a dû me remplacer.

La susnommée habitait en bas de la rue, dans une autre demeure coloniale aussi somptueuse que celle d'Evelyn. Bien qu'elles soient censées être amies – Eugenia et sa mère se connaissaient depuis toujours –, une rivalité implicite les opposait toujours, concernant celle qui avait la plus belle maison, le plus beau jardin et ainsi de suite… sans oublier celle qui confectionnait le meilleur *red velvet cake*[5].

— Désolée, maman, reprit Amanda en se rasseyant. J'aurais dû t'appeler plus tôt.

— Eugenia ne sait absolument pas faire les annonces au bridge et elle a gâché toute la partie. Martha Anna m'a déjà téléphoné pour s'en plaindre. Mais je lui ai dit que tu étais en visite et, de fil en aiguille, elle nous a invitées à dîner ce soir.

Amanda posa sa tasse dans un froncement de sourcils.

— Tu n'as pas dit oui, j'espère ?

— Bien sûr que si.

L'espace d'une seconde, le visage de Dawson lui apparut.

— Je ne sais pas si j'aurai le temps, improvisa-t-elle. Il risque d'y avoir une veillée ce soir.

— Il risque ? Qu'est-ce que ça signifie ? Soit il y a une veillée, soit il n'y en a pas.

— Je veux dire que je n'en suis pas sûre. Quand l'avocat m'a appelée, il ne m'a pas fourni de détails sur les obsèques.

— C'est un peu étrange, non ? Qu'il ne t'ait rien dit ?

Peut-être, pensa Amanda. *Mais pas plus étrange que Tuck se soit débrouillé pour que Dawson et moi dînions chez lui hier soir.*

---

5. Littéralement «gâteau rouge velours», pâtisserie traditionnelle américaine.

— Je suis certaine qu'il ne fait qu'accomplir les dernières volontés de Tuck.

À la mention du nom de Tuck, sa mère tripota son collier de perles. Amanda ne l'avait jamais vue quitter sa chambre au lever sans maquillage ni bijoux, et ce matin ne faisait pas exception à la règle. Evelyn Collier incarnait depuis toujours l'esprit du Vieux Sud et continuerait sans l'ombre d'un doute jusqu'à sa mort.

— Je ne comprends toujours pas pourquoi tu as dû revenir pour ça. Ce n'est pas comme si tu connaissais cet homme.

— Je le connaissais, maman.

— Tu l'as connu voilà des années. Si tu vivais encore ici, peut-être que je pourrais le comprendre. Mais il n'y avait aucune raison de faire le déplacement tout spécialement pour ça.

— Je suis venue lui rendre un dernier hommage.

— Il n'avait pas bonne réputation, tu sais. Beaucoup de gens le disaient fou. Et que suis-je censée dire à mes amies sur la raison de ta visite ?

— Je ne vois pas pourquoi tu dois leur fournir un motif.

— Parce qu'elles vont me poser la question.

— Mais pourquoi donc ?

— Parce que tu les intéresses.

Amanda perçut dans le ton employé par sa mère quelque chose qu'elle ne saisissait pas vraiment. Tout en se creusant la tête, elle ajouta du lait dans son café.

— J'ignorais que je pouvais me retrouver au cœur des conversations, remarqua-t-elle.

— Ce n'est pas si surprenant, quand on y réfléchit. Depuis quelque temps, tu viens rarement avec Frank ou les enfants. Je n'y peux rien si ça les intrigue.

— On a déjà eu cette discussion, rétorqua Amanda, incapable de dissimuler son exaspération. Frank travaille et les enfants sont en cours, mais ça ne veut pas dire que je ne peux pas venir. Parfois, les filles font ça, tu sais. Elles rendent visite à leur mère.

— Et parfois, elles ne voient pas du tout leur mère. Pour ne rien te cacher, voilà ce qui intrigue mes amies.

— Mais qu'est-ce que tu racontes ? s'enquit Amanda en plissant les yeux.

— Je parle du fait que tu viens à Oriental quand tu sais que je n'y serai pas. Sans compter que tu dors chez moi, sans même me prévenir. (Sa mère ne chercha pas à cacher son hostilité et poursuivit.) Tu ne t'es donc pas rendue compte que j'étais au courant ? Comme lorsque je suis partie en croisière l'an dernier ? Ou quand je suis allée voir ma sœur à Charleston, l'année précédente ? Oriental est une petite ville, Amanda. Les gens t'ont vue. Mes amies t'ont vue. Je ne comprends pas, en revanche, comment tu as pu croire que je n'en saurais rien.

— Maman…

— Non, s'il te plaît, riposta sa mère en levant une main parfaitement manucurée. Je connais la raison exacte de ta visite. Je suis peut-être plus âgée que toi, mais pas encore sénile. Pour quelle autre raison serais-tu venue aux obsèques ? C'est évident que tu venais toujours le voir. Toutes les fois où tu prétextais faire des courses, c'est là que tu te rendais… Je me trompe ? Ou bien quand tu étais censée passer voir ton amie à la plage ? Bref, tu m'as menti depuis le début.

Amanda baissa les yeux sans rien dire. Que pouvait-elle bien ajouter ? Dans le silence qui suivit, elle entendit sa mère soupirer. Quand Evelyn reprit enfin la parole, sa voix trahissait l'abattement.

— Tu sais quoi ? J'ai également menti pour toi, Amanda, et je n'en peux plus. Mais je suis toujours ta mère, tu peux me parler.

— Oui, maman.

Amanda perçut dans sa propre intonation l'écho de l'adolescente irascible d'autrefois et elle s'en voulut.

— Y a-t-il un problème avec les enfants dont je devrais m'inquiéter ? reprit Evelyn.

— Non. Les enfants vont très bien.

— Avec Frank alors ?

Amanda fit pivoter sa tasse.

— Tu souhaites en discuter ? suggéra Evelyn.

— Non, répondit Amanda d'un ton catégorique.

— Est-ce que je peux faire quoi que ce soit ?

— Non.

— Qu'est-ce qui ne va pas, Amanda ?

Bizarrement, la question la ramena vers Dawson et, l'espace d'un instant, elle se retrouva dans la cuisine de Tuck, savourant l'attention que lui portait son petit ami de jadis. Elle comprit alors qu'elle ne désirait rien d'autre que le revoir, peu importaient les conséquences.

— J'en sais rien, murmura-t-elle enfin. J'aimerais bien te répondre, mais j'en sais rien.

*
* *

Tandis qu'Amanda montait au premier se doucher, Evelyn Collier sortit sur la véranda et contempla la fine brume au-dessus du fleuve. D'ordinaire, c'était l'un de ses moments préférés de la journée, depuis qu'elle était toute petite. À l'époque, elle ne vivait pas au bord de l'eau, mais près de la fabrique que possédait son père ; le week-end, elle avait coutume de s'aventurer sur le pont, où elle passait des heures à observer le soleil dissiper peu à peu la brume. Harvey savait qu'elle avait toujours souhaité vivre au bord de la Neuse, voilà pourquoi il s'était porté acquéreur de cette maison, quelques mois à peine après leur mariage. Bien sûr, il l'avait rachetée à son propre père pour une bouchée de pain – les Collier possédaient alors de nombreuses propriétés –, mais ce n'était pas le plus important. Son geste témoignait avant tout de l'attention qu'il portait à Evelyn, qui aurait tant aimé l'avoir en ce moment même auprès d'elle, ne serait-ce que pour discuter d'Amanda. Qui pouvait comprendre ce qui arrivait à sa fille, ces temps-ci ? Mais il fallait bien avouer qu'Amanda avait toujours constitué une énigme, même à un très jeune âge. Elle n'en faisait toujours qu'à sa tête et, du jour où elle avait accompli ses premiers pas, Amanda s'était montrée d'une obstination de tous les diables. Si sa mère lui disait de rester dans les parages, elle s'éloignait à la première occasion ; si elle lui demandait de porter une jolie toilette, Amanda dévalait l'escalier vêtue comme l'as de pique ! Quand elle était toute petite, il était certes encore possible de la garder sous contrôle et dans le droit chemin. C'était une Collier, après tout, et les gens n'en attendaient pas moins. Mais dès lors qu'Amanda était devenue adolescente, Dieu sait qu'on l'aurait crue comme possédée ! Dawson Cole – un Cole ! – pour commencer, puis les mensonges, les sorties en douce, les interminables bouderies et son insolence, chaque fois que sa mère tentait de lui inculquer un semblant de bon sens. À vrai dire, Evelyn devait ses premiers cheveux blancs à tout ce stress et, même si sa fille l'ignorait, elle n'aurait pu traverser toutes ces effroyables années sans le constant réconfort du bourbon.

Lorsqu'ils parvinrent à la séparer de ce jeune Cole et qu'Amanda entra à l'université, la situation commença à s'améliorer. De bonnes et solides années suivirent et les petits-enfants apportèrent beaucoup de bonheur, bien sûr. La perte de Bea, encore bébé, une merveilleuse petite

117

créature, fut une vraie tragédie, mais le Seigneur ne promettait jamais à quiconque une vie sans tourments. Après tout, Evelyn elle-même avait fait une fausse couche un an avant la naissance d'Amanda. Toutefois, elle se félicitait que sa fille soit parvenue à se remettre en selle après une période respectable – Dieu sait que la famille avait besoin d'elle ! – et même à se consacrer à un travail bénévole non négligeable. Evelyn aurait préféré une activité moins éprouvante, comme la Junior League, peut-être, mais l'hôpital universitaire de Duke n'en restait pas moins une excellente institution, et Evelyn ne se privait pas de parler à ses amies des déjeuners de charité organisés par Amanda pour lever des fonds ou du bénévolat qu'elle y accomplissait.

Ces derniers temps, Amanda semblait revenir à son comportement d'antan… en mentant comme une adolescente, franchement ! Certes, Evelyn et elle n'avaient jamais été très proches, et elle s'était résignée depuis longtemps à ce que toutes deux ne le deviennent sans doute jamais. L'idée même que mère et fille puissent être les meilleures amies du monde relevait du mythe, mais l'amitié passait après la famille. Les amis vont et viennent, alors que la famille demeurait une valeur sûre. Non, elles ne se confiaient pas l'une à l'autre, mais les confidences étaient souvent synonymes de pleurnicheries, lesquelles se révélaient en général une pure perte de temps. La vie était compliquée et le serait toujours. C'était dans l'ordre des choses, alors à quoi bon se plaindre ? Soit on réagissait, soit on se résignait, et ensuite on n'avait plus qu'à vivre selon ses propres choix.

Inutile d'être diplômé en psychologie pour comprendre qu'Amanda et Frank avaient des problèmes. Elle n'avait guère vu Frank ces dernières années, puisque Amanda venait seule la plupart du temps, et Evelyn se rappelait

118

que Frank était en effet un peu trop porté sur la bière. Après tout, le propre père d'Amanda adorait lui-même le bourbon, et aucun mariage n'offrait l'assurance d'un bonheur sans nuages. Evelyn avait connu des années où elle-même ne supportait pas la seule vue de Harvey, et encore moins l'idée de rester en couple avec lui. Si Amanda lui avait posé la question, nul doute qu'Evelyn l'aurait admis, de même qu'elle aurait dans la foulée rappelé à sa fille que l'herbe n'était pas toujours plus verte ailleurs. Ce que la jeune génération ne comprenait pas, c'était que l'herbe était plus verte à condition de veiller à l'arroser, ce qui signifiait que Frank comme Amanda devaient chacun y mettre du leur s'ils souhaitaient voir leur situation s'améliorer. Mais Amanda ne lui avait rien dit.

Et c'était dommage, car Evelyn voyait bien que sa fille ne faisait qu'ajouter davantage de problèmes à un couple d'ores et déjà problématique… en ayant, entre autres, recours au mensonge, par exemple. Comme elle avait menti à sa mère, on pouvait forcément s'attendre à ce qu'elle ait agi de même avec Frank. Et dès lors qu'on commençait à mentir, Dieu sait où on s'arrêtait ! Evelyn ne pouvait l'affirmer, mais à son avis Amanda ne savait plus trop où elle en était, et les gens commettaient des erreurs lorsqu'ils étaient en proie à la confusion. Et cela signifiait, évidemment, qu'Evelyn allait devoir redoubler de vigilance ce week-end, qu'Amanda apprécie ou non.

*
* *

Dawson était de retour.

Ted Cole se tenait sur le perron de la baraque et fumait une cigarette en observant vaguement les « arbres à viande », comme il avait coutume de les appeler quand les garçons revenaient de la chasse. En l'occurrence, les branches fléchissaient sous le poids des deux cerfs éviscérés et pelés qui y étaient suspendus avec de la corde, et les mouches tournoyaient et se promenaient sur la viande, tandis qu'au-dessous les entrailles formaient une flaque se mêlant à la terre.

Dans la brise matinale, les carcasses tournoyaient légèrement et Ted tira une longue bouffée sur sa cigarette. Il avait vu Dawson et savait qu'Abee l'avait vu aussi. Mais Abee avait menti, ce qui le foutait presque autant en pétard que l'apparition plus-crâneur-que-moi-tu-meurs de Dawson !

Il commençait à en avoir un peu marre de son frère. Marre qu'il lui donne des ordres, marre de se demander où passait tout le fric de la famille. L'heure était venue où ce bon vieil Abee risquait de se retrouver du mauvais côté du Glock. Son cher frangin s'était fait avoir dernièrement. Le gars au cutter avait failli le tuer. Un truc qui ne serait jamais arrivé quelques années plus tôt. Et si Ted avait été là, ça ne se serait pas produit non plus ! Mais Abee ne lui avait pas dit ce qu'il manigançait, et ça prouvait une fois de plus qu'Abee baissait la garde. Sa nouvelle nana l'avait déglingué… Candy, Cammie, ou peu importe son foutu prénom ! Ouais, elle avait une belle gueule et un corps que Ted aurait volontiers pris le temps d'explorer, mais c'était une femme et, dans ce cas, les règles étaient simples : t'avais besoin d'elle, tu te servais, et si elle piquait sa colère ou déblatérait sur toi, tu lui montrais que c'était toi le patron. Fallait peut-être deux ou trois leçons avant qu'elle pige mais, au final, les nanas revenaient toujours. Apparemment, Abee avait oublié tout ça.

Et il lui avait menti en le regardant droit dans les yeux ! D'une pichenette, Ted jeta son mégot à l'extérieur de la véranda, en se disant qu'il allait bientôt choper Abee, histoire de lui remonter les bretelles, et que ça ferait pas un pli. Mais chaque chose en son temps : Dawson devait foutre le camp. Ça faisait longtemps qu'il attendait ça. À cause de Dawson, il avait le nez de travers et la mâchoire recousue, car toute disloquée ; à cause de Dawson, ce mec s'était foutu de la gueule de Ted, et Ted n'avait pas pu laisser passer ça… et neuf ans de sa vie s'étaient envolés en fumée. Personne ne le baisait et s'en tirait sans dommage. Personne. Ni Dawson ni Abee. Personne. Et puis, ça faisait très, très longtemps qu'il attendait ce moment.

Ted tourna les talons et rentra dans la maison. La baraque avait été construite au début du siècle précédent et l'unique lustre qui pendillait au plafond éclairait à peine la pièce.

Tina, sa gamine de trois ans, était assise sur le canapé élimé et regardait un truc de Disney à la télé. Ella passa devant sans rien dire. Dans la cuisine, une épaisse couche de graisse de bacon recouvrait la poêle à frire et Ella retourna nourrir le bébé, qui braillait sur sa chaise haute, le visage barbouillé d'une substance jaune gluante. Ella avait vingt ans, des hanches étroites, de fins cheveux bruns et des taches de rousseur qui se déployaient en éventail sur ses joues. La robe qu'elle portait ne cachait pas grand-chose de son ventre rond. En cloque de sept mois et elle était crevée. Elle était toujours crevée.

Il attrapa ses clés sur le plan de travail et elle se tourna vers lui.

— Tu sors ?

— Occupe-toi de tes oignons, répliqua-t-il.

Comme elle se retournait, il tapota la tête du petit avant de gagner la chambre. Il sortit le Glock qu'il laissait sous l'oreiller et le glissa dans sa ceinture. Ted se sentait tout excité et s'estimait dans son bon droit.

Il était temps de régler la situation une fois pour toutes.

7

Au retour de son footing, Dawson découvrit des clients qui sirotaient leur café au salon en lisant *USA Today*. Tandis qu'il gravissait l'escalier pour gagner sa chambre, il sentit l'odeur des œufs au bacon en provenance de la cuisine. Après sa douche, il enfila un jean et un tee-shirt, puis descendit prendre son petit déjeuner.

Lorsqu'il arriva à table, la plupart des autres clients avaient fini, si bien qu'il petit-déjeuna seul. Malgré sa séance de sport, il n'avait pas très faim, mais la propriétaire – une retraitée dans la soixantaine nommée Alice Russel et installée à Oriental huit ans plus tôt – lui remplit son assiette, et il devina qu'elle serait déçue s'il ne la finissait pas. Tout chez elle évoquait la grand-mère bienveillante, jusqu'à son tablier et sa robe à carreaux.

Pendant qu'il se restaurait, Alice lui expliqua que, à l'instar de beaucoup d'autres, son mari et elle s'étaient retirés à Oriental pour s'adonner à la navigation de plaisance. Mais son époux avait fini par s'en lasser, ils avaient donc acheté cette affaire voilà quelques années. Bizarrement, elle l'avait appelé « monsieur Cole » à plusieurs reprises et ne semblait pas le reconnaître, alors qu'il lui avait confié avoir grandi ici. De toute évidence, elle était encore étrangère à la vie locale.

La famille de Dawson traînait pourtant toujours dans le coin. Il avait aperçu Abee à la supérette et, dès qu'il avait tourné à l'angle de la rue, Dawson s'était faufilé entre les maisons pour rentrer au bed & breakfast en évitant si possible la grand-rue. Il fuyait comme la peste le moindre accrochage avec le clan Cole, surtout Ted et Abee, mais un pressentiment sinistre lui laissait supposer que tout n'était pas encore réglé avec eux.

Cependant, il avait une démarche à accomplir. Après son petit déjeuner, il récupéra le bouquet de fleurs commandé depuis la Louisiane et livré au bed & breakfast, puis monta dans sa voiture de location. Tout en roulant, il gardait un œil sur le rétroviseur afin de s'assurer que personne ne le suivait. Au cimetière, il se fraya un chemin entre les tombes jusqu'à celle du Dr David Bonner.

Comme il l'espérait, l'endroit était désert. Il déposa les fleurs sur la pierre tombale et dit une courte prière pour la famille. Il resta quelques minutes avant de retourner au B & B. En sortant du véhicule, Dawson leva les yeux. Le ciel bleu s'étirait à l'horizon et il commençait à faire chaud. Songeant qu'il serait dommage de ne pas profiter d'une si belle matinée, Dawson décida de marcher.

Les eaux de la Neuse renvoyaient une lumière éblouissante, et il chaussa ses lunettes de soleil. Tout en traversant la rue, il scruta le quartier. Même si les boutiques étaient ouvertes, il croisa peu de piétons sur les trottoirs et se demanda comment ces petits commerces pouvaient tenir.

Un coup d'œil à sa montre lui indiqua qu'il lui restait encore une demi-heure avant son rendez-vous. Un peu plus loin, il repéra le café devant lequel il était passé en joggant et, même s'il n'avait pas envie d'un expresso, décida qu'une bouteille d'eau lui serait fort utile. Sentant la brise se lever comme il se tournait vers l'établissement, il vit la porte s'ouvrir. Il observa la personne qui sortait et presque aussitôt esquissa un sourire.

*
* *

Amanda se tenait au comptoir du Bean et ajoutait du lait et du sucre dans son café éthiopien. Le Bean, qui abritait autrefois une petite maison surplombant le port, proposait désormais une vingtaine de sortes de café et de succulentes pâtisseries, et Amanda aimait y venir lorsqu'elle était en visite à Oriental. Avec l'Irvin's Diner, c'était l'endroit où les gens du coin se retrouvaient pour se tenir au courant des derniers potins. Derrière elle, Amanda entendait le murmure des conversations. Même si le coup de feu du matin était passé, l'établissement accueillait encore davantage de clients qu'elle ne l'aurait cru. Derrière le comptoir, la serveuse d'une vingtaine d'années ne cessait de s'activer depuis qu'Amanda était entrée.

L'échange matinal avec sa mère l'ayant laissée apathique, un bon café lui serait salutaire. Un peu plus tôt, en se douchant, elle avait brièvement envisagé de retourner à la cuisine afin d'avoir une vraie conversation. Mais, le temps de se sécher, elle avait changé d'avis. Si elle espérait depuis toujours voir Evelyn devenir la mère compatissante et d'un grand secours qu'elle attendait tant, Amanda n'avait certes aucune peine à imaginer l'expression choquée et déçue que celle-ci afficherait en entendant prononcer le nom de Dawson. Ensuite, Evelyn lancerait sa tirade sans doute aussi outragée et condescendante que les sermons auxquels Amanda avait eu droit adolescente. Après tout, sa mère était une femme aux valeurs d'un autre temps. Les décisions étaient soit justes, soit erronées, les choix bons ou mauvais, et certaines lignes ne devaient jamais être franchies. Il existait des codes de conduite non négociables, surtout en ce qui concernait la famille. Amanda connaissait ces règles et les convictions de sa mère depuis toujours. Evelyn insistait sur la responsabilité, croyait aux implications des actes de chacun et ne tolérait guère les pleurnicheries. Amanda avait du reste adopté une partie de cette philosophie avec ses enfants et savait qu'ils ne s'en portaient que mieux.

Contrairement à elle, en revanche, sa mère avait toujours affiché une assurance à toute épreuve. Elle avait confiance en elle et était certaine de ses choix, comme si la vie n'était qu'une longue mélodie dont elle avait trouvé le rythme une fois pour toutes, persuadée que tout se déroulerait comme prévu. Amanda se disait souvent que sa mère ignorait jusqu'à la notion même de regret.

Mais Amanda fonctionnait différemment. Jamais elle ne pourrait oublier la réaction brutale d'Evelyn face à la maladie puis au décès de Bea. Elle lui avait certes témoigné de la sollicitude, et s'était occupée de Jared et de Lynn, au cours des nombreuses visites de Frank et Amanda au Centre d'oncologie pédiatrique de Duke, allant jusqu'à préparer quelques repas pour la famille dans les semaines qui suivirent les obsèques. Toutefois, Amanda n'avait jamais vraiment compris la résignation stoïque avec laquelle sa mère avait accepté la situation, pas plus qu'elle n'avait digéré le sermon qu'elle lui fit trois mois après la mort de Bea, lui disant qu'il était « temps de se remettre en selle » et d'arrêter de « s'apitoyer sur son sort ». Comme si la perte de Bea s'apparentait à une rupture mal vécue avec un petit ami. Chaque fois qu'elle y pensait, Amanda sentait la colère monter en elle, au point de se demander parfois si sa mère était capable de la moindre compassion.

Elle soupira, tout en s'efforçant de se rappeler que le monde de sa mère était différent du sien. Evelyn n'était jamais allée à l'université, n'avait jamais vécu ailleurs qu'à Oriental, et peut-être ceci expliquait-il cela. Elle acceptait son sort dans la mesure où elle n'avait rien connu d'autre. Et sa propre famille ne lui avait pas témoigné d'affection, à en croire le peu d'anecdotes qu'Evelyn avait partagées avec elle sur sa jeunesse. Mais qui pouvait l'affirmer ? Quoi qu'il en soit, Amanda savait que se confier à sa mère ne ferait que compliquer inutilement la situation, et pour l'heure elle n'y tenait pas.

Tandis qu'elle posait le couvercle sur son gobelet de café, le portable d'Amanda sonna. Voyant que l'appel provenait de Lynn, elle sortit sur la petite véranda pour bavarder quelques minutes avec sa fille. Ensuite, elle appela Jared et le réveilla, puis l'écouta marmonner, encore somnolent. Avant de raccrocher, son fils lui dit qu'il espérait la voir dimanche. Elle aurait aussi aimé pouvoir appeler Annette, mais se consola à l'idée que la petite devait prendre du bon temps en colonie de vacances.

Après quelques hésitations, elle téléphona également à Frank au cabinet dentaire. Elle n'en avait pas eu l'occasion plus tôt, malgré ce qu'elle avait dit à sa mère. Comme toujours, elle dut attendre qu'il ait une minute de libre entre deux patients.

— Salut ! lança-t-il en prenant l'appel.

Tandis qu'ils discutaient, elle supposa qu'il ne se rappelait pas avoir appelé chez Evelyn la veille au soir. Néanmoins, il semblait ravi d'entendre sa voix. Il lui demanda des nouvelles de sa mère, et Amanda lui annonça qu'elles avaient un dîner de prévu ce soir-là ; il lui dit pour sa part qu'il devait jouer au golf dimanche matin avec son ami

Roger, de même qu'ils regarderaient sans doute ensuite le match des Braves au country-club. Par expérience, elle savait que ce genre d'activité occasionnerait inéluctablement une beuverie, mais elle évita de s'énerver, sachant fort bien qu'il ne servirait à rien d'affronter Frank sur ce sujet. Il la questionna à propos des obsèques et de ce qu'elle prévoyait de faire en ville. Bien qu'elle lui répondît sincèrement – elle ne savait pas grand-chose pour l'instant –, Amanda sentit qu'elle évitait de prononcer le nom de Dawson. Frank n'eut pas l'air de remarquer quoi que ce soit mais, en raccrochant, Amanda réprima un frisson de culpabilité. Outre sa colère refoulée, cela suffit à la perturber.

*
* *

À l'ombre d'un magnolia, Dawson attendit qu'Amanda ait rangé le portable dans son sac. Il crut discerner un certain trouble sur son visage, mais elle rajusta la bandoulière sur son épaule et recouvra une expression indéchiffrable.

Comme lui, elle portait un jean et, en s'approchant, il observa que son chemisier turquoise soulignait la nuance de ses yeux. Perdue dans ses pensées, elle sursauta en le reconnaissant.

— Tiens ! Salut, dit-elle en souriant. Je ne m'attendais pas à te voir ici.

Dawson gravit les marches de la véranda et la regarda se passer la main sur son impeccable queue-de-cheval.

— Je voulais prendre une bouteille d'eau avant notre rendez-vous chez l'avocat.

— Pas de café ? répliqua Amanda en désignant l'établissement dans son dos. C'est le meilleur du coin.

— J'en ai pris au petit déjeuner.

— T'es allé chez Irvin ? Tuck ne jurait que par ce restaurant.

— Non. Au bed & breakfast, Alice avait tout préparé.

— Alice ?

— Oh, c'est juste le top model qui tient l'établissement. Pas de quoi être jalouse.

Elle éclata de rire.

— Oui, bien sûr. Comment s'est passée ta matinée, sinon ?

— Bien. Je suis allé faire mon footing, ce qui m'a permis de voir tout ce qui avait changé en ville.

— Et ?

— J'ai l'impression de remonter dans le temps. Comme Michael J. Fox dans *Retour vers le futur*.

— Ça fait partie des charmes d'Oriental. Une fois ici, on est facilement isolés du reste du monde et on oublie tous ses problèmes.

— J'ai l'impression d'entendre une pub de l'office du tourisme.

— Ça fait partie de mes charmes à moi.

— Parmi tant d'autres, j'en suis sûr.

Comme il disait cela, elle fut à nouveau frappée par l'intensité de son regard. Elle n'était pas habituée à être ainsi détaillée ; au contraire, elle avait souvent l'impression d'être invisible en accomplissant les tâches bien rodées de son quotidien. Avant qu'elle puisse s'attarder sur les raisons de sa gêne, Dawson indiqua la porte d'un hochement de tête :

— Si tu n'y vois pas d'inconvénient, je vais acheter cette bouteille d'eau.

Il entra et, de l'extérieur, Amanda remarqua que la jolie employée d'une vingtaine d'années évitait de le fixer de manière trop ostensible, tandis qu'il marchait vers l'armoire réfrigérée. Quand Dawson parvint au fond du

commerce, elle ajusta sa coiffure dans le miroir placé derrière le comptoir, puis le gratifia d'un sourire chaleureux à
la caisse. Amanda se détourna aussitôt, avant que la jeune
fille la surprenne à l'observer.

Une minute plus tard, Dawson réapparut, tout en ache-
vant son bref échange avec l'employée. Amanda s'efforça
de ne rien laisser paraître, et d'un commun accord ils
s'éloignèrent de la véranda pour gagner un coin jouissant
d'une meilleure vue sur la marina.

— La fille au comptoir flirtait avec toi, observa Amanda.

— Elle était sympa, c'est tout.

— Elle en faisait des tonnes.

Il haussa les épaules en débouchant sa bouteille.

— Ça ne m'a pas frappé.

— Comment se fait-il que tu n'aies rien vu ?

— Je pensais à autre chose.

Elle attendit d'en savoir plus, tandis qu'il regardait les
bateaux amarrés dans le port de plaisance.

— J'ai aperçu Abee ce matin, déclara-t-il enfin. Quand
je faisais mon jogging.

Amanda se raidit en entendant le prénom.

— T'es sûr que c'était lui ?

— C'est mon cousin, tu te rappelles ?

— Qu'est-ce qui s'est passé ?

— Rien.

— C'est plutôt bon signe, non ?

— Je ne peux rien affirmer pour l'instant.

Amanda se crispa.

— Comment ça ?

Plutôt que de répondre tout de suite, il but une
gorgée d'eau minérale, alors qu'elle sentait son esprit en
effervescence.

— J'imagine qu'il vaut mieux que je me montre le
moins possible. Sinon, j'aviserai le moment venu.

— Peut-être qu'ils ne feront rien.

— Peut-être, admit-il. Jusqu'ici tout va bien, pas vrai ? (Il revissa le bouchon sur la bouteille et changea de sujet.) Qu'est-ce que Me Tanner va nous dire, d'après toi ? Il est resté très mystérieux au téléphone. Et passablement évasif au sujet des obsèques.

— Il ne m'a pas dit grand-chose non plus. Ma mère et moi en parlions justement ce matin.

— Ah ouais ? Elle va bien ?

— Un peu contrariée d'avoir manqué sa partie de bridge d'hier soir. Mais, pour se rattraper, elle a eu la gentillesse de me forcer la main pour dîner avec elle chez une amie, ce soir.

Il sourit.

— Alors… ça veut dire que t'es libre jusqu'au dîner ?

— Pourquoi ? Qu'as-tu en tête ?

— J'en sais trop rien. Tâchons déjà de voir ce que Me Tanner va nous raconter. D'ailleurs, on ferait bien d'y aller. Son cabinet se situe juste en bas de la rue.

À ces mots, ils avancèrent sur le trottoir à l'ombre des arbres.

— Tu te souviens du jour où tu m'as demandé si tu pouvais m'offrir une glace ? reprit-elle. La toute première fois ?

— Je me souviens de m'être demandé, moi, pourquoi tu avais accepté.

Elle ignora la remarque.

— Tu m'as emmenée au drugstore, celui avec la fontaine à glace à l'ancienne et le long comptoir, et on a pris tous les deux des *hot fudge sundaes*. Ils fabriquaient leur propre crème glacée là-bas et ça reste la meilleure que j'aie jamais mangée. Je n'en reviens pas qu'on ait démoli cet endroit.

— Ça s'est passé quand, au fait ?

— Je ne sais plus. Il y a six ou sept ans environ. Un jour, lors d'une de mes visites, j'ai remarqué que le commerce avait disparu. Ça m'a un peu attristée. J'avais l'habitude d'y emmener mes enfants quand ils étaient petits, et ils se régalaient toujours.

Il tenta de l'imaginer avec ses gamins dans le vieux drugstore, mais sans vraiment parvenir à se représenter leurs visages. Ressemblaient-ils à Amanda ou tenaient-ils de leur père ? Possédaient-ils sa flamme, sa générosité ?

— Tu penses que tes enfants auraient aimé grandir ici ? demanda-t-il.

— Petits, sans doute. C'est une jolie ville, avec des tas d'endroits où jouer et à explorer. Mais à l'adolescence, ils s'y seraient sentis à l'étroit, j'imagine.

— Comme toi ?

— Ouais… Comme moi. J'avais hâte de partir. Je ne sais pas si tu te rappelles, mais j'ai postulé à la NYU et au Boston College uniquement pour connaître l'expérience d'une vraie grande ville.

— Comment je pourrais oublier ? Elles paraissaient si lointaines.

— Oui, eh bien… mon père était allé à Duke, j'ai grandi en entendant parler de cette fac, j'ai regardé les matchs de basket de Duke à la télé. Bref, j'imagine que c'était gravé dans le marbre que je devais aller là-bas. Et il s'est avéré que mon choix était le bon, parce que la fac était géniale, je m'y suis fait beaucoup d'amis et j'ai mûri là-bas. En outre, je ne sais pas si ça m'aurait plu de vivre à New York ou à Boston. Au fond de moi, je suis restée une provinciale. Ça me plaît d'entendre les criquets avant de m'endormir.

— Alors tu serais aux anges en Louisiane. C'est la capitale des insectes !

Elle sourit avant de prendre une gorgée de café.

— Tu te souviens quand on est partis en voiture sur la côte, alors que l'ouragan Diana arrivait ? Je n'ai pas arrêté de te supplier de m'emmener, et toi d'essayer de me dissuader.

— Je te croyais complètement cinglée.

— Pourtant, on y est allés quand même. Parce que j'en avais envie. On pouvait à peine sortir de la voiture tellement les vents soufflaient fort, et l'Océan était… déchaîné. Les grosses vagues moutonnaient jusqu'à l'horizon, et toi qui me tenais fermement et tentais de me convaincre de retourner dans la voiture.

— Je ne voulais pas que tu sois blessée.

— Il y a des tempêtes de cette violence quand tu es sur la plate-forme ?

— Moins souvent qu'on pourrait le croire. Si on se trouve sur la trajectoire prévue par la météo, on nous évacue en général.

— En général ?

Il haussa les épaules.

— Il arrive que la météo se trompe. Je me suis retrouvé plusieurs fois à la périphérie d'un ouragan, et c'est pour le moins déroutant. T'es vraiment à la merci des éléments et tu dois t'accroupir, tandis que la plate-forme oscille, en sachant que personne ne viendra te sauver si les choses empirent. J'ai vu des gars péter les plombs, tu sais.

— Je pense que je serais comme eux.

— T'as gardé ton sang-froid quand l'ouragan Diana s'est abattu sur nous, remarqua-t-il.

— Parce que tu étais là, souligna Amanda en ralentissant le pas et en redevenant sérieuse. Je savais qu'il ne pourrait rien m'arriver. Je me sentais toujours en sécurité à tes côtés.

— Même quand mon père et mes cousins se sont pointés chez Tuck ? Pour me racketter ?

— Ouais… Même à ce moment-là. Ta famille ne m'a jamais inquiétée.

— Tu as de la chance.

— J'en sais rien. Lorsqu'on était ensemble, il m'arrivait de croiser Ted ou Abee en ville et, de temps à autre, j'apercevais ton père. Oh, bien sûr, ils affichaient un petit sourire narquois, mais jamais de quoi me rendre nerveuse. Et plus tard, quand je revenais en été, après que Ted a été envoyé en prison, Abee et ton père gardaient leurs distances. Je pense qu'ils savaient ce que tu leur aurais fait si jamais il m'était arrivé malheur. (Elle s'arrêta à l'ombre d'un arbre et regarda Dawson droit dans les yeux.) Alors non, tu vois, ils ne m'ont jamais effrayée. Pas une fois. Parce que je t'avais.

— Tu m'attribues bien trop de qualités.

— Vraiment ? Tu veux dire que tu les aurais laissés me faire du mal ?

Il n'eut pas besoin de répondre. L'expression de Dawson lui confirmait qu'elle disait vrai.

— Ils ont toujours eu peur de toi, tu sais. Même Ted. Parce qu'ils te connaissaient aussi bien que moi.

— T'avais peur de moi ?

— C'est pas là où je veux en venir, précisa-t-elle. Je savais que tu m'aimais et que tu ferais n'importe quoi pour moi. Et c'est l'une des raisons pour lesquelles j'ai eu si mal quand tu as mis un terme à notre histoire. Parce que je savais déjà combien un tel amour est rare. Il faut avoir une chance inouïe pour connaître ce genre de relation.

L'espace d'un instant, Dawson parut incapable de réagir.

— Je suis désolé… articula-t-il enfin.

— Moi aussi, renchérit-elle sans cacher son regain de tristesse. J'ai fait partie de celles qui ont eu cette chance…

*
**

Arrivés au cabinet de Morgan Tanner, Dawson et Amanda s'assirent dans la petite salle d'attente. Le plancher en pin était éraflé, les fauteuils usés, et la table basse croulait sous les magazines périmés. La secrétaire, qui semblait assez vieille pour percevoir sa retraite depuis des années, lisait un roman. Mais elle n'avait manifestement guère autre chose à faire. Durant les dix minutes qu'ils patientèrent, le téléphone ne sonna pas une seule fois.

Finalement, la porte s'ouvrit et un homme d'un certain âge apparut dans un costume froissé, avec sa crinière de cheveux blancs, et ses sourcils poivre et sel broussailleux. D'un geste, il les invita à entrer dans son bureau.

— Amanda Ridley et Dawson Cole, je présume ? (Après qu'ils eurent échangé une poignée de mains, il enchaîna :) Je suis Morgan Tanner et je tiens à vous présenter à tous deux mes condoléances. Je sais combien ça doit être éprouvant.

— Merci, dit Amanda, tandis que Dawson se contentait d'acquiescer.

Tanner désigna ses fauteuils en cuir à haut dossier.

— Asseyez-vous, je vous prie. Ce ne devrait pas être long.

Avec ses étagères en acajou remplies d'ouvrages juridiques et sa fenêtre donnant sur la rue, le cabinet proprement dit n'avait rien à voir avec l'accueil. Le bureau, une pièce d'antiquité ouvragée et moulurée dans les angles, accueillait une lampe Tiffany. Un coffret en noyer trônait au centre du plateau.

— D'abord, veuillez m'excuser de vous avoir fait attendre. J'étais au téléphone en train de régler des détails de dernière minute. (L'avocat continuait de parler tout en s'installant dans son fauteuil.) Je suppose que vous devez vous demander pourquoi faire autant de mystères autour des dispositions souhaitées par le défunt, mais Tuck voulait qu'il en soit ainsi. (Il les lorgna à tour de rôle sous ses épais sourcils.) Quoique j'imagine que vous le savez déjà.

Amanda observa Dawson à la dérobée, tandis que Tanner s'emparait du dossier posé sous ses yeux.

— Je me félicite que vous ayez pu venir tous les deux. Après l'avoir écouté me parler de vous, je sais que Tuck aurait apprécié. Certes, vous devez avoir des questions, alors allons-y, voulez-vous ? (Il leur décocha un bref sourire, lequel révéla des dents étonnamment blanches et régulières.) Comme vous le savez, le corps de Tuck a été découvert mardi matin par Rex Yarborough.

— Qui est-ce ? questionna Amanda.

— Le facteur. Il s'avère qu'il mettait un point d'honneur à passer régulièrement prendre des nouvelles de Tuck. Quand il a frappé à la porte, personne n'a répondu. Cependant, elle n'était pas verrouillée et, en entrant, il a trouvé Tuck dans son lit. Il a ensuite appelé le shérif et on a rapidement établi que Tuck était décédé de mort naturelle. C'est alors que le shérif m'a contacté.

— Pourquoi donc ? s'enquit Dawson.

— Parce que Tuck le lui avait demandé. Le shérif savait que j'étais son exécuteur testamentaire et qu'il fallait me joindre le plus tôt possible après sa mort.

— À vous écouter, on a l'impression qu'il sentait sa fin proche.

— Je pense que c'était effectivement le cas, admit Tanner. Tuck Hostetler était un vieillard et ne craignait pas d'affronter les réalités inhérentes à son âge avancé. J'espère seulement me montrer aussi organisé et résolu que lui quand mon heure viendra, ajouta-t-il en secouant la tête.

Amanda et Dawson échangèrent un regard sans dire un mot.

— Je l'ai incité à vous faire part à tous les deux de ses dernières volontés, mais il tenait à les garder secrètes pour une raison qui m'échappe encore. (Tanner prit un ton presque paternel.) En tout cas, il m'a fait comprendre que vous comptiez tous deux beaucoup pour lui.

Dawson se redressa.

— Je sais que ça n'a pas vraiment d'importance, mais comment l'avez-vous connu ?

Tanner hocha la tête, comme s'il s'attendait à la question.

— J'ai rencontré Tuck il y a dix-huit ans, quand je lui ai apporté une Mustang classique à restaurer. À l'époque j'étais associé dans un grand cabinet de Raleigh. Pour ne rien vous cacher, j'étais lobbyiste. J'ai beaucoup œuvré dans l'agriculture. Mais pour faire court, disons que je suis resté ici quelques jours afin de surveiller l'avance- ment des travaux. Je connaissais Tuck uniquement de réputation et ne lui faisais pas totalement confiance pour ma voiture. En tout cas, c'est ainsi que nous avons fait connaissance, et je me suis rendu compte que le rythme de vie d'ici me plaisait. Quelques semaines plus tard, quand je suis enfin venu récupérer mon véhicule, la facture de Tuck ne se révélait pas aussi élevée que je l'aurais cru et son travail m'a épaté. Quinze ans plus tard, je me sentais vraiment à plat et, sur un coup de tête, j'ai décidé de m'installer ici pour y prendre ma retraite. Sauf que je n'ai pas tenu. Au bout d'un an environ, j'ai ouvert ce petit cabinet. Oh, je ne suis pas débordé… Je m'occupe surtout de successions avec, de temps à autre, un acte de vente immobilière. Je n'ai pas besoin de travailler, mais ça m'occupe. Et mon épouse est ravie de me voir quitter la maison quelques heures par semaine. Quoi qu'il en soit, j'ai croisé Tuck à l'Irvin's Diner un matin et je lui ai dit que s'il avait besoin de moi, j'étais à sa disposition. En février dernier, à ma grande surprise, il m'a pris au mot.

— Pourquoi vous et pas…

— … un autre avocat de la ville ? dit Tanner en finissant la phrase à la place de Dawson. J'ai l'impression qu'il souhaitait quelqu'un qui ne soit pas trop enraciné localement. Il ne croyait guère au secret professionnel, même quand je lui ai assuré que celui-ci demeurait absolu. Sinon, y a-t-il un détail que j'aurais omis, selon vous ?

Comme Amanda secouait la tête, il tira le dossier vers lui et chaussa des lunettes de lecture.

— Dans ce cas, nous pouvons commencer. Tuck a laissé des instructions précises sur la manière dont il désirait me voir agir en qualité d'exécuteur testamentaire. Vous devez donc savoir, entre autres, qu'il ne souhaitait pas des obsèques traditionnelles. Au lieu de cela, il m'a demandé de prendre des dispositions pour une incinération et, afin de respecter sa volonté, Tuck Hostetler a donc été incinéré.

À ces mots, l'avocat avança le coffret, ou plutôt l'urne, ne laissant planer aucun doute sur son contenu.

Amanda blêmit.

— Mais nous sommes arrivés hier.

— Je sais. Il avait demandé que je m'en occupe si possible avant votre arrivée.

— Il ne souhaitait pas notre présence ?

— Il ne souhaitait la présence de personne.

— Pourquoi donc ?

— Tout ce que je puis dire, c'est qu'il s'est montré très précis dans ses instructions. À mon humble avis, je pense qu'il craignait que vous soyez bouleversés en vous chargeant de telle ou telle disposition. (Il souleva une feuille du dossier et la lut.) Il a dit, je le cite : « Il n'y a aucune raison que mon décès devienne un fardeau pour eux. »

Tanner ôta ses lunettes et se cala dans son fauteuil, tout en essayant de jauger leur réaction.

— En d'autres termes, il n'y a pas de funérailles ? reprit Amanda.

— Pas d'un point de vue traditionnel, disons.

Elle se tourna vers Dawson, puis revint vers l'avocat.

— Pourquoi souhaitait-il notre présence, alors ?

— Il m'a demandé de vous contacter dans l'espoir que vous feriez autre chose pour lui, quelque chose de plus important que l'incinération. Pour l'essentiel, il désirait que vous dispersiez tous deux ses cendres à un endroit auquel il tenait beaucoup et où vous n'étiez, semble-t-il, jamais allés.

Amanda mit un petit moment avant de deviner.

— Sa petite maison de Vandemere ?

Tanner acquiesça.

— Exact. Demain serait idéal, à l'heure de votre convenance. Bien sûr, si l'idée même vous met mal à l'aise, je puis m'en charger. Je dois m'y rendre demain, de toute manière.

— Non, demain, ça ira très bien, déclara-t-elle.

Tanner s'empara d'un bout de papier.

— Voici l'adresse, et j'ai pris la liberté d'y ajouter la direction pour y aller. C'est un peu hors des sentiers battus, comme vous devez vous en douter. Et puis il y a autre chose… Il m'a également demandé de vous remettre ceci, ajouta l'avocat en retirant du dossier trois enveloppes cachetées. Vous remarquerez que deux portent chacune vos noms respectifs. Vous devez d'abord lire à voix haute celle qui n'en porte aucun, avant la cérémonie.

— La cérémonie ? répéta Amanda.

— La dispersion des cendres, je veux dire, précisa Tanner en tendant les enveloppes et le papier avec l'adresse et les indications pour le trajet. Bien entendu, si l'un ou l'autre d'entre vous a des questions, n'hésitez pas…

— Merci, dit-elle en prenant les documents. (Les enveloppes semblaient étrangement lourdes, chargées de mystère.) Et pour les missives adressées à chacun de nous deux ?

— Je présume que vous devez les lire après.

— Vous présumez ?

— Tuck est resté flou sur ce point, si ce n'est qu'après avoir lu la première lettre, vous sauriez à quel moment ouvrir les deux autres.

Amanda glissa les enveloppes dans son sac à main, tout en essayant de digérer les propos de Tanner. Dawson paraissait tout aussi perplexe qu'elle.

L'avocat parcourut de nouveau le dossier.

— Des questions ?

— A-t-il fait allusion à un endroit précis de Vandemere où il souhaitait qu'on éparpille ses cendres ?

— Non.

— Comment le deviner, puisqu'on n'y est jamais allés ?

— Je lui ai posé la même question, mais il semblait certain que vous comprendriez ce que vous devriez faire.

— Avait-il une heure précise de la journée en tête ?

— Sur ce point aussi, il vous laisse libre choix. Toutefois, il tenait à ce que cela demeure une cérémonie dans la plus stricte intimité. Il m'a demandé de veiller, par exemple, à ce qu'aucune information ne soit divulguée dans le journal concernant sa mort, pas même un avis de décès. J'ai comme l'impression qu'il voulait que personne, hormis nous trois, ne sache qu'il était mort. Alors j'ai respecté ses volontés au maximum. Bien sûr, la nouvelle a forcément dû se répandre, mais sachez que j'ai fait tout mon possible.

— Il a expliqué la raison de son souhait ?

— Non, répondit Tanner. Pas plus que je ne la lui ai demandée. À ce moment-là, je me doutais plus ou moins qu'il ne m'aurait pas répondu, de toute façon.

L'avocat observa Amanda et Dawson, en quête d'autres questions éventuelles. Comme ni l'un ni l'autre n'en posa, il reprit la première page du dossier.

— Venons-en à présent à sa succession. Vous savez tous deux que Tuck n'avait aucun descendant. Certes, je comprends qu'eu égard à votre chagrin vous jugiez le moment inopportun pour discuter de son héritage. Toutefois, il m'a demandé de profiter de votre passage à Oriental pour vous informer de ce qu'il comptait faire. Cela vous convient ? (Comme tous deux hochaient la tête, l'avocat enchaîna.) Les actifs de Tuck sont loin d'être négligeables. Outre ses liquidités réparties sur plusieurs comptes, il possédait pas mal de terrain. Je n'ai pas encore établi les chiffres exacts, mais sachez d'ores et déjà qu'il m'a demandé de vous dire que vous pouvez prendre tout ce qui vous plaît chez lui, même s'il s'agit d'un simple objet. Il a ajouté qu'en cas de désaccord, vous devez tâcher de le régler entre vous pendant votre séjour. Je me chargerai de l'homologation du testament dans les mois qui viennent, mais, pour l'essentiel, le reste de ses biens seront vendus au bénéfice du Centre d'oncologie pédiatrique de l'hôpital universitaire Duke. (Tanner sourit alors à Amanda.) Il a pensé que vous souhaiteriez être mise au courant.

—Je ne sais quoi vous dire… (Elle sentait Dawson sur le qui-vive à ses côtés, bien qu'il n'en laisse rien paraître.) C'est si généreux de sa part. Il… euh… hésita Amanda, plus affectée qu'elle ne l'aurait admis, j'imagine qu'il savait tout ce que cela signifierait pour moi.

Tanner acquiesça, avant de trier les feuillets pour les poser de côté.

— Eh bien, je pense que nous avons fait le tour, à moins que ne voyiez autre chose…

Il n'y avait rien à ajouter et, après avoir salué l'avocat, Amanda se leva, tandis que Dawson s'emparait de l'urne posée sur le bureau. Tanner se leva, sans pour autant les suivre. Amanda accompagna Dawson vers la porte et le vit plisser le front. Avant de poser la main sur la poignée, il se retourna vers l'avocat.

— Maître Tanner ?

— Oui ?

— Vous avez dit quelque chose qui m'intrigue.

— Ah ?

— Oui… que demain serait idéal. Vous vouliez dire « par rapport à aujourd'hui », je suppose ?

— Certes…

— Pouvez-vous m'expliquer pourquoi ?

Tanner posa le dossier dans le coin de son bureau.

— Navré, je ne le puis.

*
* *

— Qu'est-ce qui t'a pris ? s'enquit Amanda.

Ils marchaient vers la voiture d'Amanda, restée garée devant le café. Dawson glissa une main dans sa poche et changea de sujet.

— T'as prévu quoi pour le déjeuner ?

— Tu ne vas pas me répondre ?

— Je ne sais pas quoi penser. Tanner lui-même ne m'a pas fourni de réponse.

— Mais d'abord, pourquoi tu lui as posé cette question ?

— Parce que je suis curieux. Je l'ai toujours été.

Elle traversa la rue.

— Non, dit-elle enfin. Je ne suis pas d'accord. Au contraire, tu as mené ta vie en acceptant presque tout le temps avec flegme les situations telles qu'elles se présentaient. Mais je sais exactement ce que tu es en train de faire.

— Et je fais quoi ?

— Tu essayes de changer de conversation.

Il ne prit pas la peine de la contredire.

— Toi non plus, tu ne m'as pas répondu, répliqua-t-il en glissant l'urne sous son bras.

— Ah bon ? Tu me demandais quoi ?

— Ce que tu faisais pour déjeuner. Parce que si tu es libre, je connais un endroit génial.

Elle hésita, songeant aux commérages mais, comme toujours, Dawson lut dans ses pensées.

— Fais-moi confiance, reprit-il. Je sais où il faut aller.

*
**

Une demi-heure plus tard, ils étaient de retour chez Tuck, assis au bord de l'eau, sur un plaid qu'Amanda avait trouvé dans un placard. Chacun avait pris sa voiture et, en chemin, Dawson était passé prendre des sandwichs et des bouteilles d'eau au Brantlee's Village Restaurant.

— Comment t'as deviné ? demanda-t-elle en retrouvant leur langage sibyllin et complice d'autrefois.

C'était comme si Dawson devinait ses pensées avant même qu'elle s'exprime. Quand ils étaient jeunes, un simple regard, un geste anodin suffisaient à évoquer leurs idées et leurs émotions.

— Ta mère et tous les gens qu'elle connaît vivent toujours ici. Tu es mariée, et moi quelqu'un de ton passé.

Bref, je me suis dit que ce ne serait peut-être pas très malin qu'on nous voie passer l'après-midi ensemble.

Elle était ravie qu'il comprenne mais, tandis qu'il sortait deux sandwichs du sachet, Amanda ne put s'empêcher de se sentir coupable. Elle avait beau se dire qu'ils ne faisaient que déjeuner sur l'herbe, elle savait pertinemment qu'elle se voilait la face.

Dawson parut ne rien remarquer.

— Dinde ou poulet ? s'enquit-il en lui présentant les deux.

— Peu importe, répondit-elle avant de se raviser. Euh… poulet, tout compte fait.

Il lui passa le sandwich et une bouteille d'eau. Elle observa le cadre ambiant et apprécia la tranquillité. De frêles nuages filaient dans le ciel, tandis que du côté de la maison deux écureuils se pourchassaient sur un chêne envahi de mousse espagnole. Sur la rive d'en face, une tortue se prélassait au soleil. Tel était l'environnement dans lequel Amanda avait grandi, et pourtant il lui était devenu singulièrement étranger, un monde bien différent de celui où elle vivait désormais.

— Qu'as-tu pensé de notre entrevue ? demanda-t-il.

— Tanner m'a l'air d'un homme honnête.

— Et les lettres de Tuck ? Tu as ta petite idée ?

— Après ce que j'ai entendu chez l'avocat ? Pas la moindre.

Dawson hocha la tête, tandis qu'ils attaquaient leurs sandwichs.

— Le Centre d'oncologie pédiatrique, c'est bien ça ? reprit-il.

Elle acquiesça, songeant aussi à Bea.

— Je t'ai dit que je faisais du bénévolat à l'hôpital universitaire de Duke. Il m'arrive aussi de collecter des fonds pour eux.

— Oui, mais tu n'as pas précisé dans quel service tu travaillais, répliqua Dawson, qui n'avait pas encore mordu dans son sandwich.

Amanda sentit qu'il souhaitait en savoir plus et dévissa le bouchon de sa bouteille d'un air absent.

— Frank et moi avons eu un autre enfant, une petite fille, trois ans après la naissance de Lynn…

Elle rassembla ses forces, sachant néanmoins que se confier à Dawson ne lui semblerait pas bizarre ou pénible, comme cela lui arrivait souvent en présence d'autres personnes.

— On lui a diagnostiqué une tumeur au cerveau à l'âge de dix-huit mois. C'était inopérable et, malgré les efforts de la formidable équipe médicale du Centre d'oncologie pédiatrique, la petite est morte six mois plus tard.

Amanda contempla le cours d'eau de sa jeunesse et ressentit cette douleur familière, cette tristesse dont elle savait qu'elle ne la quitterait jamais.

Dawson se pencha et lui pressa affectueusement la main.

— Comment elle s'appelait ? demanda-t-il d'une voix douce.

— Bea.

Tous deux restèrent un long moment sans dire un mot. Seuls le gargouillis de l'eau et le bruissement des feuillages troublèrent le silence. Amanda n'éprouva pas le besoin d'en dire plus, et Dawson n'en attendait pas davantage. Elle savait qu'il comprenait ce qu'elle ressentait et avait même le sentiment qu'il partageait sa peine, ne serait-ce que parce qu'il ne pouvait l'en affranchir.

*
**

Après le déjeuner, ils rassemblèrent les restes de leur pique-nique et regagnèrent la maison. Dawson suivit Amanda à l'intérieur et l'observa disparaître au détour du couloir pour ranger la couverture. Elle lui paraissait sur ses gardes, comme si elle craignait d'avoir franchi une sorte de barrière tacite. Il se rendit dans la cuisine et sortit des verres du placard pour les remplir de thé glacé. Lorsqu'elle le rejoignit, il lui en offrit un.

— Ça va ? demanda-t-il.

— Ouais, dit-elle en prenant le verre. Tout va bien.

— Désolé de t'avoir bouleversée.

— Mais non, rassure-toi. Il se trouve que ça m'est parfois difficile de parler de Bea, c'est tout. Et puis, jusqu'ici c'est un week-end… inattendu, je dirais.

— Pour moi aussi, admit-il en s'appuyant contre le plan de travail. Comment veux-tu t'y prendre ?

— Pour faire quoi ?

— Eh bien… le tour de la maison. Pour voir s'il y a quelque chose que tu aimerais emporter.

Amanda soupira, tout en espérant que sa nervosité ne serait pas trop flagrante.

— J'en sais rien. En un sens, ça me paraît déplacé.

— Ça ne devrait pas. Il voulait qu'on se souvienne de lui.

— Je me souviendrai de lui quoi qu'il arrive.

— Il veut rester plus qu'un souvenir dans notre mémoire. Il souhaite qu'on rapporte un peu de lui et de cette maison avec nous. On devrait plutôt voir les choses sous cet angle, non ?

Sachant que Dawson avait sans doute raison, elle but une gorgée de thé. Mais l'idée de farfouiller dans les affaires de Tuck pour dénicher un souvenir lui semblait au-dessus de ses forces, en tout cas pour l'instant.

— Laisse-moi un peu de temps, tu veux bien ?

— Pas de problème. Dès que tu te sens prête, fais-moi signe. Tu veux t'asseoir dehors un moment ?

Elle hocha la tête et le suivit sur la véranda, où ils s'assirent dans les vieux rocking-chairs de Tuck. Dawson tint son verre posé sur sa cuisse.

— J'imagine que Tuck et Clara devaient le faire souvent, observa-t-il. S'asseoir là et observer le monde.

— Probablement.

Il se tourna vers elle.

— Je suis content que tu sois venue lui rendre visite. Ça me dérangeait de le savoir toujours seul chez lui.

Elle sentait la condensation du verre entre ses doigts.

— Tu sais qu'il voyait Clara, non ? Après son décès.

Dawson fronça les sourcils.

— Qu'est-ce que tu racontes ?

— Il jurait qu'elle était toujours là.

Pendant un instant, Dawson songea à ses propres visions ou hallucinations.

— Qu'est-ce que tu entends par « il la voyait » ?

— Exactement ça. Il m'a dit qu'il la voyait et lui parlait.

Dawson battit des paupières.

— T'es en train de me dire que Tuck croyait voir un fantôme ?

— Enfin, quoi ? Il ne t'en a jamais parlé ?

— Il ne m'a jamais parlé de Clara. Point final.

— Jamais ? fit-elle en écarquillant les yeux.

— Le seul truc qu'il m'ait jamais dit, c'est son prénom.

Amanda mit son verre de côté et entreprit de lui confier certaines anecdotes que Tuck avait partagées avec elle au fil des années. Elle lui raconta comment Tuck avait quitté l'école à l'âge de douze ans, et décroché un travail dans le garage de son oncle ; comment il avait rencontré Clara la première fois à l'église, quand il avait quatorze ans, et su tout de suite qu'il allait l'épouser ; comment toute la famille de Tuck, y compris son oncle, avait déménagé dans le Nord en quête de travail, pendant la crise de 1929, et n'était jamais revenue. Elle parla ensuite à Dawson des premières années de Tuck avec Clara, de la première fausse couche, du travail éreintant qu'il effectuait pour son

146

beau-père, dans la ferme familiale, tout en bâtissant cette maison le soir. Amanda ajouta que Clara avait fait deux autres fausses couches après la guerre, et que Tuck avait d'abord construit l'atelier, avant de se mettre petit à petit à restaurer des voitures au début des années 1950, dont celle d'un certain chanteur plein d'avenir du nom d'Elvis Presley. Quand Amanda en arriva au décès de Clara et à la manière dont Tuck parlait au fantôme de celle-ci, Dawson avait vidé son verre et le regardait fixement, tandis qu'il tentait sans doute de faire le lien entre ces anecdotes et l'homme qu'il avait connu.

— J'en reviens pas qu'il ne t'ait rien dit de tout ça,

— Il avait ses raisons, j'imagine. Peut-être qu'il te préférait à moi.

— Ça m'étonnerait, dit-elle. Il se trouve que je l'ai connu plus tard dans sa vie. Tu l'as connu quand il avait encore beaucoup de chagrin.

— Peut-être, dit Dawson sans grande conviction.

— Tu étais important à ses yeux. Il t'a laissé vivre ici, après tout. À deux reprises, d'ailleurs.

Elle but une gorgée de thé et, comme Dawson finissait par hocher la tête, elle reprit :

— Je peux te poser une question, malgré tout ?

— Je t'écoute.

— De quoi vous parliez tous les deux ?

— De bagnoles. De moteurs. De boîtes de vitesse. Parfois de la pluie et du beau temps…

— Ça devait être fascinant, ironisa-t-elle.

— Tu n'en as pas idée ! Mais à l'époque, j'étais pas très bavard non plus.

Elle se pencha vers lui, d'un air soudain résolu.

— OK. Maintenant, on connaît tous les deux la vie de Tuck, et toi la mienne. Mais je ne sais toujours pas grand-chose sur la tienne.

— Bien sûr que si. Je t'en ai parlé hier. Je travaille sur une plate-forme pétrolière, tu te rappelles ? Je vis dans un mobile-home à la campagne. Je conduis toujours la même voiture. Je ne fréquente personne.

D'un geste lent, presque langoureux, Amanda ramena sa queue-de-cheval sur son épaule.

— Alors dis-moi quelque chose que j'ignore, insista-t-elle d'un ton cajoleur. Quelque chose sur toi que personne ne sait. Quelque chose susceptible de m'épater.

— Il n'y a pas grand-chose à ajouter, tu sais.

Elle le dévisagea.

— Pourquoi j'ai du mal à te croire ?

Parce que, se dit-il, *je n'ai jamais rien pu te cacher.*

— Je ne sais pas trop, préféra-t-il répondre.

Une autre pensée traversa alors l'esprit d'Amanda.

— Hier, tu as dit un truc qui m'a intriguée. (Comme il l'interrogeait du regard, elle poursuivit.) Comment sais-tu que Marilyn ne s'est jamais remariée ?

— Je le sais, c'est tout.

— Tuck te l'avait dit ?

— Non.

— Alors, comment tu l'as appris ?

Il entrecroisa ses doigts et s'adossa au rocking-chair, sachant que s'il ne répondait pas elle ne cesserait de le tarabuster. Sur ce point, elle n'avait pas changé non plus.

— Il vaut peut-être mieux que je commence par le début, reprit-il en soupirant.

Il lui parla alors des Bonner, de sa lointaine visite à la ferme délabrée de Marilyn, des années durant lesquelles la famille avait eu tant de peine à joindre les deux bouts, du fait qu'il avait commencé à leur envoyer de l'argent de manière anonyme dès sa sortie de prison, puis qu'il avait engagé plus tard des détectives privés afin qu'ils lui

148

envoient des nouvelles de la santé financière des Bonner. Quand il eut terminé, Amanda resta muette, ne sachant trop comment réagir.

— J'avoue que les mots me manquent… lâcha-t-elle enfin.

— Je me doutais que tu dirais ça.

— Je ne plaisante pas, Dawson, répliqua-t-elle, visiblement contrariée. Je sais que ton geste est tout ce qu'il y a de noble et qu'il a certainement dû améliorer leur sort, mais… j'y vois aussi de la tristesse, parce que tu ne peux pas te pardonner pour ce qui était à l'évidence un accident. Tout le monde commet des erreurs, même si certaines se révèlent pires que d'autres. Les accidents font partie de l'existence. Et pourquoi avoir fait suivre ces gens ? Pour savoir exactement ce qui se passait dans leur vie ? Ça me semble tout bonnement malvenu.

— Tu ne comprends pas… commença-t-il.

— Non, c'est toi qui ne comprends pas, l'interrompit-elle. Tu ne penses pas qu'ils méritent d'avoir leur intimité ? Prendre des photos, aller fouiller dans leur vie personnelle…

— Mais ça ne se passe pas comme ça, protesta-t-il.

— Bien sûr que si ! rétorqua Amanda en frappant son accoudoir de la paume. Et s'ils venaient à le découvrir ? Tu imagines combien ce serait terrible ? Combien ils se sentiraient trahis et épiés ?

À ces mots, elle lui saisit le bras d'un geste aussi ferme que surprenant, comme pour être certaine qu'il l'écoute.

— Je ne te dis pas que je désapprouve ce que tu fais de ton argent. Cette partie-là ne regarde que toi. Mais le reste ? Avec les détectives ? Il faut que tu arrêtes. Tu dois me le promettre, OK ?

Il sentait la chaleur de sa main irradier son bras.

— OK, c'est promis.

Elle retira son bras et détailla Dawson du regard, afin de s'assurer qu'il disait vrai. Pour la première fois depuis leurs retrouvailles, il paraissait presque fatigué. On percevait un sentiment de défaite dans son attitude, et elle ne put s'empêcher de se demander ce qui serait arrivé si elle n'était pas partie, cet été-là. Ou même si elle était allée lui rendre visite en prison. Amanda souhaitait croire que cela aurait peut-être fait toute la différence, que Dawson aurait pu mener une vie où son passé ne le hanterait pas à ce point. Que, faute d'être complètement heureux, il aurait pu dans le pire des cas trouver la paix. Pour lui, ce sentiment avait toujours semblé hors de portée.

Cependant, il n'était pas le seul dans ce cas, si ? Tout le monde ne poursuivait-il pas ce but ?

— J'ai une autre confession à te faire, reprit-il. Au sujet des Bonner.

Elle retint son souffle.

— Encore ?

Il se gratta le nez comme pour gagner du temps.

— J'ai déposé des fleurs sur la tombe du Dr Bonner ce matin. Une habitude que j'avais prise en sortant de prison. Quand ça devenait trop pesant pour moi, tu sais ?

Elle l'observa en se demandant s'il lui préparait une autre surprise, mais heureusement non.

— Ce n'est pas comparable au reste.

— Je sais. Simplement, je pensais que je devais t'en parler.

— Pourquoi ? Parce que mon opinion t'intéresse, maintenant ?

Il haussa les épaules.

— Peut-être.

Elle ne répondit pas tout de suite.

— Les fleurs, pas de problème, déclara-t-elle enfin. Tant que tu n'en déposes pas des tonnes. En fait, c'est même… convenable.

Il se tourna vers elle.

— Ah ouais ?

— Oui. Déposer un bouquet sur sa tombe, ça a du sens, sans que tu empiètes pour autant sur leur vie privée.

Il acquiesça. Dans le silence qui suivit, Amanda se pencha davantage.

— Tu sais à quoi je pense ? demanda-t-elle.

— Après tout ce que j'ai dit, j'ai presque peur de le deviner.

— Eh bien, je pense que Tuck et toi vous ressemblez bien plus que tu n'en as conscience.

— C'est plutôt bon ou mauvais signe ?

— Je suis toujours là à côté de toi, non ?

*
* *

Lorsque la chaleur devint étouffante même à l'ombre, Amanda décida de rentrer avec lui dans la maison. La porte-moustiquaire se referma doucement derrière eux.

— T'es prête ? demanda-t-il en scrutant la cuisine.

— Non. Mais je suppose qu'on doit s'y mettre. Soit dit en passant, je trouve toujours ça déplacé.

Dawson arpenta la pièce avant de se retourner vers Amanda.

— OK. Si on procédait comme ça : quand tu penses à ta dernière visite chez Tuck, qu'est-ce qui te vient à l'esprit ?

— Ma foi, ça s'est déroulé comme d'habitude, répondit-elle dans un haussement d'épaules. Il a parlé de Clara, je lui ai fait à dîner. J'ai rajusté le plaid qui recouvrait ses épaules, quand il s'est endormi dans son fauteuil.

Dawson l'entraîna alors au salon et désigna la cheminée d'un hochement de tête.

— Dans ce cas, tu devrais prendre la photo.

Elle secoua la tête.

— Je ne me vois pas faire ça.

— Tu préfères qu'elle atterrisse dans une benne à ordures ?

— Non. Bien sûr que non. Mais c'est toi qui devrais la prendre. Tu le connaissais mieux que moi.

— Pas vraiment. Il ne m'a jamais parlé de Clara. Et quand tu regarderas ce cliché, tu penseras à eux, pas seulement à lui, et c'est pourquoi il t'a parlé de sa vie avec elle.

Voyant qu'Amanda hésitait, il s'approcha de la cheminée et retira avec soin la photo posée sur le manteau.

— Il tenait à ce que ce tu t'en souviennes bien. Que tu te remémores le couple qu'ils ont formé.

Elle s'empara de la photo et la regarda intensément.

— Mais si je prends ça, qu'est-ce qu'il va te rester ? Il n'y a pas grand-chose ici, tu sais.

— Ne t'inquiète pas. J'ai vu un truc que j'aimerais garder, dit Dawson en s'avançant vers la porte. Allez, viens.

Amanda le suivit à l'extérieur. Comme ils gagnaient l'atelier, l'idée se fit jour en elle. Si la maison constituait l'endroit où Tuck et elle s'étaient liés d'amitié, c'était au garage que Dawson et Tuck avaient forgé ce lien. Et, avant même qu'il trouve l'objet en question, elle avait compris de quoi il s'agissait.

Dawson saisit le bandana délavé, soigneusement plié sur l'établi.

— Voilà ce qu'il voulait que je garde.

— Tu en es sûr ? répliqua-t-elle en lorgnant le carré de tissu rouge. C'est pas grand-chose.

— C'est la première fois que j'en vois un aussi propre dans le coin, alors c'est forcément pour moi ! dit-il en souriant. J'en suis certain. Pour moi, ça représente Tuck. Je crois bien ne l'avoir jamais vu sans bandana. Toujours de la même couleur, évidemment.

— Évidemment, admit-elle. On parle bien de Tuck, pas vrai ? Monsieur Toujours-égal-à-lui-même ?

Dawson glissa le foulard dans la poche arrière de son jean.

— Ce n'est pas si mauvais, tu sais. Le changement n'apporte pas toujours du positif.

Ses paroles semblèrent rester en suspens et Amanda ne le contredit pas. Lorsqu'il s'appuya contre la Stingray, une idée traversa l'esprit d'Amanda et elle s'approcha de lui.

— J'ai oublié de demander à Tanner ce qu'on devait faire de la voiture.

— Je pensais que je pourrais peut-être la finir. Ainsi, Tanner n'aurait plus qu'à appeler le propriétaire pour qu'il vienne la récupérer.

— Vraiment ?

— Pour ce que j'en sais, toutes les pièces détachées sont là, dit Dawson, et je suis sûr que ça aurait plu à Tuck que je la termine. En outre, tu sors dîner avec ta mère… C'est pas comme si j'avais autre chose à faire ce soir.

— Ça te prendra combien de temps ? s'enquit-elle en balayant du regard les boîtes de pièces détachées.

— J'en sais trop rien. Quelques heures, peut-être ?

Elle longea le véhicule en l'examinant, avant de se retourner vers Dawson.

— OK, dit-elle. T'as besoin d'aide ?

Il lui décocha un sourire narquois.

— T'as appris à réparer les moteurs depuis la dernière fois que je t'ai vue ?

— Non.

— Je peux m'occuper de la réparation après ton départ. Rien d'extraordinaire, à mon avis. (Il fit volte-face et désigna la maison.) On peut retourner à l'intérieur, si tu préfères. On étouffe dehors.

— Je ne veux pas t'obliger à travailler tard, dit-elle.

À ces mots, comme si elle redécouvrait une vieille habitude, Amanda s'avança vers son poste d'observation d'autrefois. Elle écarta un démonte-pneu rouillé et se hissa sur l'établi pour s'y installer à son aise.

— Une grande journée nous attend demain. Et puis, j'ai toujours aimé te regarder travailler.

Dawson crut entendre une sorte de promesse dans ces propos, et il eut l'impression de remonter le temps, vers une période de bonheur qu'il n'avait pas retrouvée depuis. Tandis qu'il se détournait, il se rappela aussi qu'Amanda était mariée. La dernière chose qu'elle souhaitait, c'étaient les complications

Il poussa un long soupir et tendit la main vers une boîte posée à l'autre extrémité de l'établi.

— Tu vas t'ennuyer. Ça va me prendre un petit bout de temps, reprit-il en essayant de dissimuler ses pensées.

— Ne t'inquiète pas pour moi. J'ai l'habitude.

— De t'ennuyer ?

Elle replia ses jambes contre la poitrine.

— Disons que j'avais l'habitude de rester assise là des heures, en attendant que tu finisses tes réparations pour qu'on parte s'amuser ailleurs.

— Tu aurais dû te manifester.

— Quand j'en avais marre, je te le disais. Mais je savais que si je te détournais trop souvent de l'atelier, Tuck ne m'aurait plus laissée venir. C'est aussi pour cette raison que j'évitais de te parler tout le temps.

Son visage était à moitié dans l'ombre, sa voix un séduisant appel. Trop de souvenirs ressurgissaient, en la voyant assise là comme par le passé, en l'écoutant parler comme avant. Il sortit le carburateur de la boîte et l'examina.

Celui-ci était à l'évidence correctement rénové. Dawson le posa de côté avant de parcourir la liste des travaux à effectuer sur le bon de commande.

Il s'approcha de l'avant de la voiture, souleva le capot et scruta le bloc moteur. Quand il entendit Amanda s'éclaircir la voix, il la lorgna du coin de l'œil.

— Eh bien… puisque Tuck n'est pas dans les parages, dit-elle, je suppose qu'on peut bavarder, même si tu travailles.

— OK, répondit-il en se redressant pour gagner l'établi. De quoi tu veux discuter ?

Elle prit le temps d'y réfléchir.

— Oh ! Que dis-tu de ça ? Qu'est-ce qui t'a le plus marqué pendant le premier été qu'on a passé ensemble ?

Il saisit une série de clés, tout en réfléchissant.

— Je me souviens m'être demandé pourquoi tu tenais tellement à passer du temps avec moi.

— Je suis sérieuse !

— Moi aussi. Je n'avais rien, et toi tu avais tout. Tu pouvais sortir avec n'importe quel garçon. Et même si on essayait de ne pas trop se faire remarquer, je savais déjà que je ne ferais que t'attirer des ennuis. Bref, tout ça ne tenait pas debout pour moi.

Elle posa son menton sur ses genoux et entoura ses jambes de ses bras.

— Tu sais ce qui me revient en mémoire ? La première fois où toi et moi sommes allés en voiture à Atlantic Beach. Quand on a découvert toutes ces étoiles de mer, tu te rappelles ? On aurait dit qu'elles s'étaient échouées en même temps sur la grève, si bien qu'on a marché tout le long de la plage en les remettant à l'eau. Et plus tard, on a partagé un burger-frites en admirant le coucher de soleil. On a dû papoter pendant douze heures d'affilée !

Amanda sourit avant de poursuivre, ne sachant pas s'il gardait un souvenir aussi vif de cette fameuse journée.

— C'est pour ça que j'adorais être avec toi. On pouvait faire des trucs tout simples, comme rejeter des étoiles de mer dans l'Océan, bavarder autour d'un hamburger… et je savais déjà à l'époque que j'avais beaucoup de chance. Parce que tu étais le premier gars qui ne cherchait pas à m'épater sans arrêt. Tu t'acceptais tel quel et, surtout, tu m'acceptais telle que j'étais. Et rien d'autre ne comptait… pas plus ma famille que la tienne, ou quiconque. On était seuls au monde.

Elle s'interrompit, avant d'ajouter :

— Je me demande si je me suis jamais sentie aussi heureuse que ce jour-là. Mais bon… c'était toujours comme ça quand on était ensemble. J'aurais voulu que ça ne cesse jamais.

Il croisa son regard.

— Peut-être que ça n'a jamais cessé.

Amanda comprit à ce moment-là, avec le recul de l'âge et de la maturité, à quel point il l'avait aimée. *Et l'aimait encore…* lui souffla une petite voix à l'oreille. Soudain, elle eut même l'étrange impression que tout ce qu'ils avaient partagé dans le passé ne constituait que les premiers chapitres d'un livre dont l'épilogue restait encore à écrire.

L'idée aurait dû l'effrayer, pourtant il n'en était rien, et elle toucha du bout des doigts leurs initiales gravées voilà tant d'années sur l'établi.

— Je suis venue ici à la mort de mon père, tu sais.

— À l'atelier, tu veux dire ? (Comme elle hochait la tête, Dawson reprit le carburateur en main.) Je croyais que tu avais commencé à venir voir Tuck il y a quelques années à peine.

— Il ne l'a pas su. Je ne le lui ai jamais dit.

— Pourquoi ?

— Je ne pouvais pas. J'avais déjà beaucoup de mal à tenir le coup et je voulais être seule… C'était environ un an après la mort de Bea, et je me débattais encore pour survivre, quand ma mère m'a appelée pour m'annoncer que mon père avait eu une crise cardiaque. Ça ne tenait pas debout. Mes parents venaient de nous rendre visite à Durham une semaine plus tôt, mais je n'ai pas eu le temps de me retourner qu'on embarquait déjà les gamins dans la voiture pour se rendre aux obsèques. On a roulé toute la matinée et, quand j'ai franchi la porte de chez elle, ma mère était sur son trente et un et m'a presque aussitôt informée de notre rendez-vous au salon funéraire. Elle ne montrait aucune émotion, tu vois. Elle paraissait davantage s'inquiéter du bon choix de fleurs pour l'office ou de savoir si j'avais prévenu toute la famille. C'était un vrai cauchemar et, à la fin de la journée, je me suis sentie horriblement… seule. Alors j'ai quitté la maison au beau milieu de la nuit et j'ai roulé au hasard et, bizarrement, j'ai fini par me garer au bord de la route, avant de venir ici à pied. Va savoir pourquoi…

Elle exhala un soupir, tandis qu'elle revivait ce moment en pensée.

— Je sais que mon père ne t'a jamais laissé ta chance, mais ce n'était pas vraiment quelqu'un de mauvais. Je me suis toujours mieux entendue avec lui qu'avec ma mère et, plus je vieillissais, plus je me rapprochais de lui. Il adorait les enfants… surtout Bea. (Elle se tut, puis esquissa un sourire triste.) Tu trouves ça étrange ? Que je sois venue ici après sa mort, je veux dire ?

— Non, pas du tout, répondit Dawson après réflexion. À ma sortie de prison, c'est ici que je suis venu.

— Tu n'avais pas d'autre endroit où aller.

— Et toi ? répliqua-t-il en arquant un sourcil.

Il avait raison, bien sûr. Si la propriété de Tuck évoquait un passé idyllique, c'était aussi là qu'elle venait toujours pleurer.

Elle resserra ses mains autour de ses jambes, tout en s'efforçant de chasser cette réminiscence, tandis qu'elle observait Dawson qui commençait à réparer le moteur. À mesure que l'après-midi s'écoulait, ils bavardèrent du passé et du présent, se racontant mutuellement tel ou tel aspect de leur existence, échangeant des opinions sur des tas de sujets, s'agissant des livres qu'ils avaient lus comme des endroits qu'ils avaient toujours rêvé de visiter. Amanda éprouva une impression de déjà-vu en écoutant le cliquetis familier de la clé à douille, tandis qu'il l'ajustait. Elle le vit batailler pour dévisser un boulon et serrer les mâchoires jusqu'à ce qu'il parvienne à l'ôter, avant de le poser avec soin de côté. Comme dans sa jeunesse, Dawson s'interrompait de temps à autre en lui rappelant qu'il écoutait ce qu'elle disait. Cette manière sobre et discrète de lui faire comprendre qu'elle avait été, et serait toujours, importante à ses yeux toucha Amanda avec une intensité quasi douloureuse. Plus tard, quand Dawson fit une pause pour aller leur chercher du thé glacé, il y eut un moment, un bref instant, où Amanda put imaginer la vie différente qui aurait pu être la sienne – le genre de vie qu'elle avait toujours souhaité, elle le savait.

*
* *

En fin d'après-midi, quand les rayons du soleil caressèrent la cime des pins, ils quittèrent enfin le garage en regagnant lentement la voiture d'Amanda. Quelque chose avait changé entre eux ces dernières heures – une fragile résurrection du passé, peut-être – qui l'exaltait et l'effrayait à la fois. Dawson, pour sa part, mourait d'envie de la prendre par la taille, tandis qu'ils marchaient côte à côte, mais il se retint en devinant la confusion d'Amanda.

Elle eut un sourire hésitant quand ils parvinrent à son véhicule. Elle leva les yeux sur lui et observa ses longs cils épais, que n'importe quelle femme lui envierait.

— Je préfèrerais ne pas être obligée de partir, admit-elle.

Il se dandina d'un pied sur l'autre.

— Je suis sûr que ta mère et toi allez passer du bon temps.

Peut-être, se dit-elle, *mais ce ne sera sans doute pas le cas.*

— Tu fermeras à clé en partant ?

Elle semblait peser le pour et le contre, comme partagée entre deux avis.

— Pour demain, il est inutile d'y aller à deux voitures, si ? finit-elle par demander. Pourquoi ne pas nous retrouver ici et partir avec une seule ?

Il hocha la tête et son regard s'attarda sur elle, ni l'un ni l'autre ne faisant le moindre geste. Finalement, il recula d'un pas et brisa le charme, tandis qu'Amanda soupirait en réalisant soudain qu'elle avait retenu son souffle.

Après qu'elle se fut installée au volant, Dawson referma la portière. Sa silhouette se dessinait dans la lumière déclinante et lui donnait presque l'impression qu'il s'agissait d'un étranger. Soudain un peu gênée, Amanda farfouilla dans son sac en quête de ses clés et constata que ses mains tremblaient.

— Merci pour le déjeuner, murmura-t-elle.

— On remet ça quand tu veux, dit-il.

Tandis qu'elle s'éloignait, Amanda vit dans le rétroviseur que Dawson n'avait pas bougé de l'endroit où elle l'avait laissé, comme s'il espérait la voir changer d'avis et faire demi-tour. Elle se sentit en proie à un sentiment dangereux, quelque chose qu'elle avait tenté de nier.

Il l'aimait toujours, elle en était certaine à présent, et cette prise de conscience la grisait. Elle savait que c'était malvenu et essaya de refouler ce sentiment, mais Dawson et leur passé commun s'ancraient de nouveau dans son quotidien. Désormais, Amanda ne pouvait plus nier que, pour la première fois depuis des années, elle éprouvait la sensation d'être enfin de retour au pays.

8

Ted regarda l'ex-pom-pom girl s'engager sur la route devant chez Tuck et la trouva encore drôlement bien roulée pour son âge. Mais, bon, elle avait toujours été canon et, à une époque, il aurait bien aimé se la faire. Il lui aurait suffi de la choper dans la bagnole, de tirer son coup, puis de l'enterrer quelque part où personne ne l'aurait trouvée. Cependant le père de Dawson avait mis le holà en disant que la fille était chasse gardée et, à l'époque, Ted pensait que Tommy Cole savait forcément ce qu'il faisait.

Mais Tommy Cole ne savait rien de rien. Il avait fallu que Ted aille en taule pour s'en rendre compte et, à sa sortie, il détestait presque autant Tommy que Dawson. Tommy n'avait pas levé le petit doigt, après que son fils les avait humiliés tous les deux. À cause de Dawson, ils étaient devenus la risée du coin, si bien que Ted avait placé Tommy en tête de sa liste après sa libération. Oh, ça n'avait pas été bien compliqué de faire croire que Tommy s'était soûlé à mort, ce soir-là. Ted avait juste eu besoin de le shooter à l'alcool de grains quand le vieux avait été dans les pommes, et la minute d'après Tommy s'étouffait dans son vomi.

Maintenant, Ted allait enfin pouvoir cocher Dawson sur sa liste. Pendant qu'il attendait qu'Amanda taille la route, il se demanda ce que ces deux-là avaient bien pu fabriquer. Bah… ils avaient dû faire des galipettes et brailler leurs noms en froissant les draps, histoire de rattraper le temps perdu. À vue de nez, elle était mariée, et il se demanda si son légitime était au courant de l'affaire. Probablement pas. C'était pas le genre de chose qu'une nana aimait crier sur tous les toits, surtout une nana qui conduisait une caisse comme celle-là. Elle avait dû épouser un abruti bourré de fric et devait passer ses après-midi au salon de beauté, comme sa mère. Bref, son mari était à tous les coups toubib ou avocat, trop sûr de lui pour imaginer que sa bourgeoise puisse même s'envoyer en l'air dans son dos.

D'autant qu'elle devait être douée pour garder les secrets. Comme la plupart des femmes. Bon sang, il était bien placé pour le savoir ! Mariée ou pas, ça faisait pas de différence pour lui ; si elles disaient oui, il disait pas non. Peu importe si c'était de la famille, aussi. Il avait couché avec la moitié des femmes du domaine Cole, même celles qu'étaient mariées à ses cousins. Leurs filles, pareil. Pendant six ans, Claire – la femme de Calvin – et lui s'étaient donné du bon temps deux ou trois fois par semaine, et Claire n'avait pas pipé mot à qui que ce soit. Ella devait savoir ce qui se tramait, puisqu'elle lui lavait ses caleçons, mais elle fermait sa gueule aussi, parce qu'elle savait où étaient ses intérêts. Les affaires d'un bonhomme, ça ne regardait que lui.

Il aperçut les feux arrière, quand Amanda disparut enfin au détour du virage. Elle n'avait pas repéré son pick-up, en revanche. Rien d'étonnant, vu qu'il s'était garé à l'écart, en se planquant dans un fourré. Il se dit qu'il attendrait quelques minutes, ne serait-ce que pour s'assurer qu'elle ne revienne pas. Pas question d'avoir des témoins. Toutefois, il se demandait toujours comment régler cette affaire au mieux. Si Abee avait vu Dawson ce matin, la réciproque était valable à tous les coups, si bien que ça avait dû faire réfléchir Dawson. Et, si ça se trouve, il l'attendait lui aussi, assis tranquillement, le fusil sur les genoux. Peut-être même qu'il avait un plan, juste au cas où ses cousins se pointeraient.

Comme la dernière fois.

Ted tapota le Glock contre sa cuisse, en se disant que l'astuce consistait à prendre Dawson par surprise. S'approcher suffisamment pour lui tirer dessus, avant de le flanquer dans la malle et bazarder la bagnole de location quelque part dans la propriété. Puis limer le numéro de série et foutre le feu à la caisse, jusqu'à ce qu'il n'y ait plus qu'une carcasse calcinée. Se débarrasser du corps ne serait pas difficile non plus. Suffisait de le lester et de le jeter dans le fleuve. L'eau et le temps se chargeraient du reste. Ou peut-être l'enterrer quelque part dans le bois, où personne ne serait susceptible de le dénicher. Sans corps, difficile de prouver qu'il y avait eu meurtre. L'ex-pom-pom girl et même le shérif pourraient bien suspecter n'importe qui, tant qu'ils n'auraient pas de preuves. Les esprits s'échaufferaient un peu, mais ça finirait pas se tasser. Ensuite, Abee et lui règleraient leurs comptes. Et Abee avait intérêt à se tenir à carreau, sinon il risquait de se retrouver lui aussi au fond de l'eau.

Enfin prêt, Ted sortit de la voiture et se mit en route à travers bois.

*
* *

Dawson posa la clé de côté et referma le capot. Il en avait fini avec le moteur. Depuis le départ d'Amanda, impossible

163

de chasser cette sensation d'être épié. La première fois que ça s'était produit, il avait agrippé la clé en jetant un regard par-dessus le capot, mais il n'y avait personne.

Tout en s'approchant de l'entrée du garage, il balaya les environs du regard. Il observa les chênes et les pins, dont le tronc se parait de kudzu[6], et remarqua que les ombres s'allongeaient. Un faucon passa dans le ciel, sa silhouette se dessinant en travers de l'allée, tandis que des étourneaux piaillaient dans les hautes branches. Sans quoi la quiétude régnait dans cette chaleur vespérale de début d'été.

Cependant, on l'observait. Il y avait quelqu'un dans les parages, Dawson l'aurait juré ! Une image lui traversa l'esprit : celle du fusil qu'il avait enterré sous le chêne au coin de la maison, voilà tant d'années… Pas très profond, trente centimètres à peine. Tuck avait aussi des armes chez lui, sans doute sous son lit, mais Dawson n'était pas certain qu'elles soient autorisées. Tout à coup, il entraperçut un vague mouvement non loin d'un bouquet d'arbres, de l'autre côté de l'allée.

Dawson se concentra sur ce point. Rien. Quelques battements de paupières plus tard, il se demanda s'il hallucinait encore, quand il sentit les poils de sa nuque se dresser.

*
**

Ted avançait prudemment, sachant qu'il serait idiot de se ruer sur Dawson. Il regretta soudain de ne pas avoir

---

6. Vigne kudzu (*pueraria lobata*) : plante grimpante, s'accrochant et poussant partout, surnommée « cancer végétal » aux États-Unis. Ses vertus médicinales engloberaient, entre autres, la désaccoutumance des drogues, et une action bénéfique sur l'angoisse et le système immunitaire.

amené Abee. Ç'aurait été bien qu'Abee vienne d'une autre direction. En tout cas, Dawson était toujours là, à moins qu'il ait décidé de s'en aller... Auquel cas, Ted aurait entendu la voiture démarrer.

Il se demandait quand même où Dawson se trouvait au juste. Maison, garage, ou carrément dehors ? Il espérait qu'il n'était pas à l'intérieur ; difficile d'entrer dans la baraque sans se faire repérer. La maison de Tuck se nichait au milieu d'une petite clairière, avec le cours d'eau en contrebas, mais il y avait des fenêtres de tous les côtés et Dawson risquait de le voir arriver. Il valait donc mieux se tenir en retrait et attendre que Dawson finisse par sortir. Le hic, c'est qu'il pouvait le faire par-devant ou par-derrière, et Ted n'avait pas le don d'ubiquité.

Bref, il lui fallait faire diversion. Comme ça, quand Dawson sortirait voir ce qui se passait, Ted pourrait attendre qu'il soit assez près de lui pour presser la détente. Le Glock avait une portée de neuf mètres.

Mais comment distraire Dawson ? Gros problème.

Ted s'avança à pas de loup en évitant les petits tas de pierres qui jalonnaient son parcours ; cette partie du comté en était jonchée. Simple et efficace. Suffisait d'en lancer une ou deux, peut-être même de cogner la bagnole ou de fracasser une vitre. Dawson sortirait illico et Ted l'attendrait au tournant.

Il prit une poignée de cailloux et la fourra dans sa poche.

*
* *

Dawson s'avança donc tranquillement vers l'endroit où il avait cru voir du mouvement, tout en se remémorant ses hallucinations depuis l'explosion de la plate-forme et en se disant que tout cela lui semblait un peu trop familier.

Il atteignit la bordure de la clairière et scruta le bois, essayant de contrôler les battements de son cœur.

Il s'arrêta, écouta les étourneaux gazouiller, une bonne centaine s'interpellant dans les feuillages. Des milliers, peut-être. Enfant, il était fasciné de les voir s'envoler en grappes quand il claquait dans ses mains, un peu comme s'ils étaient attachés les uns aux autres. Ils paraissaient l'appeler à présent.

Pour le mettre en garde ?

Impossible de le savoir. Plus loin, la forêt grouillait de vie, l'air charriait des effluves d'eau salée et de bois pourri. Les lourdes branches de chênes semblaient ramper avant d'atteindre le ciel. Le kudzu et la mousse espagnole obscurcissaient tout à moins de quelques pas.

Du coin de l'œil, croyant de nouveau entrevoir du mouvement, il virevolta et eut le souffle coupé en apercevant un homme brun en coupe-vent bleu se glisser derrière un arbre. Il entendait son pouls résonner dans ses oreilles. *Non*, se dit-il, *ce n'est pas possible*. Ce n'était pas réel, ça ne pouvait pas l'être. Pourtant il l'avait vu...

Tout en écartant les branches, il suivit l'homme dans le sous-bois.

*
* *

C'est plus très loin, se dit Ted. À travers le feuillage, il repéra le haut de la cheminée et se courba en avançant avec précaution. Sans faire de bruit. C'était tout l'art de la chasse et Ted y avait toujours excellé.

Homme ou animal, c'était du pareil au même, si le chasseur savait s'y prendre.

*
* *

Dawson poursuivit son chemin en contournant les arbres. Le souffle court, il tentait de réduire la distance qui le séparait de sa vision. Il craignait de s'arrêter, mais son angoisse augmentait à chacun de ses pas.

Il parvint à l'endroit où il avait entraperçu l'homme brun et continua à marcher en quête du moindre signe de sa présence. Il ruisselait de sueur et son tee-shirt lui collait à la peau. Il résista à l'envie de pousser un hurlement, encore qu'il doutait d'y parvenir tant l'angoisse lui nouait la gorge.

Le sol était sec, les aiguilles de pin crissaient sous ses semelles. Tandis qu'il franchissait d'un bond un tronc à terre, il repéra l'homme brun en train de fendre les branchages, avant de se courber derrière un arbre, son coupe-vent voletant dans son dos.

Dawson fonça d'un trait dans sa direction.

*
* *

Ted avait enfin atteint le tas de bois qui bordait la clairière. La maison se dressait, menaçante, juste un peu plus loin. De son poste d'observation, il pouvait jeter un œil dans l'atelier. La lumière y brillait encore, et Ted surveilla le garage pendant près d'une minute, à l'affût du moindre mouvement. Nul doute que Dawson bossait sur la voiture. Mais il n'était plus dans le coin.

Soit il se trouvait dans la baraque, soit derrière. Ted se pencha de nouveau, dissimulé par les feuillages, pour faire le tour de la maison par-derrière. Toujours pas de Dawson en vue. Ted revint alors sur ses pas jusqu'au tas de bûches. Personne dans l'atelier. Dawson était forcément dans la maison. En train de pisser ou de boire un coup. D'une manière ou d'une autre, il ressortirait.

Ted se remit à le guetter.

*
* *

Dawson vit l'homme une troisième fois, plus près de la route. Il courut vers lui, branches et buissons lui cinglant le corps, mais sembla ne pas pouvoir combler la distance. À bout de souffle, il ralentit peu à peu, avant de s'arrêter au bord du chemin.

L'individu avait disparu. Si, bien sûr, il s'était réellement trouvé dans le bois… Et Dawson commençait à en douter. L'impression d'être épié s'était estompée, de même que son angoisse, si bien qu'il se retrouvait épuisé, en nage, et se sentait à la fois contrarié et ridicule.

Tuck voyait Clara, et Dawson voyait à présent un homme brun en coupe-vent dans les premières chaleurs estivales. Tuck était-il aussi fou que lui ? Dawson restait immobile, attendant de recouvrer une respiration normale. Il était pourtant sûr que l'homme le suivait… Mais dans ce cas, qui était-ce ? Et qu'est-ce qu'il lui voulait ?

Dawson l'ignorait, mais plus il essayait de se concentrer sur ce qu'il avait réellement vu, plus l'image s'estompait. Tel un rêve quelques minutes après le réveil, elle s'évanouissait jusqu'à ce qu'il ne soit plus sûr de rien.

Il secoua la tête, ravi d'en avoir presque terminé avec la Stingray. Il avait envie de rentrer au B & B pour prendre une douche puis s'allonger pour réfléchir. À cet inconnu aux cheveux bruns, à Amanda… Depuis l'accident survenu sur la plate-forme, sa vie était sens dessus dessous. Dawson se tourna dans la direction qu'il avait empruntée et jugea inutile de rebrousser chemin à travers bois. Il lui serait plus facile de suivre la route et de remonter l'allée. En posant le pied sur le bitume, il remarqua un vieux pick-up garé à l'écart, derrière un taillis.

Il se demanda ce que le véhicule pouvait bien faire là ; hormis la propriété de Tuck, il n'y avait rien de particulier dans cette partie du bois. Les pneus de la camionnette n'étaient pas à plat et, même si le chauffeur était tombé en panne, il aurait sans doute emprunté l'allée pour chercher de l'aide. Tout en s'avançant dans le fourré, Dawson constata que la portière était verrouillée. Il posa la main sur le capot. Tiède, mais pas brûlant. Le véhicule se trouvait là depuis une heure ou deux.

Mais pourquoi s'être garé derrière ces buissons ? Si ce gars avait besoin d'être remorqué, il aurait mieux fait de ranger le véhicule sur le bas-côté. À croire qu'il n'avait pas envie qu'on remarque la camionnette.

Comme quelqu'un ayant l'intention de la cacher ?

Toutes les pièces du puzzle s'imbriquèrent petit à petit, à commencer par Abee qu'il avait aperçu ce matin. Ce pick-up n'était certes pas celui d'Abee — celui devant lequel il était passé en faisant son footing —, mais ça ne voulait rien dire. Lentement, Dawson contourna la camionnette par l'arrière et s'arrêta net lorsqu'il découvrit des branches visiblement écartées.

Le point d'entrée.

Quelqu'un était venu par ici et se dirigeait vers la maison.

*

* *

Fatigué d'attendre, Ted se dit que s'il brisait une vitre pendant que Dawson se trouvait à l'intérieur, celui-ci pouvait très bien décider de se terrer dans la maison. Mais un bruit, c'était différent. Quand quelque chose se fracassait contre la façade, on sortait voir ce qui se passait. Dawson passerait sans doute devant le tas de bois. Impossible à manquer.

Satisfait de son raisonnement, Ted sortit de sa poche une première pierre. Il jeta un coup d'œil par-dessus le tas de bûches et ne vit personne aux fenêtres. Il se leva alors lentement et lança le gros caillou le plus fort possible et se rabaissait déjà quand le projectile heurta la maison avec fracas.

Derrière lui, une nuée d'étourneaux s'envola des arbres à tire-d'aile.

*
**

Dawson perçut un bruit étouffé, tandis que des étourneaux s'envolaient au-dessus de lui, avant de se poser plus loin. Ce n'était pas un coup de feu, mais autre chose. Il ralentit et s'approcha de la maison à pas feutrés.

Quelqu'un traînait dans les parages. Il en était certain. Son cousin, sans l'ombre d'un doute.

*
**

Sur des charbons ardents, Ted se demandait où Dawson avait bien pu passer. Impossible qu'il n'ait pas entendu le bruit, mais où était-il ? Pourquoi ne se montrait-il pas ?

Il sortit une autre pierre de sa poche, puis la lança plus fort.

*
**

Dawson se figea sur place. Peu à peu, il se détendit et s'approcha de la source du bruit.

Ted se tenait tapi derrière le tas de bois. Arme au poing.

Il tournait le dos à Dawson. Attendait-il que celui-ci sorte de la maison ? Faisait-il du bruit dans l'espoir de l'attirer au-dehors ?

Dawson regretta soudain de ne pas avoir déterré le fusil. Ou apporté une arme quelconque, d'ailleurs. Il y avait certes des outils dans le garage, mais impossible d'y aller sans se faire repérer. Il hésita à battre en retraite vers la route, mais Ted n'allait sans doute pas décamper, à moins d'y être contraint. Malgré tout, à en juger par son air agité, Ted commençait à s'impatienter, ce qui jouait en faveur de Dawson. L'impatience était l'ennemie du chasseur.

Dawson se glissa donc derrière un arbre, prêt à agir à la première occasion, en évitant toutefois de se faire tirer dessus.

*
* *

Cinq minutes s'écoulèrent, puis dix, alors que Ted continuait à bouillonner. Rien. Il ne se passait absolument rien. Aucun mouvement en façade, pas même derrière ces foutues fenêtres. Mais une voiture de location était garée dans l'allée – il voyait l'autocollant sur le pare-chocs – et quelqu'un avait travaillé dans l'atelier. Ce n'était ni Tuck ni Amanda. Donc, si Dawson n'était pas devant ou derrière la maison, il devait se trouver dedans !

Mais pourquoi il n'était pas sorti ?

Peut-être qu'il regardait la télé ou écoutait de la musique, ou prenait une douche, ou faisait Dieu sait quoi ! Bref, pour une raison ou une autre, il n'avait rien dû entendre.

Ted resta encore accroupi quelques minutes, de plus en plus en pétard, avant de décider enfin qu'il n'allait pas poireauter là. Il sortit donc de sa cachette derrière le tas de bûches et détala sur le côté de la maison, puis jeta un œil vers la façade. Ne voyant rien, il s'approcha de la véranda sur la pointe des pieds. Il se plaqua contre le mur, entre la porte et la fenêtre.

L'oreille aux aguets, il écouta le moindre mouvement à l'intérieur, mais en vain. Pas de plancher qui craquait, pas de télé qui braillait ni de musique à tue-tête. Dès qu'il fut certain de ne pas avoir été repéré, il jeta un regard de l'autre côté de la fenêtre. Il saisit la poignée de la porte et la tourna lentement.

Pas verrouillée. Impeccable.

Ted ôta la sécurité du Glock.

*
* *

Dawson observa Ted qui ouvrait doucement la porte. Sitôt qu'il la referma derrière lui, Dawson fonça au garage, pensant qu'il n'avait peut-être qu'une minute, voire moins. Il empoigna le démonte-pneu rouillé sur l'établi et fila sans faire de bruit vers l'avant de la maison, en supposant que Ted devait maintenant se trouver dans la cuisine ou la chambre. Il pria pour ne pas se tromper.

Il bondit ensuite sur la véranda, avant de s'aplatir contre la façade, au même endroit que Ted un peu plus tôt. Démonte-pneu en main, il se tint prêt. Il n'attendit pas longtemps. À l'intérieur, Ted jurait comme un charretier et revenait vers la porte en tapant du pied. Lorsqu'elle s'ouvrit à la volée, Dawson surgit devant le visage paniqué de Ted, qui l'aperçut une seconde trop tard.

Dawson brandit le démonte-pneu et sentit vibrer son bras quand il s'écrasa sur le nez de Ted. Alors que Ted vacillait en arrière, son sang giclant à profusion, Dawson n'en resta pas là. Ted tomba à la renverse et Dawson lui asséna un second coup sur le bras qu'il tendait, si bien que le pistolet lui échappa des mains. Au bruit de ses os fracassés, Ted hurla de rage.

Tandis que son cousin se tordait de douleur, Dawson s'empara du Glock et le braqua sur lui.

— Je t'avais dit de ne jamais revenir.

Ce furent les dernières paroles que Ted entendit, puis ses yeux se révulsèrent et il perdit connaissance.

*
**

Il avait beau détester sa famille, il ne pouvait se résoudre à tuer Ted. Cependant, il ne savait trop quoi faire de lui. Prévenir le shérif ? Dès lors que Dawson quitterait la ville, il savait que, procès ou non, il ne reviendrait pas à Oriental. Ted n'aurait donc rien à craindre. Sans compter que Dawson se retrouverait coincé des heures entières, contraint de livrer sa version des faits, laquelle serait à coup sûr sujette à caution. Après tout, il était toujours un Cole et avait un casier. Non, décida-t-il, autant s'épargner ces complications.

Mais il ne pouvait pas laisser Ted ici dans cet état. Son cousin avait besoin d'être soigné et, s'il le déposait à la clinique locale, le shérif serait mis au parfum. Idem s'il appelait une ambulance.

Dawson se baissa et farfouilla dans les poches de Ted avant d'y trouver un téléphone portable. Il souleva le clapet et pressa quelques touches, puis fit apparaître le répertoire. Il connaissait la plupart des noms qui y figuraient. Parfait. Il trouva ensuite les clés du pick-up de Ted, puis se rendit au garage, où il dénicha des tendeurs et du fil de fer, dont il se servit pour ligoter son cousin. Comme la nuit était tombée, il le hissa sur son épaule.

Dawson transporta Ted le long de l'allée, puis le flanqua dans la benne. Il prit alors le volant et partit en direction du lopin de terre où il avait grandi. Ne souhaitant pas attirer l'attention, il éteignit les phares à l'approche de la propriété des Cole, avant de s'arrêter devant le panneau « Défense d'entrer ». Puis il sortit Ted de la benne et le colla contre le panneau.

Il saisit ensuite le portable et composa le numéro abrégé d'Abee. Quatre sonneries plus tard, Abee décrocha. Dawson entendait de la musique brailler en fond sonore.

— Ted ? beugla son autre cousin pour couvrir le vacarme. T'es où, bordel ?

— C'est pas Ted. Mais tu devrais venir le chercher. Il est sacrément mal en point, répondit Dawson.

Avant qu'Abee puisse réagir, Dawson lui indiqua où trouver son frère. Puis il raccrocha et lâcha le portable qui dégringola par terre, entre les jambes de son cousin.

De retour dans la camionnette, Dawson fila à pleins gaz. Après avoir jeté le revolver de Ted dans le fleuve, il songea à passer sur-le-champ au bed & breakfast pour récupérer ses affaires. Ensuite, il changerait de véhicule, en laissant celui de Ted là où il était garé à l'origine, puis trouverait un hôtel à l'extérieur d'Oriental et dînerait avant de se mettre au lit.

À bout de forces, il se dit que la journée avait été longue et qu'il n'était pas mécontent de la voir s'achever.

9

Abee avait l'impression qu'on lui marquait l'estomac au fer rouge comme les bestiaux et sa fièvre ne baissait toujours pas. Tant et si bien qu'il envisageait de parler de sa blessure au toubib, la prochaine fois qu'il passerait voir Ted. Bien sûr, le gars allait sans doute vouloir l'hospitaliser lui aussi, mais il n'en était pas question. Sinon, Abee risquait d'être interrogé sur le pourquoi du comment, et il ne se sentait pas d'humeur à répondre.

On approchait de minuit et le calme envahissait enfin l'hôpital. Dans la lumière tamisée, il regarda son frère et se dit que Dawson n'y était pas allé de main morte. Comme la dernière fois. Abee l'avait cru mort en le découvrant. La gueule en sang, le bras plié de travers, à tel point qu'il avait mis ça sur le compte de la négligence. Ou alors Dawson lui avait tendu une embuscade… ce qui l'incita à penser qu'il avait peut-être un plan.

Abee sentit la douleur lui retourner les boyaux, et l'envie de vomir le reprendre par vagues. Faut dire aussi que l'hôpital n'arrangeait rien. On crevait de chaud là-dedans ! La seule raison qui le poussait à rester dans la piaule, c'était d'être là si Ted se réveillait, histoire de savoir si Dawson manigançait quelque chose. Il en eut la chair de poule, mais se dit que la fièvre devait le rendre parano. Les antibios avaient intérêt à faire leur effet, et vite !

La soirée avait viré au cauchemar, et pas seulement à cause de Ted. Il avait décidé de passer voir Candy plus tôt, mais à son arrivée au Tidewater la moitié des mecs lui tournaient déjà autour. Il lui suffit d'un regard pour deviner qu'elle mijotait un truc. Elle portait un débardeur qui ne cachait rien de ses atouts et un minishort qui lui couvrait à peine les fesses. Sitôt qu'elle le vit entrer, elle eut l'air agité, genre la fille qu'on chope en train de faire ce qu'il faudrait pas. Sans compter qu'elle semblait pas franchement ravie de le voir ! Il aurait aimé l'arracher au bar illico, mais avec tous ces clients il décida que c'était pas une trop bonne idée. Plus tard, il le savait, elle et lui auraient une petite « conversation » et Candy cracherait le morceau. Ça ferait pas un pli mais, pour l'heure, mieux valait savoir pourquoi elle semblait aussi coupable quand il avait débarqué. Ou plutôt, à cause de qui elle se sentait coupable.

Parce que c'était ça, en fait. C'était clair comme de l'eau de roche. Avec un gars du bar, à coup sûr, et même si Abee avait encore la tête qui lui tournait à cause de la fièvre et les boyaux en feu, il allait découvrir tôt ou tard de quel mec il s'agissait.

Il s'installa donc et attendit et, au bout d'un moment, repéra quelqu'un qui pouvait bien être le type en question. Un jeune brun qui flirtait un peu trop avec Candy pour que ça passe inaperçu. Abee la regarda lui effleurer le bras et le laisser se rincer l'œil dans son décolleté en lui apportant une bière. Abee allait s'en occuper quand son portable se mit à sonner… avec Dawson à l'autre bout de la ligne ! Il n'avait pas eu le temps de souffler qu'il fonçait déjà vers l'hosto en cognant son volant, avec Ted avachi sur le siège à côté de lui. Alors même qu'il roulait à toute blinde vers New Bern, il imaginait Candy qui enlevait son débardeur et gémissait entre les bras de ce minable à grande gueule.

À l'heure qu'il était, elle devait quitter son boulot, et cette seule pensée lui foutait les boules. Parce qu'il savait quel gars la raccompagnait en ce moment jusqu'à sa voiture et qu'il pouvait rien y faire ! Pour l'instant, il devait tâcher de savoir ce que Dawson préparait.

*
* *

Tout au long de la nuit, Ted se réveilla et retomba dans les pommes, les médicaments et la commotion cérébrale le plongeant dans un état semi-comateux, même lorsqu'il s'éveillait. Mais le lendemain, vers le milieu de la matinée, il n'éprouvait plus que de la rage. Envers Abee, parce qu'il n'arrêtait pas de demander si Dawson allait lui tomber dessus ; envers Ella, parce qu'elle n'arrêtait pas de pleurnicher, de renifler et de se faire du mouron ; et envers tous les membres de sa famille qui marmonnaient dans le couloir, à croire qu'ils se demandaient s'ils devaient craindre aussi pour leur matricule. Mais, bon, sa rage visait surtout Dawson et, allongé dans son lit, Ted s'interrogeait encore sur ce qui s'était passé au juste. La dernière chose qu'il se rappelait avant de se réveiller à l'hosto, c'était Dawson debout au-dessus de lui, et il mit un bon moment à comprendre ce qu'Abee et Ella lui disaient. À la fin, les toubibs durent le sangler au lit et menacèrent d'appeler les flics.

Depuis il s'était calmé, parce que c'était le seul moyen de sortir d'ici. Abee se tenait dans le fauteuil et Ella sur le lit, à ses côtés. Elle n'arrêtait pas de s'agiter et ça le démangeait de lui retourner une baffe en travers de la gueule, bien qu'il soit toujours attaché et n'aurait pas pu le faire avec la meilleure volonté du monde. Au lieu de quoi, il testa de nouveau la résistance des sangles en songeant à Dawson. Ce gars allait crever, y avait pas photo, et Ted se foutait éperdument de l'avis du toubib : à savoir qu'il devait rester une nuit de plus en observation et se mettrait en danger s'il se levait. Dawson risquait de se tirer d'une minute à l'autre. Alors, quand il entendit Ella hoqueter entre deux sanglots, Ted lui balança :

— Dégage ! Faut que je cause à Abee !

Elle s'essuya la figure et quitta la chambre sans un bruit. Lorsqu'elle eut disparu, Ted se tourna vers son frangin et lui trouva une gueule pas possible. Il était tout rougeaud et suait comme un cochon. L'infection, à coup sûr. C'était Abee qui devait être hospitalisé, pas lui.

— Fais-moi sortir d'ici.

Abee tressaillit en se penchant en avant.

— Tu vas te lancer à ses trousses ?

— J'ai pas dit mon dernier mot.

Abee lui montra son plâtre.

— Comment tu vas pouvoir le choper avec ton bras en miettes ? Alors que t'as pas pu le descendre hier quand t'avais tes deux bras ?

— Ben tu vas venir avec moi, pardi. D'abord, tu vas me ramener chez moi, histoire que je puisse récupérer un autre Glock. Ensuite, toi et moi, on va mettre un point final à cette histoire.

Abee s'adossa au fauteuil.

— Et pourquoi je voudrais t'aider, d'abord ?

Ted planta son regard dans le sien, en pensant à toutes les questions angoissées que son frangin lui avait posées un peu plus tôt.

— Parce que le dernier truc dont je me souvienne, avant de tomber dans les pommes, c'est Dawson en train de me dire que tu serais le prochain.

10

Dawson courait au bord de l'eau, pourchassant sans grand enthousiasme les sternes qui plongeaient dans les vagues. Malgré l'heure précoce, la plage était remplie de joggeurs comme lui, de gens qui promenaient leur chien et d'enfants qui construisaient des châteaux de sable. Au-delà de la dune, d'autres personnes profitaient de la matinée en sirotant leur café, les pieds posés sur la balustrade de leur véranda.

Il avait eu de la chance. À cette époque de l'année, les hôtels du bord de mer affichaient en général complet, et il avait dû passer plusieurs coups de fil avant de dénicher une annulation. Il souhaitait trouver une chambre dans les parages ou un établissement à New Bern. Comme c'était la ville où se situait l'hôpital, il décida qu'il valait mieux rester à l'écart. Du reste, il allait devoir se faire oublier. À son avis, Ted n'était pas près de lâcher l'affaire.

Malgré ses efforts, Dawson ne pouvait s'empêcher de penser au mystérieux homme brun. S'il ne s'était pas lancé à sa poursuite, il n'aurait jamais su que Ted se tenait à l'affût. L'image – le fantôme – lui avait fait signe et Dawson l'avait suivi, comme en plein Océan après l'explosion de la plate-forme.

Les deux incidents ne cessaient de le hanter. Il avait peut-être eu l'illusion que cet inconnu lui avait sauvé la vie une première fois, mais à deux reprises ? À présent, il commençait à se demander si les apparitions de l'homme brun n'avaient pas un but plus important, comme si Dawson avait été sauvé pour une raison bien précise, même s'il ignorait laquelle.

Tout en essayant de chasser ces pensées, Dawson accéléra l'allure et respira plus fort. Il ôta son tee-shirt sans ralentir et s'en servit comme d'une serviette pour éponger la sueur de son visage. Il fila vers la jetée au loin, bien résolu à courir plus vite jusqu'à ce qu'il y parvienne. En quelques minutes, les muscles de ses jambes furent en feu. Il continua, cherchant à atteindre les limites de son endurance, mais ses yeux ne cessaient de fureter ici et là, scrutant les gens alentour, au cas où il apercevrait l'homme brun.

Parvenu à la jetée, il conserva son allure jusqu'à ce qu'il arrive à l'hôtel. Pour la première fois depuis des années, il acheva son footing en se sentant plus fatigué qu'au départ. Il se courba, tout en essayant de reprendre son souffle, et n'était pas plus avancé dans ses interrogations. Malgré lui, Dawson éprouvait un profond changement dans sa perception des choses depuis son arrivée à Oriental. Tout lui paraissait différent désormais. Non pas à cause des apparitions de l'homme brun, de Ted ou du décès de Tuck. Tout lui semblait différent à cause d'Amanda. Elle ne représentait plus un simple souvenir, elle était devenue réelle : une version bien vivante et bien tangible du passé qui ne l'avait jamais vraiment abandonné. Plus d'une fois, l'Amanda de sa jeunesse lui était apparue en songe et il se demandait si l'image onirique qu'il gardait d'elle changerait dans le futur. Quelle femme deviendrait-elle ? Il n'en savait trop rien. En revanche, il était certain qu'en compagnie d'Amanda il se sentait épanoui comme peu de gens le seraient un jour.

La plage retrouvait son calme : les lève-tôt regagnaient leur voiture, et les vacanciers n'étaleraient pas leur serviette avant une heure ou deux. Les vagues se brisaient à un rythme régulier, le bruit du ressac quasi hypnotique. Dawson fixait la mer et songea à son avenir avec désespoir. Il avait beau tenir à Amanda, il devait accepter le fait qu'elle était mariée et mère de famille. La première rupture s'était révélée suffisamment pénible à vivre, mais l'idée de voir tout cela s'arrêter à nouveau lui paraissait soudain insupportable. Comme la brise se levait, elle sembla lui murmurer que son temps avec Amanda était compté. Aussi se dirigea-t-il vers le hall d'entrée, en regrettant, la mort dans l'âme, que la situation ne soit pas différente.

*
* *

Plus elle buvait de café, plus Amanda se sentait solide pour affronter sa mère. Elles se trouvaient sur la véranda de derrière, qui surplombait le jardin. Le port altier, vêtue comme si elle attendait la visite du gouverneur, Evelyn se tenait assise dans un fauteuil en osier blanc et disséquait les événements de la veille au soir. Elle semblait prendre un malin plaisir à dénicher de sempiternels complots et des sous-entendus accusateurs dans le ton et les propos de ses amies pendant le dîner et le bridge.

Grâce à la partie de cartes prolongée, une soirée qu'Amanda pensait voir durer une heure ou deux s'éternisa jusqu'à 22 h 30. À ce moment-là, elle sentait déjà qu'aucune des autres convives n'avait vraiment envie de rentrer chez elle. Amanda s'était alors mise à bâiller, et impossible pour elle de se souvenir de quoi sa mère parlait. Pour ce qu'elle en savait, les conversations ne différaient guère de celles du passé, ou de n'importe quelle autre petite ville, d'ailleurs. Ces dames discutaient aussi bien des voisins que de leurs petits-enfants, du dernier animateur en date chargé de l'étude de la Bible ou de la meilleure manière d'accrocher des tentures, ou encore de l'augmentation vertigineuse du prix de la côte de bœuf. Tout ce qu'il y avait de banal, en somme, mais on pouvait faire confiance à sa mère pour élever la conversation au niveau du débat d'importance nationale, aussi malavisée qu'elle puisse être. Evelyn pouvait trouver matière à critiquer ou à faire tout un drame de la plus petite vétille, à tel point qu'Amanda se réjouissait d'avoir au moins avalé un premier café avant qu'Evelyn n'entame sa litanie de récriminations.

D'autant qu'Amanda avait encore plus de mal à se concentrer parce qu'elle ne cessait de penser à Dawson. Elle avait beau tenter de se convaincre qu'elle contrôlait la situation, pourquoi alors gardait-elle l'image de l'épaisse chevelure de Dawson sur son col, ou de sa silhouette moulée dans son jean, ou encore du naturel avec lequel ils s'étaient longuement étreints au premier instant de leurs retrouvailles ? Elle était mariée depuis assez longtemps pour savoir que ces situations se révélaient moins importantes que la simple amitié et la confiance, forgées par des intérêts communs ; quelques jours passés ensemble après plus de vingt ans ne suffisaient pas à créer de tels liens. Il fallait du temps pour qu'une amitié s'installe, et la confiance s'établissait progressivement. Les femmes, se disait-elle parfois, avaient tendance à ne voir que ce qu'elles voulaient bien voir chez les hommes, du moins au début, et Amanda se demandait si elle n'était pas en train de commettre cette erreur. Mais tandis que ces questions sans réponse lui traversaient l'esprit, sa mère ne pouvait garder le silence. Elle jacassait et jacassait encore…

— Tu m'écoutes ? lui lança-t-elle, interrompant ses pensées.

Amanda baissa sa tasse.

— Bien sûr.

— Je disais que tu devrais travailler tes annonces au bridge.

— Ça faisait des lustres que je n'avais pas joué.

— C'est la raison pour laquelle je te conseillais de rejoindre un club ou d'en lancer un, répliqua Evelyn. À moins que tu n'aies pas entendu ?

— Désolée. J'ai d'autres choses en tête aujourd'hui.

— Certes. La petite cérémonie, c'est ça ?

Amanda ignora la pique, car elle n'était pas d'humeur à se disputer – ce que sa mère cherchait visiblement, elle le savait. Depuis ce matin, Evelyn s'était remontée toute seule comme un ressort, se servant des accrochages imaginaires de la veille au soir pour justifier son inévitable incursion dans la vie privée d'Amanda.

— Je t'ai dit que Tuck souhaitait que ces cendres soient dispersées, expliqua-t-elle en gardant une voix posée. Sa femme, Clara, a elle aussi été incinérée. Peut-être qu'il voyait là une manière d'être à nouveau réunis.

Sa mère ne parut pas l'entendre.

— Que peut-on bien porter pour une chose pareille ? Ça m'a l'air si… salissant.

Amanda se tourna vers le fleuve.

— Aucune idée, maman. Je n'y ai pas réfléchi.

L'expression de sa mère était aussi rigide et artificielle que celle d'un mannequin de cire.

— Et les enfants ? Comment vont-ils ?

— Je n'ai pas eu Jared ou Lynn au téléphone aujourd'hui. Mais aux dernières nouvelles, ils allaient bien.

— Et Frank ?

Amanda prit une gorgée de café, comme pour gagner du temps. Elle n'avait pas envie de parler de lui. Pas après la dispute qu'ils avaient eue hier soir, celle qui était devenue quasi routinière pour eux et qu'il aurait sans doute déjà oubliée. Bons ou mauvais, les mariages se définissaient par la répétition.

— Il va bien.

Sa mère hocha la tête et attendit la suite. Amanda se tut. Dans le silence qui suivit, Evelyn lissa la serviette de table posée sur ses genoux, avant de poursuivre.

— Alors, comment va se passer cette cérémonie ? Vous jetez simplement les cendres à l'endroit qu'il avait choisi ?

— Quelque chose dans ce goût-là.

— A-t-on besoin d'une autorisation pour se livrer à ce genre de choses ? Ça me déplairait de savoir que les gens ont le droit d'agir ainsi partout où ça leur chante.

— L'avocat n'en a pas parlé, donc j'imagine que les dispositions légales sont prises. Je suis touchée que Tuck ait voulu que j'y participe.

Sa mère se pencha légèrement en avant, l'air narquois.

— Ah ! c'est vrai, dit-elle. Parce que vous étiez amis.

Amanda se tourna vers elle. Tout à coup, elle n'en pouvait plus... de sa mère, de Frank, de la kyrielle d'hypocrisies qui finissaient par définir sa vie.

— Oui, maman, parce qu'on était amis. J'appréciais sa compagnie. C'était l'un des êtres les plus gentils que j'aie jamais connus.

Pour la première fois, sa mère afficha une mine déconfite.

— À quel endroit cette cérémonie est-elle censée se tenir ?

— En quoi ça t'intéresse ? Il est évident que tu la désapprouves.

— Je me contente de fairc la conversation, riposta Evelyn d'un ton pincé. Il n'y a pas lieu de te montrer grossière.

— Peut-être que je te parais grossière parce que j'ai mal au fond de moi. Ou peut-être que j'attends encore ton soutien. Même pas un : « Je suis désolée. Je sais qu'il représentait beaucoup pour toi. » C'est en général ce qu'on dit quand quelqu'un de proche s'en va.

— Peut-être que je t'aurais présenté mes condoléances si, pour commencer, j'avais été au courant de cette… relation. Mais tu m'as menti depuis le début.

— Vas-tu un jour cesser de t'imaginer que c'est à cause de toi que j'ai dû mentir ?

Sa mère leva les yeux au ciel.

— Ne sois pas ridicule. Ne me fais pas dire ce que je n'ai pas dit. Ce n'est pas moi qui me rendais là-bas en cachette. Tu es la seule responsable, pas moi, et chaque décision entraîne des conséquences. Tu dois apprendre à accepter la responsabilité de tes choix.

— Tu ne crois pas que je le sais ? demanda Amanda, se sentant rougir.

— Je pense, répondit sa mère en appuyant sur les mots, que tu peux te montrer parfois un peu trop égocentrique.

— Moi ? répliqua Amanda en battant des paupières. Tu me trouves égocentrique ?

— Bien sûr. Tout le monde l'est, jusqu'à un certain point. Je dis simplement que tu l'es quelquefois un peu trop.

Trop abasourdie pour riposter, Amanda laissa son regard se perdre dans le vide. Que sa mère – surtout sa mère ! – puisse émettre ce genre de critique ne faisait qu'alimenter sa colère. Dans le monde de sa mère, les autres n'étaient rien moins que des miroirs. Amanda choisit ses mots avec soin.

— Je ne pense pas que ce soit une bonne idée d'en parler.

— Eh bien, moi si ! contra Evelyn.

— Parce que je ne t'ai pas parlé de Tuck ?

— Non. Parce que je pense que c'est lié aux problèmes que tu as avec Frank.

Amanda se sentit tressaillir et puisa dans toute son énergie la force de ne pas flancher.

— Qu'est-ce qui te fait croire que j'ai des problèmes avec Frank ?

Sa mère conserva un ton neutre et guère chaleureux.

— Je suis davantage au courant que tu ne le penses, et le fait que tu ne nies pas prouve que j'ai raison. Le fait que tu préfères ne pas discuter de ce qui se passe entre vous deux ne me contrarie pas. Cela vous concerne, Frank et toi, et il n'y a rien que je puisse dire ou faire pour vous aider. Nous le savons toi et moi. Le mariage est un partenariat, pas une démocratie, ce qui pose la question de ce que tu as bien pu partager avec Tuck pendant toutes ces années. À mon humble avis, ce n'était pas pour le simple plaisir de lui rendre visite. Tu éprouvais aussi le besoin de te confier à lui.

Le sourcil en point d'interrogation, Evelyn laissa sa remarque en suspens, et Amanda fit ce qu'elle put pour accuser le coup. Sa mère rajusta la serviette de table sur ses genoux.

— Je présume que tu seras là pour dîner. Tu préfères aller au restaurant ou rester à la maison ?

— Alors c'est tout ? lâcha Amanda. Tu me balances tes suppositions et tes accusations, puis tu clos le sujet ?

Sa mère joignit les mains.

— Je n'ai pas clos le sujet. C'est toi qui refuses de l'aborder. Mais à ta place, je penserais à ce que je souhaite vraiment, parce que lorsque tu rentreras chez toi tu vas devoir prendre certaines décisions concernant ton couple. Au final, ça fonctionnera ou pas. Et, dans un cas comme dans l'autre, tu seras en grande partie responsable.

Les propos de sa mère se révélaient d'une cruelle évidence. Il n'était pas seulement question d'elle et de Frank, mais aussi des enfants qu'ils élevaient ensemble. Amanda se sentit subitement épuisée. Tandis qu'elle reposait la tasse sur la soucoupe, sa colère l'abandonna pour ne lui laisser qu'un sentiment de défaite.

— Tu te souviens de la famille de loutres qui s'amusait près de notre ponton ? demanda-t-elle enfin, sans attendre de réponse. Quand j'étais petite ? Chaque fois qu'elles apparaissaient, papa m'emmenait les voir au bord de l'eau. On s'asseyait dans l'herbe et on les observait s'éclabousser et se pourchasser. À l'époque, c'étaient à mes yeux les animaux les plus heureux du monde.

— Je ne vois pas trop le rapport avec ce que nous...

— J'ai revu des loutres, l'interrompit Amanda. L'an dernier, quand on était en vacances, on a visité l'aquarium de Pine Knoll Shores. Je me faisais une joie de voir leur nouvelle attraction avec des loutres. J'ai dû raconter à Annette une bonne dizaine de fois l'histoire de celles qui vivaient derrière chez nous, et elle avait hâte de les découvrir... mais, en arrivant là-bas, ça n'avait rien à voir avec les loutres de mon enfance. Elles étaient bien là, mais dormaient sur une corniche artificielle. On a dû rester des heures dans cet aquarium, mais elles ne bougeaient pas. En partant, Annette m'a demandé pourquoi et je n'ai pas vraiment su quoi lui répondre. Mais plus tard, je me suis sentie... triste. Parce que je savais pourquoi ces loutres ne s'amusaient pas.

Amanda passa un doigt sur le bord de sa tasse, avant de croiser le regard de sa mère.

— Parce qu'elles n'étaient pas heureuses. Ces loutres savaient qu'elles ne vivaient pas dans une vraie rivière. Elles ne comprenaient sans doute pas pourquoi, mais semblaient deviner qu'elles étaient en cage et ne pouvaient s'échapper. Ce n'était pas la vie qu'elles étaient censées mener, ou même qu'elles souhaitaient, mais elles ne pouvaient rien y changer.

Bizarrement, sa mère parut incapable de savoir quoi lui rétorquer. Amanda repoussa sa tasse avant de se lever de table. Comme elle s'éloignait, elle entendit Evelyn s'éclaircir la voix. Amanda se retourna.

— Je présume que ton anecdote n'était pas innocente ? s'enquit sa mère.

Amanda esquissa un piètre sourire.

— En effet, admit-elle d'une voix douce.

11

Dawson abaissa la capote de la Stingray et s'appuya contre le coffre en attendant Amanda. L'air était lourd, étouffant, annonciateur d'un orage dans l'après-midi, si bien qu'il se demanda à tout hasard si Tuck avait un parapluie quelque part dans la maison. C'était peu probable. Dawson avait autant de mal à imaginer Tuck avec un parapluie qu'en robe, mais qui sait ? Tuck lui avait réservé tant de surprises.

Une ombre passa sur la propriété et Dawson observa un balbuzard décrire avec paresse de grands cercles dans le ciel, jusqu'à ce que la voiture d'Amanda apparaisse enfin dans l'allée. Il entendit les gravillons crisser sous les pneus tandis qu'elle se garait à l'ombre, près du véhicule de Dawson.

Amanda mit pied à terre, surprise de le voir arborer un pantalon noir et une chemise blanche immaculée, tout en se disant que l'ensemble lui allait à merveille. Avec sa veste, qu'il tenait négligemment sur l'épaule, Dawson semblait presque trop séduisant pour être honnête, ce qui rendait les propos de sa mère d'autant plus prémonitoires. Amanda prit une profonde inspiration en se demandant comment le saluer.

— Je suis en retard ? lança-t-elle en marchant vers lui.

Dawson la regarda s'approcher. Même à quelques pas, les rayons du soleil matinal illuminaient le bleu profond de ses yeux, telles les eaux miroitantes d'un lac cristallin. Elle portait un tailleur pantalon noir et un chemisier de soie sans manches, avec un médaillon en argent autour du cou.

— Pas du tout, répondit-il. Je suis venu tôt pour m'assurer que la voiture soit fin prête.

— Verdict ?

— Eh bien, celui qui l'a réparée connaissait bien son affaire !

Elle sourit en arrivant à sa hauteur et, cédant à une impulsion, l'embrassa sur la joue. Dawson parut ne pas trop savoir comment réagir et elle-même se sentait aussi confuse que lui, tandis que les paroles de sa mère résonnaient encore dans sa tête. Comme pour oublier celles-ci, Amanda désigna la Stingray.

— Tu as abaissé la capote ?

— J'ai pensé qu'on pourrait l'utiliser pour aller à Vandemere.

— Elle ne nous appartient pas.

— Je sais. Mais je dois rouler avec pour vérifier que tout fonctionne. Crois-moi, son propriétaire voudra savoir si tout est en ordre, avant de la récupérer.

— Et si elle tombe en panne ?

— Aucun risque.

— Tu en es sûr ?

— Certain.

Elle eut un petit sourire ironique.

— À quoi bon faire un essai de route, alors ?

Il écarta les bras, l'air vaincu.

— OK, peut-être que j'ai tout bonnement envie de la conduire. C'est presque un péché de laisser croupir une voiture pareille dans un garage, surtout que le proprio n'en saura rien et que les clés sont sur le contact.

— Euh… laisse-moi deviner… Une fois de retour, on la mettra sur cales et on roulera en marche arrière, histoire de faire tourner le compteur à l'envers, non ? Comme ça, le proprio n'y verra que du feu ?

— Ça m'étonnerait.

— Je sais bien. Je l'ai découvert dans *La Folle Journée de Ferris Bueller*, répliqua-t-elle d'un air narquois.

Il se pencha légèrement en arrière et prit le temps d'admirer sa toilette.

— Au fait, tu es magnifique.

Elle sentit une bouffée de chaleur l'envahir et se demanda si elle cesserait jamais de rougir en sa présence.

— Merci, dit-elle en ramenant une mèche de cheveux derrière son oreille, tandis qu'elle l'examinait à son tour, maintenant toutefois une certaine distance entre eux. Je ne crois pas t'avoir déjà vu en costume. C'est un neuf ?

— Non, mais je ne le porte pas souvent. Uniquement pour les grandes occasions.

— Je pense que Tuck aurait apprécié. Qu'as-tu fait de beau hier soir, finalement ?

Il songea à Ted et aux événements de la veille, y compris à son installation en bord de mer.

— Rien de génial. Et ton dîner avec ta mère ?

— Sans grand intérêt, répondit Amanda. (Elle se pencha dans la voiture et passa la main sur le volant, avant de le regarder à nouveau.) Mais on a eu une conversation intéressante ce matin.

— Ah ouais ?

Elle hocha la tête.

— Ça m'a fait réfléchir à ces derniers jours. À moi, à toi… à la vie. Tout ça. Et en roulant jusqu'ici, j'ai réalisé que j'étais contente que Tuck ne t'ait jamais parlé de moi.

— Pourquoi tu dis ça ?

— Parce que, hier, quand on était dans le garage… hésita-t-elle, en quête des mots les plus justes. Je pense que j'ai dépassé les bornes. Dans ma manière d'agir, je veux dire. Et je tiens à te présenter mes excuses.

— Pourquoi donc ?

— C'est difficile à expliquer. En fait, je…

Comme la voix d'Amanda s'estompait, Dawson s'approcha.

— Ça va ?

— J'en sais rien. Je ne sais plus rien de rien. Quand on était jeunes, tout semblait tellement plus simple.

— Qu'est-ce que tu essayes de me dire, au juste ?

Elle planta son regard dans le sien.

— Il faut que tu comprennes que je ne suis plus la fille que j'étais. Je suis épouse et mère maintenant et, comme tout le monde, je ne suis pas parfaite. Je me bats avec les choix que je fais et je commets des erreurs, sans compter que la moitié du temps je me demande qui je suis vraiment ou ce que je fabrique, ou même si ma vie a encore un sens. Je n'ai rien d'extraordinaire, Dawson, sache-le. Tu dois comprendre que je suis juste… quelqu'un de banal.

— Détrompe-toi.

Malgré son expression peinée, elle poursuivit sur sa lancée :

— C'est ce que tu crois, je sais. Mais je suis une femme ordinaire. Et le problème, c'est qu'il n'y a rien de banal dans toute cette histoire. Je ne suis absolument pas dans mon élément. J'aurais quand même aimé que Tuck fasse allusion à toi, ne serait-ce que pour que je puisse me préparer à ce week-end. (Sans s'en rendre compte, elle avait porté la main à son médaillon.) Je ne souhaite pas commettre une erreur.

Dawson se dandina d'un pied sur l'autre, comprenant tout à fait où elle voulait en venir. C'était l'une des raisons pour lesquelles il l'avait toujours aimée, même s'il savait qu'il ne pouvait dire ces mots à voix haute. Elle n'avait certes pas envie de les entendre. Il reprit donc la parole le plus gentiment du monde.

— On a discuté, dîné, évoqué des souvenirs, c'est tout, observa-t-il. Tu n'as rien fait de mal.

— Mais si, riposta-t-elle dans un sourire qui masquait difficilement sa tristesse. Je n'ai pas dit à ma mère que tu étais là. Et encore moins à mon mari.

— T'as envie de leur en parler ? s'enquit Dawson.

C'était la vraie question, non ? Inconsciemment, sa mère la lui posait. Amanda savait ce qu'elle devait répondre mais, là, maintenant, impossible de prononcer les mots. Au lieu de quoi elle se surprit à secouer lentement la tête.

— Non… murmura-t-elle enfin.

Dawson parut deviner la frayeur qui s'empara d'elle à cet aveu, car il lui prit la main.

— Allons à Vandemere, dit-il. Tâchons de rendre hommage à Tuck, OK ?

Amanda acquiesça et se laissa aller à ce geste à la fois doux et empressé, sentant qu'une autre partie d'elle-même l'abandonnait. Elle commençait à admettre qu'elle ne contrôlait plus tout à fait ce qui risquait de se passer par la suite.

*
**

Dawson l'entraîna de l'autre côté du véhicule et lui ouvrit la portière. Un peu étourdie, Amanda prit place, pendant qu'il allait récupérer l'urne contenant les cendres de Tuck dans sa voiture. Il déposa l'urne avec sa veste derrière le siège conducteur de la Stingray, puis se mit au volant. Après avoir pris les indications pour le trajet, Amanda glissa aussi son sac derrière son siège.

Dawson appuya plusieurs fois sur la pédale d'accélérateur avant de tourner la clé de contact, et le moteur se mit à rugir. Il l'emballa un peu, le véhicule vibra légèrement. Quand le moteur tint le ralenti, Dawson sortit du garage et roula en douceur sur l'allée en évitant les nids-de-poule. Le vrombissement s'atténua à peine lorsqu'ils partirent en direction d'Oriental, qu'ils traversèrent avant de s'engager sur l'autoroute tranquille.

Tandis qu'Amanda s'installait à son aise, elle reconnut du coin de l'œil la posture habituelle de Dawson, une seule main sur le volant, ce qui la replongea douloureusement dans son passé. C'était en conduisant qu'il se détendait le mieux, et elle retrouva chez lui cette sensation comme il changeait de vitesse, en voyant les muscles de son avant-bras se contracter puis se détendre.

Alors que la voiture accélérait, les cheveux d'Amanda volaient dans tous les sens et elle les disciplina en improvisant une queue-de-cheval. Il y avait trop de bruit pour qu'ils puissent discuter, mais ça lui convenait. Amanda était ravie de se retrouver seule à réfléchir dans son coin, seule avec Dawson et, à mesure que les kilomètres défilaient, elle sentit son angoisse se dissiper peu à peu, comme emportée par le vent.

Dawson adopta une allure de croisière, même si la route quasi déserte semblait leur appartenir. Il n'était pas pressé, et elle non plus. Amanda roulait en compagnie d'un homme qu'elle avait aimé autrefois, vers une destination qui leur était à tous deux inconnue, alors que l'idée même lui aurait paru absurde quelques jours plus tôt. C'était complètement fou, inimaginable, mais également excitant. Une courte parenthèse dans sa vie. Elle n'était plus l'épouse, la mère ou la fille ; et, pour la première fois depuis des années, Amanda se sentait presque libre.

Mais elle avait toujours éprouvé cette liberté en présence de Dawson et, tandis qu'il conduisait nonchalamment, elle l'observa à la dérobée et tenta d'évoquer quelqu'un qui, même de loin, pouvait lui ressembler. La douleur et la tristesse se lisaient dans les rides au coin de ses yeux, l'intelligence aussi, et Amanda se demanda malgré elle quel genre de père il aurait été. Un bon père, sans conteste. Celui qui ne rechigne pas à faire des passes de base-ball avec son fils des heures durant ou à aider sa fille, même maladroitement, à tresser une natte. L'idée même lui paraissait étrangement séduisante et presque taboue.

Lorsque Dawson lui lança un regard, elle sut qu'il songeait à elle et se demanda alors combien de nuits elle avait occupé ses pensées, quand il se trouvait sur sa plate-forme pétrolière. Dawson, à l'instar de Tuck, comptait parmi les rares personnes qui ne pouvaient aimer qu'une fois, et la séparation ne faisait que renforcer leurs sentiments. Deux jours plus tôt, cette prise de conscience l'aurait déconcertée, mais elle comprenait désormais qu'aucun autre choix n'était possible pour Dawson. Après tout, l'amour en disait toujours davantage sur celui qui l'éprouvait que sur l'objet de son affection.

Une brise méridionale se leva, charriant avec elle les effluves du grand large, et Amanda ferma les yeux en s'abandonnant au plaisir de l'instant. Lorsqu'ils parvinrent aux abords de Vandemere, Dawson déplia le bout de papier qu'Amanda lui avait donné, et le parcourut rapidement avant de hocher la tête d'un air entendu.

Vandemere constituait tout au plus un hameau de quelques centaines d'âmes. Amanda découvrit en le traversant des maisons éparpillées et une petite supérette dotée d'une pompe à essence. Une minute plus tard, Dawson obliqua dans un chemin de terre défoncé. Elle ignorait comment il avait pu le repérer derrière la prolifération d'herbes folles qui le dissimulaient presque depuis la grand-route. Il négocia prudemment chaque virage, en évitant les troncs pourris des arbres déracinés par les orages et en suivant le paysage légèrement escarpé. Le moteur, qui rugissait tant sur l'autoroute, paraissait réduit au silence, comme étouffé par la végétation luxuriante qui les envahissait de tous côtés. Le chemin se rétrécit encore à mesure qu'ils avançaient, et des branches basses drapées de mousse espagnole effleuraient la voiture au passage. Une profusion d'azalées sauvages flétries se disputait la lumière avec la vigne kudzu obscurcissant la vue de part et d'autre.

Dawson redoublait de prudence pour éviter d'érafler la peinture de la carrosserie. Au-dessus d'eux, le soleil jouait à cache-cache avec les nuages, assombrissant par intermittence la verdure environnante.

L'allée s'élargit légèrement après un nouveau tournant, puis un second.

— C'est dingue, observa Amanda. Tu es sûr qu'on ne s'est pas trompés ?

— D'après le plan, on est au bon endroit.

— Pourquoi c'est si loin de la grand-route ?

Aussi perplexe qu'elle, Dawson haussa les épaules mais, après avoir négocié un ultime virage, il freina d'instinct et s'arrêta, tandis que la réponse à leurs interrogations s'offrait soudain à leurs yeux.

12

Le chemin aboutissait à une petite maison de campagne, nichée au cœur d'une clairière de chênes verts ancestraux. La bâtisse érodée, dont la peinture s'écaillait et dont les volets commençaient à noircir sur les bords, s'ornait en façade d'une petite terrasse en pierre encadrée de deux colonnes blanches, l'une d'elles disparaissant sous les plantes grimpantes qui montaient jusqu'au toit. Une chaise métallique trônait dans un coin, tandis qu'un pot de géraniums ajoutait une note colorée à cette symphonie de verdure.

Toutefois, leurs yeux furent inévitablement attirés par les fleurs sauvages. On en dénombrait des milliers, véritable feu d'artifice végétal qui explosait jusqu'aux marches du perron : un océan de rouge, d'orange, de mauve, de bleu et de jaune ondoyant dans la brise légère. Des centaines de papillons voletaient dans la prairie baignée de soleil. À peine visible parmi les lys et les glaïeuls, une modeste clôture en bois entourait le champ.

Amanda regarda Dawson d'un air émerveillé, puis se tourna de nouveau vers le pré fleuri. L'endroit évoquait une vision onirique du paradis. Elle se demanda en quelles circonstances Tuck avait planté ces merveilles, puis songea aussitôt après qu'il avait dû semer ces fleurs sauvages pour Clara, afin d'exprimer à sa manière tout ce qu'elle représentait à ses yeux.

— Incroyable ! s'extasia-t-elle.

— T'étais au courant ? demanda Dawson, tout aussi époustouflé.

— Non. C'était leur jardin secret.

En disant cela, l'image bien distincte de Clara assise sur la terrasse lui apparut, avec celle de Tuck adossé à une colonne et se délectant de la beauté enivrante du champ de fleurs sauvages. Dawson lâcha enfin la pédale de frein et la voiture s'approcha de la maison, les couleurs alentour se mêlant comme les taches de peinture d'un tableau vivant et éclatant de lumière.

Après s'être garés près de la demeure, ils descendirent, continuant à s'imprégner du cadre enchanteur. Un sentier tortueux leur apparut entre les fleurs. Fascinés, ils le foulèrent sous le ciel aux nuages épars. Le soleil ressurgit et Amanda sentit sa chaleur disséminer les mille et une fragrances qui l'entouraient. Tous ses sens lui semblaient décuplés, comme si la journée lui était entièrement dévolue.

Marchant à ses côtés, Dawson s'enhardit à lui prendre la main. Elle le laissa faire, jugeant le geste des plus naturels, et s'imagina pouvoir retrouver la trace de ses années de labeur dans les callosités de sa paume dont le contact n'en demeurait pas moins d'une douceur extrême. Amanda comprit alors avec certitude que Dawson lui aurait créé un jardin aussi fabuleux si elle l'avait souhaité.

« Pour toujours », avait-il gravé sur l'établi de Tuck. Une promesse d'adolescent, rien de plus, mais lui avait été capable de la tenir. Amanda en percevait toute la force à présent, laquelle comblait la distance qui les séparait, comme ils cheminaient parmi les fleurs. Quelque part au loin, elle entendit le tonnerre gronder et éprouva l'étrange impression qu'il l'appelait, l'invitait à tendre l'oreille.

Son épaule effleura celle de Dawson et son cœur battit aussitôt la chamade.

— Je me demande si ces fleurs repoussent d'elles-mêmes ou s'il devait les semer chaque année, dit-il d'un air songeur.

Les paroles de Dawson arrachèrent Amanda à sa rêverie.

— Les deux, répondit-elle d'une voix insolite dont elle fut la première étonnée. J'en reconnais certaines.

— Alors il est venu plus tôt dans l'année ? Pour faire ses semis ?

— Sans doute. J'ai aperçu des ombelles. Ma mère en a dans son jardin et elles meurent à l'arrivée de l'hiver.

Ils passèrent les minutes suivantes à flâner sur le sentier, pendant qu'Amanda lui nommait les plantes annuelles qu'elle connaissait : marguerites jaunes, plumes du Kansas, volubilis, asters, lesquelles alternaient avec des plantes vivaces comme les myosotis, chapeaux mexicains, et autres coquelicots. Le jardin ne semblait pas obéir à un agencement quelconque, comme si Dieu et Dame Nature avaient décidé de n'en faire qu'à leur tête. Mais ce caractère sauvage ne faisait que rehausser la beauté de l'ensemble et, tandis qu'ils se promenaient dans cette débauche de couleurs, Amanda se réjouissait d'être en compagnie de Dawson pour partager un tel bonheur.

Le vent se leva et rafraîchit l'atmosphère en apportant davantage de nuages. Elle regarda Dawson lever les yeux vers le ciel.

— L'orage approche, observa-t-il. Je devrais sans doute recapoter la voiture.

Amanda hocha la tête, mais ne lui lâcha pas la main. Une part d'elle-même craignait qu'il ne la lui reprenne pas, qu'il n'en ait plus l'occasion. Mais il disait vrai : le ciel s'assombrissait.

— Je te retrouve dans la maison, annonça-t-il en retirant comme à regret sa main.

— Tu penses que la porte n'est pas verrouillée ?

— Je serais prêt à le parier, dit-il en souriant. Je te rejoins dans une minute.

— Tu veux bien prendre mon sac, dans la foulée ?

Il acquiesça et elle le regarda s'éloigner, se rappelant qu'autrefois elle avait été amoureuse de lui. Tout avait commencé comme une idylle adolescente, du genre qui la poussait à gribouiller le prénom Dawson sur ses cahiers de cours, alors qu'elle était censée faire ses devoirs. Personne, pas même lui, ne savait que ce n'était pas par hasard s'ils s'étaient retrouvés en binôme pour le cours de chimie. Quand le professeur avait demandé aux élèves de former des duos derrière chaque paillasse du labo, elle avait demandé l'autorisation d'aller aux toilettes et, à son retour, Dawson se retrouvait comme d'habitude tout seul. Ses amies lui avaient décoché des regards affligés, alors qu'au fond d'elle-même Amanda était tout excitée de passer du temps avec ce garçon paisible et énigmatique qui, à sa manière, paraissait plus mature que les autres.

À présent qu'elle le regardait fermer la voiture, l'histoire semblait se répéter et Amanda éprouvait la même émotion. Il y avait quelque chose chez Dawson qu'elle seule parvenait à comprendre, un lien qui lui avait manqué pendant toutes ces années de séparation. Et elle savait qu'en un sens elle l'avait attendu, tout comme lui l'avait attendue.

Elle ne pouvait envisager de ne plus le revoir, le laisser devenir à jamais un simple souvenir. Le destin – en la personne de Tuck – était intervenu et, en approchant de la demeure, Amanda savait que tout cela n'arrivait pas sans

201

raison, mais signifiait forcément quelque chose. Si le passé n'existait plus, l'avenir demeurait leur seule et unique possession.

*
**

Comme Dawson l'avait prédit, la porte d'entrée n'était pas fermée à clé. En pénétrant dans la maisonnette, Amanda comprit aussitôt qu'il s'agissait du refuge de Clara.

On avait beau retrouver le même plancher en pin éraflé, les cloisons en cèdre et l'agencement quasi identique de la demeure d'Oriental, le canapé accueillait en revanche des coussins aux couleurs vives, et les murs des photos en noir et blanc savamment disposées. Les cloisons étaient poncées et peintes en bleu ciel et, grâce aux baies vitrées, la lumière naturelle inondait la pièce. Il y avait aussi deux bibliothèques encastrées, où les livres alternaient avec des figurines en porcelaine, collectionnées à l'évidence par Clara au fil des années. Un plaid en patchwork raffiné était posé sur le dossier d'un fauteuil, et pas le moindre grain de poussière ne recouvrait les guéridons de style campagnard. Les lampadaires se dressaient de part et d'autre du salon, tandis qu'on découvrait dans un coin une version réduite de la photo d'anniversaire de mariage, à côté de la radio.

Derrière elle, Amanda entendit Dawson entrer. Il se tint dans l'embrasure, sa veste et le sac d'Amanda à la main, et les mots semblaient lui manquer.

Elle-même ne put dissimuler sa stupéfaction.

— Incroyable, non ?

Il promena lentement son regard dans la pièce.

— Je me demande si je ne me suis pas trompé de maison.

— Ne t'inquiète pas, le rassura-t-elle en montrant la photo. On est au bon endroit. Mais c'était à l'évidence le royaume de Clara et pas celui de Tuck. Et il a dû le conserver tel quel.

Dawson posa sa veste sur le dossier d'un fauteuil, et le sac d'Amanda sur l'assise.

— Je crois bien n'avoir jamais vu la maison de Tuck aussi proprette. J'imagine que Tanner a dû engager quelqu'un pour faire le ménage avant notre arrivée.

Bien sûr, se dit Amanda. Elle se rappela avoir entendu l'avocat dire qu'il prévoyait de venir sur place, en stipulant que tous deux devaient attendre le lendemain pour effectuer leur visite. La porte non verrouillée confirmait ses soupçons.

— Tu as déjà vu les autres pièces ? s'enquit Dawson.

— Pas encore. J'étais trop occupée à chercher où Clara permettait à Tuck de s'asseoir. C'est clair qu'elle ne l'a jamais laissé fumé dans la maison.

— Voilà qui explique la présence de la chaise sur la terrasse, répliqua-t-il en désignant la porte ouverte derrière lui.

— Même après le décès de Clara ?

— Il devait avoir peur que son fantôme se pointe et lui remonte les bretelles, si par malheur il allumait une cigarette !

Elle sourit et ils firent le tour du propriétaire, s'effleurant l'un l'autre tandis qu'ils parcouraient le séjour. Comme dans la demeure d'Oriental, la cuisine se situait à l'arrière et donnait sur le cours d'eau, mais ici aussi c'était le domaine de Clara, depuis les placards blancs aux moulures délicates jusqu'au carrelage bleu et blanc de la crédence murale. Une théière était posée sur la cuisinière, et un vase garni de fleurs sauvages sur le plan de travail. Une table nichée sous la fenêtre accueillait deux bouteilles de vin, du rouge et du blanc, accompagnées de deux verres étincelants.

— Il devient prévisible, commenta Dawson.

Elle haussa les épaules.

— On ne va quand même pas s'en plaindre.

Ils admirèrent alors en silence la vue sur la Bay River. Comme ils se tenaient côte à côte, Amanda se délecta de cette quiétude familière qui la réconfortait. Elle entendait Dawson respirer paisiblement à ses côtés et dut réprimer son envie de lui reprendre la main. Tacitement, ils se détournèrent de la fenêtre et continuèrent leur visite.

En face de la cuisine, se trouvait une chambre à coucher avec un lit à baldaquin. Les rideaux étaient blancs et la commode ne présentait aucune éraflure, contrairement au mobilier de Tuck à Oriental. Une lampe en cristal ornait chaque table de chevet, et un paysage impressionniste décorait le mur, face au placard.

Contiguë à la chambre, une salle de bains avec une baignoire aux pieds en griffe, comme Amanda en avait toujours voulu. Un miroir ancien était suspendu au-dessus du lavabo, et elle entrevit son reflet à côté de celui de Dawson ; c'était la première fois qu'elle se voyait avec lui depuis son retour à Oriental. L'idée lui traversa alors l'esprit qu'ils n'avaient jamais pris de photo de leur couple dans leur jeunesse. Ils en parlaient certes à l'époque, mais ne s'étaient jamais décidés à passer à l'acte.

Elle le regrettait à présent, encore qu'elle se demandait ce qu'elle en aurait fait. Aurait-elle oublié le cliché au fond d'un tiroir pour tomber dessus par hasard tous les deux ou trois ans ? Ou l'aurait-elle rangé dans un endroit bien particulier, connu d'elle seule ? Impossible à savoir… mais la simple vision du visage de Dawson à côté du sien dans le miroir lui procurait un sentiment d'intimité. Cela faisait bien longtemps qu'elle ne s'était pas sentie séduisante en présence d'un homme, c'était pourtant le cas à présent. Elle savait que Dawson l'attirait, appréciait de le voir promener son regard sur elle, sans oublier sa grâce athlétique et leur compréhension mutuelle quasi instinctive, dont elle avait parfaitement conscience. En deux jours à peine, Amanda lui avait accordé d'instinct sa confiance et restait persuadée de pouvoir tout lui confier. Certes, ils s'étaient un peu chamaillés le premier soir, puis le lendemain au sujet des Bonner, mais leurs propos témoignaient d'une sincérité sans artifice. Il n'existait aucun sens caché, aucune volonté secrète de se juger l'un l'autre. Et leurs désaccords s'étaient évanouis aussi vite qu'ils avaient éclaté.

Amanda continuait de dévisager Dawson dans la glace. Il se tourna et surprit son regard. Il ramena alors doucement en arrière une mèche qui était retombée devant les yeux d'Amanda. Puis il s'en alla, la laissant avec la certitude que sa vie avait déjà changé de manière irrévocable et inimaginable, en dépit des conséquences qui en résulteraient.

*
* *

Après avoir récupéré son sac au salon, Amanda retrouva Dawson dans la cuisine. Il avait ouvert une bouteille de vin et rempli les deux verres. Il lui en tendit un et ils regagnèrent sans un mot la terrasse. À l'horizon, de sombres nuages s'approchaient, accompagnés d'une légère brume. Sur la pente boisée menant à la Bay River, le feuillage prenait une profonde nuance de vert.

Assise auprès de lui sur les marches du perron, Amanda posa son verre et farfouilla dans son sac. Elle sortit deux des trois lettres, lui tendit celle portant le nom de Dawson et garda l'autre sur ses genoux, à savoir celle qu'ils étaient supposés lire avant de procéder à la cérémonie. Elle observa Dawson plier sa missive, avant de la glisser dans sa poche.

Amanda lui présenta alors l'enveloppe vierge.

— Tu te sens prêt ?

— Plus que jamais.

— Tu veux l'ouvrir ? On est censés la lire avant, tu sais ?

— Non, vas-y, dit-il. Je la lirai à tes côtés.

Amanda décacheta l'enveloppe, puis sortit la lettre qu'elle déplia en douceur. Elle fut alors frappée par l'écriture griffonnée. Ici et là, des mots étaient raturés, tandis que la calligraphie tremblante reflétait l'âge avancé de Tuck. La longue missive ne comptait pas moins de trois pages recto verso, à tel point qu'elle se demanda combien de temps il avait mis à la rédiger. La lettre était datée du 14 février de l'année en cours. Une date tout indiquée, en somme.

— On y va ? répéta Amanda.

Comme Dawson acquiesçait, Amanda se pencha en avant et tous deux commencèrent leur lecture.

Amanda et Dawson,

Merci d'être venus. Et merci d'accomplir tout ça pour moi. Je ne savais pas à qui d'autre le demander.

Je ne suis pas doué pour la littérature, alors j'imagine que le mieux est de commencer en précisant qu'il s'agit d'une histoire d'amour. Celle de Clara et moi, je veux dire. Et si je suppose que je pourrais vous ennuyer en vous racontant en détail comment je lui ai fait la cour ou les premières années de notre mariage, notre véritable histoire — la partie qui vous intéresse — a débuté en 1942. À l'époque, on était mariés depuis trois ans et elle avait déjà fait sa première fausse couche. J'ai compris à quel point elle en avait souffert et j'en ai souffert aussi, parce que je ne pouvais rien y faire. Les épreuves éloignent les gens. Ou bien elles les rapprochent, comme ce fut notre cas.

Mais je m'égare... Ça arrive souvent quand on vieillit, d'ailleurs. Vous verrez un jour...

C'était donc en 1942 et, pour notre anniversaire de mariage, cette année-là, on est allés voir Pour moi et ma mie[7], avec Gene Kelly et Judy Garland. C'était la première fois qu'elle et moi on allait au cinéma, et on a dû se rendre en voiture jusqu'à Raleigh pour voir le film. À la fin, une fois les lumières rallumées, on est restés assis sur nos fauteuils et on a repensé au film. Je doute que vous l'ayez jamais vu et je ne vais pas vous embrouiller avec les détails, encore une fois, mais sachez que c'est l'histoire d'un homme qui se blesse volontairement pour éviter de partir au front à l'époque de la Grande Guerre. Ensuite, il doit de nouveau courtiser la femme qu'il aime, d'autant qu'elle le prend à présent pour un lâche. Il se trouve que je venais alors de recevoir ma lettre de mobilisation dans l'armée de terre, si bien que je me sentais un peu concerné par ce que le film évoquait, vu que moi non plus je ne voulais pas quitter ma bien-aimée pour partir à la guerre, mais ni elle ni moi ne voulions y penser. Au lieu de ça, on a préféré parler de la chanson du générique, qui portait le même titre que le film. C'était la ritournelle la plus chouette et la plus entraînante qu'on ait jamais entendue. Sur le trajet du retour, on l'a chantée encore et encore. Et une semaine plus tard, je m'enrôlais dans la marine.

C'est un peu bizarre puisque, comme je vous l'ai dit, j'allais rejoindre l'armée de terre, et sachant ce que je sais maintenant, l'US Army m'aurait sans doute mieux convenu, vu que je suis plutôt doué avec les moteurs et que je ne savais pas nager. Peut-être bien qu'on m'aurait affecté au parc de matériel, où j'aurais pu m'assurer que les camions et les Jeeps pouvaient rouler aux quatre coins de

___

7. Titre original : For Me and My Gal, film musical de 1942, réalisé par Busby Berkeley.

l'Europe. L'armée de terre ne peut pas faire grand-chose si ses véhicules sont pas fichus d'avancer, pas vrai ? Mais j'avais beau être un gars de la campagne, je savais que l'US Army nous affectait là où bon lui semblait, et à l'époque les gens savaient bien que c'était plus qu'une question de temps avant qu'on aille en Europe pour de bon. Ike Eisenhower venait de débarquer en Afrique du Nord. Ils avaient besoin d'une infanterie, de troupes sur le terrain, et même si ça ne me déplaisait pas de m'attaquer à Hitler, l'idée de rejoindre l'infanterie ne m'enchantait pas vraiment.

Au bureau d'incorporation, il y avait cette affiche sur le mur qui disait : « Devenez artilleur. Engagez-vous dans la marine. » On y voyait un marin torse nu qui chargeait une torpille, et disons que ça m'a interpellé. Je me suis dit que c'était dans mes cordes, alors je me suis présenté au bureau de la Navy, pas à celui de l'US Army, et j'ai signé sur-le-champ. Quand je suis rentré à la maison, Clara a pleuré pendant des heures. Ensuite, elle m'a fait promettre de revenir. Et j'ai promis que je reviendrais.

J'ai donc suivi l'entraînement de base et fait l'école d'artilleurs. Puis, en novembre 1943, on m'a affecté à l'USS Johnston, un contre-torpilleur au large du Pacifique. N'écoutez pas ceux qui vous disent que servir dans l'US Navy, c'était moins dangereux que l'US Army ou la marine. Ou moins terrifiant. On a beau avoir de bons réflexes, on reste à la merci du vaisseau, parce que s'il coulait, eh bien on mourait. Si on basculait par-dessus bord, on mourait, parce que aucune des escortes n'aurait pris le risque de s'arrêter pour nous porter secours. Impossible de se sauver, impossible de se cacher, et l'idée de ne rien pouvoir contrôler se glissait alors dans votre tête et y restait. De tout le temps que j'ai passé dans la marine, j'ai jamais eu aussi peur de ma vie. Des bombes et de la fumée partout, des incendies sur le pont ! Sans compter les canons qui grondent, et ça fait un de ces raffut de tous les diables ! Dix fois plus fort que le tonnerre, peut-être, et je suis encore loin du compte. Pendant les grandes batailles, les avions Zéro japonais n'arrêtaient pas de mitrailler le pont en rase-mottes et ça ricochait de tous les côtés. Et *pendant ce temps, on devait continuer à faire notre boulot, comme si de rien n'était.*

En octobre 1944, on croisait au large de Samar et on se tenait prêts pour l'invasion des Philippines. On avait treize vaisseaux dans notre unité, ce qui paraît beaucoup, mais à part le porte-avions, la plupart n'étaient que des contre-torpilleurs et des escortes, si bien qu'on n'avait pas une puissance de tir énorme. Puis voilà qu'à l'horizon on aperçoit la flotte japonaise qui vient dans notre direction. Quatre cuirassés, huit croiseurs, onze contre-torpilleurs, bien décidés à nous envoyer au fond de l'eau. J'ai entendu quelqu'un qui disait qu'on était comme David contre Goliath, sauf qu'on n'avait même pas de lance-pierre. Et c'était ça, à peu de chose près. Nos canons ne pouvaient même pas les atteindre quand on a ouvert le feu. Alors qu'est-ce qu'on a fait ? En sachant qu'on n'avait pas la moindre chance ? On s'est lancés dans la mêlée. Depuis, c'est devenu la bataille du golfe de Leyte. On leur a foncé droit dessus. On a été le premier vaisseau à ouvrir le feu, le premier à lancer de la fumée et des torpilles, et on a descendu un contre-torpilleur et un cuirassé. On a causé pas mal de dégâts aussi. Mais comme on se trouvait au front, on a été les premiers à couler. Une paire de croiseurs ennemis se sont approchés et on a plongé. Il y avait 327 hommes à bord et 186, dont certains étaient des amis proches, sont morts ce jour-là. J'ai fait partie des 141 rescapés.

Je parie que vous vous demandez pourquoi je vous raconte tout ça – et vous devez vous dire que je radote encore –, alors je ferais bien d'en venir au fait. À bord du canot de sauvetage, alors que la bataille faisait rage autour de nous, je me suis rendu compte que je n'avais plus peur. Tout à coup, j'ai compris que j'allais m'en tirer parce que je savais que Clara et moi on avait encore pas mal de belles années devant nous, et un immense sentiment de paix m'a envahi. Vous pouvez mettre ça sur le compte du traumatisme, si ça vous chante, mais moi je sais bien ce que j'ai ressenti et, là-bas, sous le ciel en feu, avec la fumée de canon de tous côtés, je me suis souvenu de notre anniversaire de mariage au ciné et me suis mis à chanter Pour moi et ma mie, *comme Clara et moi l'avions fait en rentrant de Raleigh en voiture. Bon sang, je braillais à m'en éclater les poumons, comme si j'en avais strictement rien à faire, parce que je savais que, d'une certaine manière, Clara pouvait m'entendre et comprendrait qu'elle n'avait pas besoin de s'inquiéter. Je lui avais fait une promesse, vous savez. Et rien, pas même une bataille dans le Pacifique, n'aurait pu m'empêcher de la tenir !*

Ça paraît insensé, je sais. Mais comme je vous le disais, j'ai fait partie des rescapés. Au printemps suivant, on m'a réaffecté à un navire pour transporter des marines à Iwo Jima. J'ai pas eu le temps de souffler que la guerre était finie et je suis rentré au pays. Je n'ai pas parlé de la guerre à mon retour. Impossible. Pas un mot. C'était tout bonnement trop pénible, et Clara l'a bien compris. Alors, petit à petit, notre vie a repris son cours. En 1955, on a commencé à bâtir la maisonnette de Vandemere. Je me suis chargé de la plupart des travaux. Un après-midi, après avoir fini ma journée, je me suis approché de Clara qui tricotait à l'ombre… et je l'ai entendue chanter Pour moi et ma mie.

Je suis resté pétrifié, et tous les souvenirs de la bataille me sont revenus d'un coup. Ça faisait des lustres que je n'avais plus pensé à cette chanson, et je n'avais jamais dit à Clara ce qui s'était passé dans le canot de sauvetage, ce fameux jour. Mais elle a dû sentir quelque chose parce qu'elle a levé la tête vers moi.

« Ça remonte à notre anniversaire de mariage de 42, m'a-t-elle dit avant de revenir à son tricot. Je ne t'ai jamais raconté ça, mais j'ai fait un rêve, un soir, a-t-elle ajouté. Je me trouvais dans un champ de fleurs et, même si je ne te voyais pas, je t'entendais me chanter cette ritournelle, et à mon réveil je n'avais plus peur. Alors qu'auparavant je craignais toujours que tu ne reviennes pas de la guerre. »

Je suis resté abasourdi. « C'était pas un rêve », j'ai fini par lui dire.

Elle s'est contentée de sourire, et j'ai eu le sentiment qu'elle s'attendait à ma réponse. « Je sais. Comme je te l'ai dit, je t'entendais chanter. »

Depuis ce jour-là, l'idée que Clara et moi partagions quelque chose de puissant – de spirituel, comme qui dirait – ne m'a jamais quitté. Tant et si bien que, des années plus tard, j'ai décidé de commencer le jardin et je le lui ai montré à l'occasion de notre anniversaire de mariage. Oh, il n'était pas si grand à l'époque, rien à avoir avec celui d'aujourd'hui, mais Clara a juré qu'il n'y avait rien de plus beau au monde. J'ai donc pioché davantage et planté plus de graines l'année suivante, tout en fredonnant notre chanson. J'ai remis ça toutes les années qu'aura duré notre mariage, jusqu'à ce que Clara disparaisse. Puis j'ai éparpillé ses cendres dans ce jardin qu'elle adorait tant.

Mais j'étais un homme brisé après sa mort. J'étais en rage, je me noyais petit à petit dans l'alcool. J'ai cessé de retourner la terre, de planter et de chanter, parce que Clara n'était plus là et que je ne voyais aucune raison de continuer. Je détestais la vie et n'avais plus le goût de continuer. Plus d'une fois, j'ai eu envie de mettre fin à mes jours, jusqu'à ce que Dawson arrive. Ça m'a fait du bien de l'avoir près de moi. En un sens, il me rappelait que j'appartenais toujours à ce monde, que mon ouvrage ici-bas n'était pas terminé. Mais on me l'a enlevé lui aussi, un beau jour. Après, je suis venu ici à Vandemere et j'ai revu l'endroit pour la première fois depuis des années. C'était pas la saison, mais il y avait encore quelques fleurs écloses, alors je ne sais pas pourquoi mais, quand j'ai chanté notre chanson, les larmes me sont venues. Je pleurais pour Dawson, je suppose, mais je pleurais aussi sur moi. Et surtout, je pleurais la disparition de Clara.

C'est là que tout à commencé. Plus tard, ce soir-là, en revenant à la maison, j'ai vu Clara par la fenêtre de la cuisine. Même si c'était faible, je l'ai entendue fredonner notre chanson. Mais son image était floue, pas vraiment présente et, le temps que j'entre chez moi, elle s'était volatilisée. Alors, je suis retourné à notre bicoque de Vandemere et me suis remis à piocher. J'ai tout préparé, pour ainsi dire, et j'ai revu Clara, sur la véranda, cette fois. Quelques semaines plus tard, j'avais semé mes graines, elle a commencé à

211

venir me voir régulièrement, peut-être une fois par semaine, et j'ai pu m'approcher d'elle avant qu'elle disparaisse. Mais ensuite, quand les fleurs ont éclos, je suis venu à Vandemere pour me balader dans le jardin et, en rentrant chez moi, j'ai pu la voir et l'entendre comme si elle était en chair et en os. Elle se tenait là, sur le perron et m'attendait… À croire qu'elle se demandait pourquoi j'avais mis si longtemps pour comprendre. Et ça s'est toujours passé comme ça depuis.

Elle fait partie des fleurs, vous voyez ? Ses cendres leur ont permis de pousser, et plus elles poussent, plus Clara revit. Si bien que tant que je m'occupais des fleurs, Clara trouvait toujours un moyen de revenir vers moi.

C'est donc pour cette raison que vous êtes là et que je vous ai demandé de faire ça pour moi. C'est notre petit coin de paradis, à Clara et à moi, un coin perdu où tout est possible grâce à l'amour. Je pense que vous deux, plus que n'importe qui d'autre, pouvez le comprendre.

Mais à présent, il est temps pour moi de rejoindre Clara. Il est temps pour nous de chanter ensemble. Mon heure est venue et je n'ai aucun regret. Je suis de nouveau auprès de Clara, et c'est le seul endroit où j'ai toujours souhaité me retrouver. Dispersez mes cendres dans la brise et parmi les fleurs, et ne pleurez pas sur mon sort. Je veux plutôt vous voir sourire pour nous deux. Réjouissez-vous pour moi et ma mie.

Tuck

Dawson se pencha et posa ses avant-bras sur ses cuisses, tandis qu'il imaginait Tuck rédigeant la lettre. Elle ne ressemblait en rien à l'homme taciturne et un peu rustre qui l'avait accueilli. C'était un Tuck que Dawson n'avait jamais rencontré, une personne qu'il n'avait jamais connue.

Le visage d'Amanda exprimait la tendresse, tandis qu'elle repliait la lettre en redoublant de précautions pour ne pas la déchirer.

— Je connais la chanson dont il parle, dit-elle après avoir rangé la lettre dans son sac. Je l'ai entendu la fredonner un jour, assis dans son rocking-chair. Quand je lui ai demandé de quoi il s'agissait, il n'a pas vraiment répondu, mais a préféré me la faire écouter sur son vieil électrophone.

— Chez lui ?

Elle hocha la tête.

— Je me souviens m'être dit que l'air était entraînant, mais Tuck a simplement fermé les yeux et semblé... se perdre dans la mélodie. Quand la chanson s'est terminée, il s'est levé et a rangé le disque. Sur le moment, je n'ai pas trop compris. Mais maintenant, oui. (Elle se tourna vers Dawson.) Il appelait Clara, en fait.

— Tu le crois ? répliqua-t-il en faisant lentement tourner le vin dans son verre. À propos de ces apparitions ?

— Je ne le croyais pas. Pas vraiment, en tout cas. Mais à présent, j'ai des doutes...

Le tonnerre gronda au loin, comme pour leur rappeler la raison de leur venue.

— Je crois que c'est le moment, dit Dawson.

Amanda se leva et épousseta son pantalon, puis tous deux descendirent dans le jardin. La brise soufflait moins fort, mais la brume s'était épaissie. La matinée lumineuse avait cédé la place à l'après-midi qui reflétait la pesanteur trouble du passé.

Après que Dawson eut récupéré l'urne, ils empruntèrent le sentier menant au centre du jardin. Sous le regard de Dawson, Amanda passa une main dans ses cheveux qui flottaient au vent, tentant de les discipliner. Ils atteignirent le cœur du champ de fleurs et s'arrêtèrent.

En cet instant solennel, l'urne pesait de tout son poids entre les mains de Dawson.

— On devrait dire quelques mots, murmura-t-il.

D'un hochement de tête, elle l'invita à s'exprimer le premier, et il rendit hommage à l'homme qui lui avait offert un refuge et son amitié. À son tour, Amanda remercia Tuck d'avoir été son confident et ajouta qu'elle avait fini par le considérer comme un père. Lorsqu'ils eurent terminé, la bourrasque souffla comme par miracle et Dawson souleva le couvercle.

Les cendres s'envolèrent en tourbillonnant au-dessus des fleurs. Amanda ne put s'empêcher de penser que Tuck cherchait Clara et l'appelait une dernière fois.

*
* *

Ils regagnèrent ensuite la maison et s'assirent au salon, alternant les évocations du souvenir de Tuck et les silences affectueux. À l'extérieur, la pluie s'était mise à tomber, régulière mais sans violence, telle une douce averse estivale accueillie comme une bénédiction.

Quand la faim commença à les tenailler, ils s'aventurèrent sous l'ondée et prirent la Stingray pour rejoindre la grand-route par le chemin tortueux. Alors qu'ils auraient pu rentrer à Oriental, ils préférèrent rouler vers New Bern. Aux abords du quartier historique, ils dénichèrent un restaurant appelé le Chelsea. Celui-ci était presque vide à leur arrivée, mais bondé lorsqu'ils sortirent de table.

Profitant d'une brève accalmie, ils flânèrent sur les trottoirs paisibles et visitèrent les boutiques encore ouvertes. Tandis que Dawson explorait les rayons d'un bouquiniste, Amanda en profita pour sortir et appeler chez elle. Elle parla à Jared et à Lynn, avant de prendre contact avec

Frank. Elle téléphona aussi à sa mère et laissa un message sur le répondeur, en précisant qu'elle risquait d'arriver tard et en lui demandant de ne pas verrouiller la porte. Elle raccrocha au moment où Dawson la rejoignait, tout en éprouvant un pincement au cœur à l'idée que la soirée était presque achevée. Comme s'il avait lu dans ses pensées, Dawson lui offrit son bras et elle s'y accrocha, tandis qu'ils regagnaient d'un pas lent la voiture.

De retour sur la route, la pluie recommença à tomber. Ils n'avaient pas sitôt enjambé la Neuse que la brume se fit plus dense, ses nappes s'étirant en vrille depuis la forêt, tels de longs doigts fantomatiques. Les phares n'éclairaient guère la route, et les arbres semblaient absorber le peu de lumière qui subsistait. Dawson ralentit l'allure dans la pénombre humide et trouble.

La pluie crépitait en cadence sur la capote, un peu comme le bruit d'un train qui roulerait au loin, et Amanda repensa à la journée. Pendant le repas, elle avait surpris Dawson qui la dévisageait à maintes reprises mais, plutôt que d'en être gênée, elle aurait voulu qu'il ne cesse jamais.

Amanda avait tort et le savait. Sa vie ne lui autorisait pas ce genre de désirs, la société ne les tolérait pas non plus. Elle pouvait certes refouler ses sentiments sous prétexte qu'ils n'étaient qu'épisodiques, tributaires d'autres éléments de sa vie. Mais elle se serait voilé la face. Dawson n'était pas un étranger avec lequel elle avait un rendez-vous galant, mais son premier et unique amour, le plus durable de tous.

Frank serait anéanti s'il venait à apprendre ce qu'elle pensait. Et, malgré leurs problèmes, Amanda savait qu'elle aimait son mari. Pourtant, même si rien ne se passait – même si elle rentrait chez elle aujourd'hui –, elle savait que Dawson continuerait de la hanter. Bien que son mariage connaisse des turbulences depuis des années, Amanda ne cherchait pas simplement une consolation ailleurs. C'était Dawson — et ce couple qu'ils recréaient depuis leurs retrouvailles — qui avait rendu tout cela à la fois naturel et inévitable. Elle ne pouvait s'empêcher de penser que leur histoire n'était pas véritablement terminée, que tous deux attendaient d'en écrire la fin.

Après qu'ils eurent traversé Bayboro, Dawson ralentit. Bientôt viendrait la bifurcation menant vers Oriental. Tout droit, la route conduisait à Vandemere. Dawson allait tourner, mais comme ils approchaient de l'intersection, elle eut envie de lui demander de continuer tout droit. Pas question pour elle de se réveiller demain en se demandant si elle le reverrait un jour. L'idée la terrifiait, mais les mots refusèrent de sortir de sa bouche.

Ils étaient seuls sur la route. L'eau glissait sur l'asphalte pour former de petites rigoles de chaque côté de la chaussée. Quand ils parvinrent à l'embranchement, Dawson freina en douceur. Sous le regard éberlué d'Amanda, il arrêta le véhicule.

Les essuie-glaces balayaient le pare-brise dans un mouvement de va-et-vient, tandis que les gouttes de pluie scintillaient dans le reflet des phares. Moteur au ralenti, visage dans la pénombre, Dawson se tourna vers Amanda.

— Ta mère doit sans doute t'attendre.

Elle sentit son pouls s'accélérer.

— Oui, dit-elle dans un hochement de tête.

Pendant un long moment, il se contenta de la dévisager, de lire l'espoir, la crainte et le désir que trahissait ce regard soutenant le sien. Puis, dans une esquisse de sourire, il se tourna vers la route et, tout doucement, la voiture continua en direction de Vandemere, mais ni l'un ni l'autre ne souhaitait ni ne pouvait l'arrêter.

*
* *

Ils n'éprouvèrent aucune gêne en arrivant à la maisonnette. Amanda se rendit dans la cuisine et Dawson alluma la lumière. Elle remplit leurs verres de vin, à la fois troublée et secrètement émoustillée.

Au salon, Dawson alluma la radio, qu'il régla sur une station de jazz rétro, et mit le volume en sourdine. Quand Amanda le rejoignit avec le vin, il feuilletait un vieil ouvrage aux pages jaunies, trouvé sur une étagère. Il prit le verre qu'elle lui tendait et rangea le livre, puis s'installa auprès d'Amanda sur le canapé.

— C'est si paisible, dit-elle en retirant ses chaussures. (Elle posa son verre sur le guéridon, puis replia les jambes en les entourant de ses bras.) Je comprends pourquoi Tuck et Clara souhaitaient reposer ici.

La lumière tamisée du salon prêtait à Amanda un air mystérieux. Dawson s'éclaircit la voix.

— Tu penses revenir ici un jour ? demanda-t-il. Après ce week-end, je veux dire ?

— Aucune idée. Si je savais que cet endroit resterait tel quel, alors oui. Mais je sais que ce ne sera pas le cas, parce que rien n'est éternel. Et une partie de moi a envie de m'en souvenir tel qu'il était aujourd'hui, avec les fleurs épanouies.

— Sans oublier la maison toute proprette.

— Exact, admit-elle en prenant son verre. Tout à l'heure, quand les cendres virevoltaient au-dessus du jardin, tu sais à quoi j'ai pensé ? À cette nuit, sur le ponton, où on avait admiré la pluie d'étoiles filantes. J'ignore pourquoi mais, tout à coup, c'était comme si je me retrouvais là-bas, au bord de l'eau. Je nous ai revus allongés sur la couverture, en train de chuchoter et d'écouter les criquets, comme un écho mélodieux à nos murmures. Et au-dessus de nous, le ciel qui s'animait…

— Pourquoi tu me racontes ça ? s'enquit Dawson d'une voix douce.

— Parce que c'est cette nuit-là que j'ai compris que je t'aimais, répondit-elle avec mélancolie. Que j'étais véritablement tombée amoureuse. Et je pense que ma mère savait exactement ce qui s'était passé.

— Mais encore ?

— Le lendemain, elle m'a interrogée à ton sujet et, quand je lui ai dit ce que j'éprouvais, ça s'est terminé en dispute… la pire qu'on ait jamais eue. C'était à celle qui crierait le plus fort. Elle m'a même giflée. J'étais tellement estomaquée que je n'ai pas su comment réagir. Et elle n'a pas cessé de me répéter que mon comportement était ridicule et que je ne savais pas ce que je faisais. À l'entendre, on aurait cru qu'elle était en colère à cause de toi mais, quand j'y repense maintenant, je sais qu'elle aurait été contrariée par n'importe quel autre garçon que j'aurais choisi. Parce que ce n'était pas de toi, de nous, ou même de ta famille qu'il était question. Mais bel et bien d'elle. Ma mère comprenait que j'avais grandi et ça l'effrayait de perdre tout contrôle sur moi. Elle ignorait comment gérer ça… Elle l'ignore toujours, d'ailleurs. (Amanda but une gorgée de vin et reposa son verre.) Ce matin, elle m'a dit que j'étais égocentrique.

— Elle se trompe.

— C'est que je pensais aussi. Au début, du moins. Maintenant, je n'en suis plus si sûre.

— Qu'est-ce qui t'a fait changer d'avis ?

— On ne peut pas dire que je me comporte en femme mariée, si ?

Tout en l'observant, Dawson garda le silence et lui laissa le temps de réfléchir à ce qu'elle venait de dire.

— Tu veux que je te raccompagne ? lui demanda-t-il.

Elle hésita avant de secouer la tête.

— Non. C'est ça le problème… J'ai envie de rester ici avec toi. Même si je sais que c'est mal, avoua-t-elle en baissant les yeux. À quoi ça rime, franchement ?

Il promena un doigt sur la main d'Amanda.

— Tu veux sérieusement que je te réponde ?

— Non. Pas vraiment. Mais c'est… compliqué. Le mariage, je veux dire.

Elle sentait la caresse du doigt tracer de subtils motifs sur sa peau.

— Ça te plaît d'être mariée ? demanda Dawson d'une voix timide.

Plutôt que de lui répondre tout de suite, Amanda reprit une gorgée de vin, tâchant de se ressaisir.

— Frank est quelqu'un de bien. La plupart du temps, en tout cas. Mais le mariage n'a rien à voir avec l'idée que les gens s'en font. Ils veulent croire que la vie conjugale repose sur un équilibre parfait, mais ce n'est pas le cas. Il y en a toujours un qui aime l'autre davantage. Je sais que Frank m'aime et je l'aime aussi… mais pas autant. Et c'est comme ça depuis le début.

— Pourquoi ?

— Tu ne t'en doutes pas ? répliqua-t-elle en le regardant en face. À cause de toi, voyons. Même quand lui et moi étions à l'église et que je m'apprêtais à prononcer mes vœux, je me souviens avoir souhaité que tu sois là, à sa place. Parce que non seulement je t'aimais toujours, mais en plus cet amour me dépassait complètement, et je savais déjà que jamais je n'éprouverais cela pour Frank.

— Pourquoi tu l'as épousé, alors ?

— Parce que j'ai cru que j'arriverais à m'en satisfaire. Et surtout j'espérais que je pourrais changer. Qu'avec le temps, je parviendrais peut-être à ressentir pour lui le même amour que celui que j'éprouvais pour toi. Mais je me fourvoyais… Et, à mesure que les années s'écoulaient, je savais que je lui faisais du mal. Mais plus il s'éver-tuait à me montrer combien je comptais pour lui, plus ça m'étouffait. Et je m'en voulais. Et je lui en voulais. (Elle tressaillit en s'entendant prononcer ces mots.) Je sais bien que ça fait de moi un monstre.

— Pas du tout. Tu es sincère.

— Laisse-moi finir, OK ? Il faut que tu comprennes. Il faut que tu saches que je l'aime vraiment, lui et la famille qu'on a fondée. Frank adore nos enfants. Ils sont au cœur même de sa vie, et je crois que c'est pour cette raison que la perte de Bea nous a été si pénible. Tu ne peux pas ima-giner à quel point c'est terrible de voir ton enfant dépérir de jour en jour, en sachant que tu ne peux absolument rien faire pour l'aider. Tu passes par des montagnes russes d'émotions : tu en veux à Dieu, tu te sens trahie, écrasée par un sentiment d'échec, anéantie. À la fin, j'ai pu malgré tout survivre à la douleur. Frank ne s'en est jamais vrai-ment remis. Parce que, au fond, le désespoir subsiste et… ça te ronge de l'intérieur. Il y a un trou béant à la place de cette formidable joie de vivre d'avant. Parce que Bea était comme ça. La joie de vivre incarnée. On avait coutume de plaisanter en disant qu'elle était née le sourire aux lèvres. Même tout bébé, elle pleurait rarement. Et ça n'a guère changé ensuite. Elle riait sans arrêt, était curieuse de tout. Jared et Lynn rivalisaient d'astuces pour attirer son atten-tion. Tu te rends compte ?

Amanda s'interrompit, sa voix commençant à chevroter.

— Et puis, bien sûr, les maux de tête ont commencé et elle s'est mise à se cogner ici et là en trottinant. Alors on l'a emmenée voir une kyrielle de spécialistes, et chacun d'eux nous a dit qu'il ne pouvait rien pour elle. (Sa voix se brisa, puis elle reprit.) Après… ça n'a fait qu'empirer. Mais Bea était toujours la même, tu sais ? Joyeuse. Même vers la fin, quand elle pouvait à peine tenir assise toute seule, elle riait encore aux éclats. Chaque fois que j'entendais ce rire d'enfant, c'était comme un coup de poignard dans le cœur…

Les yeux noyés dans le vague, Amanda fixait la fenêtre dans la pénombre. Dawson patienta.

— Vers la fin, j'avais pris l'habitude de m'allonger dans le lit avec elle, en la tenant simplement dans mes bras pendant qu'elle dormait. Et quand elle se réveillait, on restait simplement là, face à face. Impossible de me détourner, car je voulais garder en mémoire le moindre détail de sa frimousse : son nez, son menton, ses petites boucles. Et lorsqu'elle se rendormait enfin, je la serrais fort et pleurais sur cette injustice atroce.

Quand Amanda eut terminé, elle battit des paupières, visiblement inconsciente des larmes qui coulaient sur ses joues. Elle ne fit aucun geste pour les essuyer, pas plus que Dawson n'intervint. Il préféra rester assis là, paisiblement, suspendu à ses lèvres.

— Après sa mort, une partie de moi est morte aussi. Et pendant longtemps, Frank et moi pouvions à peine échanger un regard. Non pas parce qu'on était en colère, mais parce qu'on souffrait. Je voyais Bea à travers Frank et lui la voyait à travers moi, et c'était… insupportable. On arrivait tout juste à se soutenir, alors que Jared et Lynn avaient plus que jamais besoin de nous. Je me suis mise à boire deux ou trois verres de vin chaque soir, comme pour tenter d'anesthésier ma douleur, mais Frank buvait davantage. Finalement, je me suis rendu compte que ça ne m'aidait pas. Alors j'ai cessé. Mais pour Frank, ça n'a pas été aussi simple. (Elle se massa les tempes, tous ses souvenirs réveillant une migraine familière.) Il ne pouvait plus s'arrêter. J'ai même pensé que le fait d'avoir un nouvel enfant parviendrait peut-être à le guérir, mais pas vraiment, en réalité. C'est un alcoolique qui, depuis dix ans, ne vit sa vie qu'à moitié. Et j'ai atteint le point de non-retour où j'ignore comment lui rendre l'autre moitié.

Dawson sentit sa gorge se nouer.

— Je ne sais pas vraiment quoi dire…

— Moi non plus. Je me plais à croire que si Bea n'était pas morte, tout ça ne serait jamais arrivé à Frank. Mais je me demande si sa déchéance n'est pas aussi due en partie à moi. Parce que je lui ai fait du mal pendant des années, même avant Bea. Parce qu'il savait que je ne l'aimais pas autant que lui m'aimait.

— Ce n'est pas de ta faute, reprit Dawson.

Même pour lui, ces mots semblaient dérisoires.

Elle secoua la tête.

— C'est gentil de me dire ça et, en théorie, je sais que tu as raison. Mais s'il se réfugie dans l'alcool, c'est sans doute pour m'échapper. Parce qu'il sait que je suis contrariée et déçue, et qu'il ne pourra pas effacer dix ans de regrets, quoi qu'il fasse. Qui n'aurait pas envie d'échapper à ça ? Surtout si ça vient de quelqu'un dont tu es amoureux, alors que tout ce que tu souhaites vraiment, c'est que cette personne t'aime autant en retour !

— Ne fais pas ça, dit-il en croisant son regard. Tu ne peux pas te sentir responsable de ses problèmes au point de te les approprier.

— C'est bien un conseil de célibataire, répliqua-t-elle avec un sourire en coin. Permets-moi de te dire que, depuis le temps que je suis mariée, j'ai appris que tout n'était pas tout noir ou tout blanc dans un couple. Et je ne suis pas en train d'affirmer que je suis entièrement responsable de nos problèmes de couple. Je dis juste qu'il peut y avoir des touches de gris ici ou là. Ni lui ni moi ne sommes parfaits.

— C'est ce que dirait sans doute un thérapeute.

— Exact. Quelques mois après la mort de Bea, j'ai commencé à en voir une, une ou deux fois par semaine.

J'ignore comment j'aurais survécu sans elle. Jared et Lynn l'ont consultée aussi, mais moins longtemps. Les gosses reprennent plus vite le dessus, j'imagine.

— Sur ce point, je te crois sur parole…

Elle posa le menton sur ses genoux, tandis que son expression reflétait son désarroi.

— Je n'ai jamais vraiment parlé de nous deux à Frank.

— Ah bon ?

— Il a su que j'avais eu un petit ami au lycée, mais je ne lui ai pas dit que c'était sérieux. Je crois même ne jamais lui avoir confié ton nom. Et mes parents, bien sûr, se sont employés à faire comme si rien ne s'était jamais passé. À croire que c'était un sombre secret de famille. Naturellement, ma mère a poussé un soupir de soulagement quand je lui ai annoncé que j'étais fiancée. Elle n'a pas sauté au plafond non plus, remarque. Les effusions à tout bout de champ, c'est pas trop son genre. Elle doit probablement considérer ça comme dégradant. Mais, si ça peut te consoler, j'ai dû lui rappeler le nom de Frank. À deux reprises. Le tien, en revanche…

Dawson partit d'un éclat de rire, puis recouvra aussitôt son calme. Amanda reprit une gorgée de vin et sentit le feu de l'alcool couler dans sa gorge, à peine consciente de la musique douce en sourdine.

— Il s'est passé plein de choses, pas vrai ? Depuis la dernière fois qu'on s'est vus ? dit-elle d'une voix éteinte.

— La vie a suivi son cours.

— Pas seulement la vie.

— De quoi tu parles ?

— De tout ça. Le fait d'être ici, de te voir. Ça me ramène à une époque où je croyais encore que tous mes rêves se réaliseraient. Ça fait longtemps que je n'ai plus ressenti ça. (Elle se tourna vers lui. Quelques centimètres à peine séparaient leurs visages.) Tu crois qu'on aurait pu

223

s'en sortir ? Si on avait fui pour se lancer ensemble dans la vie ?

— Difficile à dire.

— Mais si tu devais l'imaginer ?

— Oui. Je pense qu'on aurait pu se débrouiller.

Elle hocha la tête, la mort dans l'âme.

— Je le pense aussi.

Au-dehors, la pluie commença à frapper les fenêtres par rafales, comme si on lançait des poignées de gravillons. La radio continuait à diffuser de la musique d'un autre âge, qui se mêlait au rythme régulier de la pluie. Le salon douillet évoquait une sorte de cocon, et Amanda pouvait presque croire que le monde alentour n'existait pas.

— T'étais timide dans le temps, murmura-t-elle. Au début, quand on nous a mis ensemble en cours, c'est tout juste si tu m'adressais la parole. Je n'arrêtais pas de te tendre des perches, dans l'espoir que tu m'invites à sortir avec toi, et je désespérais de voir arriver le jour où tu te déciderais enfin.

— Tu étais magnifique, dit Dawson dans un haussement d'épaule. Et moi, j'étais un moins que rien. Ça me rendait nerveux.

— Est-ce que je te rends toujours nerveux ?

— Non… (Il se ravisa, tandis qu'un léger sourire éclairait son visage.) Ou alors juste un peu.

Elle arqua un sourcil.

— Est-ce que je peux y remédier ?

Il lui prit la main et remarqua combien ses doigts s'entremêlaient à merveille avec les siens, ce qui lui rappela de nouveau le bonheur auquel il avait renoncé. Une semaine plus tôt, il était satisfait de son sort. Peut-être pas tout à fait heureux, peut-être un peu isolé, mais satisfait. Il avait compris qui il était, et trouvé sa place dans le monde. Il vivait seul, certes, mais c'était un choix conscient, que d'ailleurs il ne regrettait toujours pas. Surtout pas maintenant. Car personne n'aurait pu prendre la place d'Amanda, et personne ne la prendrait jamais.

— Tu veux bien danser avec moi ? lui demanda-t-il après un silence.

— Oui, répondit-elle en esquissant un sourire.

Il se leva du canapé et l'entraîna gentiment avec lui. Les jambes d'Amanda flageolaient alors qu'ils gagnaient le centre du petit salon. La musique baignait la pièce de nostalgie et, l'espace d'un instant, tous deux semblèrent un peu désemparés. Amanda attendit, observa Dawson qui se tournait vers elle, le visage indéchiffrable. Il posa la main sur sa hanche, l'attira vers lui. Leurs corps se rapprochèrent et elle s'abandonna à son étreinte, sentant la vigueur de son torse et de son bras qui lui entourait la taille. Tout doucement, ils se mirent à chalouper.

Amanda se sentait si bien contre lui. Elle s'enivrait de son odeur, fraîche et naturelle, comme dans son souvenir. Elle se délectait de son ventre plat et musclé, de ses cuisses vigoureuses contre les siennes. En fermant les yeux, elle posa la tête contre son épaule, envahie de désir, tandis qu'elle songeait à la première nuit où ils avaient fait l'amour. Elle tremblait, cette nuit-là, et tremblait à présent.

La chanson se termina, mais ils restèrent dans les bras l'un de l'autre quand une nouvelle musique débuta. Elle sentait le souffle chaud de Dawson dans son cou et l'entendit exhaler un soupir de délivrance. Il approcha encore son visage et elle pencha la tête en arrière, totalement offerte, souhaitant que cette danse ne s'achève jamais, que leur étreinte dure toujours.

Les lèvres de Dawson effleurèrent d'abord son cou, puis sa joue et, même si une petite voix lointaine la prévenait du danger imminent, Amanda savourait comme jamais ces baisers papillonnant sur sa peau.

Ils s'embrassèrent alors, un peu hésitants au début, puis avec passion, comme pour rattraper toute une vie de séparation. Les mains de Dawson s'enhardirent à la caresser avec un regain de fièvre et, quand ils se détachèrent enfin, Amanda prit seulement conscience de toutes ces années écoulées où elle s'était languie d'une telle d'étreinte. Et de lui. Les yeux mi-clos, elle contempla Dawson en le désirant plus fort que tous les hommes qu'elle avait jamais connus. Elle le désirait entièrement, là, maintenant. Elle sentait qu'il la désirait tout autant et, dans un mouvement quasi anticipé, elle l'embrassa de nouveau, avant de l'entraîner vers la chambre à coucher.

13

Journée merdique. Elle avait commencé merdique, l'après-midi et la soirée avaient suivi pareil. Même le temps était merdique. Abee avait l'impression de mourir. Voilà des heures qu'il pleuvait comme vache qui pisse. Sa chemise dégoulinait et il avait beau essayer, impossible de calmer tantôt les frissons, tantôt les suées qui l'assaillaient.

Il voyait bien que Ted ne s'en tirait pas mieux. En sortant de l'hosto, c'est tout juste s'il avait pu reprendre la voiture sans se casser la gueule. Mais ça ne l'avait pas empêché de filer au fin fond de sa baraque, là où il stockait tous ses flingues. Ils avaient donc chargé le pick-up, avant de partir chez Tuck.

Le hic, c'est qu'il n'y avait personne. Deux voitures étaient garées devant, mais aucun signe de leurs proprios. Abee savait que Dawson et la fille allaient revenir. Forcément, puisque leurs bagnoles étaient là. Si bien que Ted et lui s'étaient séparés, avant de se poster chacun dans un coin pour attendre.

Et attendre. Et attendre encore…

Ça faisait bien deux plombes qu'ils étaient là, quand la pluie se mit à tomber. Encore une heure sous la flotte et ses frissons reprirent. Chaque fois qu'il avait la chair de poule, ses yeux se révulsaient à cause de sa douleur au bide. Ma parole, il avait l'impression de crever. Il essaya de penser à Candy, histoire de passer le temps, mais du coup ça l'obligeait à se demander si ce mec serait de retour au bar, ce soir. Et ça lui foutait la haine et le faisait encore plus grelotter, avant qu'il se remettre à transpirer à grosses gouttes, et ainsi de suite. Il se demanda où Dawson avait bien pu passer et ce que lui-même faisait là, pour commencer. Il n'était même pas sûr de croire ce que Ted lui avait dit sur Dawson – en fait, il n'y croyait pas du tout –, mais il lui suffit de croiser le regard mauvais de Ted pour décider de ne pas ramener sa science. Ted n'allait pas jeter l'éponge sur ce coup-là. Et pour la première fois de sa vie, Abee avait peur de la réaction de Ted, si par malheur il allait le voir pour lui annoncer qu'ils rentraient à la maison.

Pendant de ce temps, Candy et ce mec étaient à coup sûr au bar. Tous deux devaient bien rigoler et échanger des petits sourires complices. Rien que d'imaginer la scène, il sentit son cœur s'emballer. Une douleur fulgurante l'envahit à nouveau et, pendant une seconde, il crut qu'il allait tomber dans les pommes. Il allait tuer ce mec ! Ma parole, la prochaine fois qu'il le verrait, il le tuerait et veillerait à ce que Candy pige bien comme il faut les règles du jeu. Il devait d'abord se débarrasser de ce petit problème familial, si bien que Ted serait là pour lui donner un coup de main. Dieu sait qu'il n'était pas en état de gérer ce truc tout seul.

*
* *

Une autre heure s'écoula, et le soleil baissa davantage dans le ciel. Ted eut l'impression qu'il allait dégueuler. À chacun de ses mouvements, il avait l'impression que sa tête allait exploser, sans compter que son bras le démangeait tellement sous le plâtre qu'il voulait s'arracher ce bordel. Impossible de respirer par le nez, vu qu'il était tout enflé. Et il n'avait qu'une envie : voir Dawson se pointer, pour lui régler son compte en deux temps trois mouvements.

Rien à foutre si l'ex-pom-pom girl était avec lui. Hier, il s'inquiétait pour les témoins, mais plus maintenant. Il n'aurait qu'à planquer le corps de la fille aussi. Peut-être que les gens penseraient que tous les deux avaient fui ensemble.

M'enfin, tout ça ne lui disait pas ce que fabriquait Dawson, putain ! Où est-ce qu'il avait foutu le camp toute la sainte journée ? Et sous la pluie, avec ça ! Il avait sans doute pas prévu ça, c'est sûr. De l'autre côté du chemin, Abee donnait l'impression de crever sur place. Son frangin avait quasiment viré au vert, mais Ted ne pouvait pas agir seul. Pas avec une seule main valide et le cerveau qui lui sifflait dans le crâne. Rien que de respirer lui faisait un mal de chien et, chaque fois qu'il remuait, la tête lui tournait tellement qu'il devait se tenir à quelque chose pour éviter de basculer cul par-dessus tête.

À mesure que le soir tombait et que la brume se pointait, Ted n'arrêtait pas de se dire qu'ils arriveraient d'une minute à l'autre, mais il avait de plus en plus de mal à s'en convaincre. Il n'avait rien avalé depuis la veille, et ses vertiges ne faisaient qu'empirer.

Sur le coup de 10 heures du soir, toujours aucun signe des deux autres. Onze heures. Puis minuit, avec les étoiles entre les nuages qui formaient une nappe de lumières clignotantes dans le ciel.

Il crevait de froid, était courbaturé de partout et dégueulait maintenant de la bile. Ted commença à trembler de manière incontrôlable, incapable de se réchauffer.

Une heure du matin et toujours personne. À 2 heures, Abee finit par se pointer vers lui en titubant. C'est tout juste s'il tenait debout. À ce moment-là, même Ted comprit que Dawson et la nana ne reviendraient plus ce soir, alors son frangin et lui regagnèrent le pick-up tant bien que mal. Il se souvenait à peine du trajet de retour, ni comment Abee et lui se cramponnaient l'un à l'autre en descendant de la bagnole. Tout ce qu'il se rappela, c'était son sentiment de rage en s'écroulant sur son lit, et puis plus rien.

14

Le dimanche matin à son réveil, Amanda mit quelques secondes à retrouver ses repères, avant que la soirée lui revienne brusquement en mémoire. À l'extérieur, les oiseaux gazouillaient, tandis que le soleil filtrait par les interstices entre les tentures. Elle se retourna prudemment et découvrit qu'elle était seule dans le lit. Sa déception céda bientôt la place à la confusion.

Elle se redressa en tenant le drap contre elle et jeta un regard vers la salle de bains, se demandant où Dawson était passé. Voyant qu'il n'y avait plus ses vêtements, elle posa les pieds par terre, enveloppée dans le drap, et l'aperçut dans l'embrasure de l'entrée, assis sur les marches du perron. Amanda se retourna et s'habilla à la hâte, avant de filer dans la salle de bains. Elle se donna un coup de peigne, puis gagna l'entrée à pas feutrés, sachant qu'elle avait besoin de lui parler. Que lui aussi devait éprouver le même désir.

Dawson se retourna en entendant la porte grincer dans son dos. Il lui sourit, son duvet de barbe lui donnant un faux air de voyou.

— Salut ! lança-t-il en s'emparant d'un gobelet de café posé près de lui.

Il le tendit à Amanda, gardant le sien coincé entre ses cuisses.

— Où as-tu trouvé ça ? s'enquit-elle.

— À la supérette du coin. À mon humble avis, c'est le seul endroit de Vandemere qui vend du café. Mais il n'est sans doute pas aussi bon que celui que tu buvais vendredi matin.

Il la regarda prendre le gobelet et s'asseoir à ses côtés.

— Tu as bien dormi ?

— Oui, répondit-elle. Et toi ?

— Pas vraiment, dit-il dans un léger haussement d'épaules, avant de se tourner vers les fleurs. La pluie a fini par s'arrêter.

— J'ai remarqué.

— Je devrai sans doute laver la voiture après l'avoir rapportée chez Tuck. Je peux appeler Morgan Tanner, si tu veux.

— Je m'en chargerai. Je suis sûre qu'on devra discuter, de toute manière. (Amanda savait que ces propos insignifiants leur permettaient d'éviter de parler de ce qui leur tenait évidemment à cœur.) Tu ne vas pas bien, si ?

Les épaules de Dawson s'affaissèrent, mais il resta muet.

— Tu es contrarié, murmura-t-elle, la mort dans l'âme.

— Non, avoua-t-il en la surprenant, avant de passer son bras autour d'elle. Pas du tout. Pourquoi je le serais ?

Il se pencha et l'embrassa avec tendresse, puis s'écarta lentement.

— Écoute, reprit-elle, à propos d'hier soir…

— Tu sais ce que j'ai découvert ? l'interrompit-il. Pendant que j'étais assis là ?

Elle secoua la tête, l'air déconcerté.

— J'ai trouvé un trèfle à quatre feuilles, expliqua-t-il. Près des marches, juste avant que tu sortes. Là, au beau milieu de l'herbe. (Il lui offrit le délicat brin de verdure, qu'il avait gardé dans un bout de papier.) C'est censé porter chance… J'y ai aussi beaucoup réfléchi ce matin.

Amanda perçut des notes d'inquiétude dans sa voix et eut un sombre pressentiment.

— Mais de quoi tu parles, Dawson ? demanda-t-elle calmement.

— De la chance. Des fantômes. Du destin.

Sa réponse ne fit rien pour atténuer le trouble d'Amanda, qui le regarda boire une gorgée de café. Il abaissa son gobelet, et son regard se perdit dans le vague.

— J'ai failli mourir, dit-il enfin. Je ne sais pas… J'aurais sans doute dû y passer. Rien que ma chute aurait dû me tuer. Ou l'explosion. Bon sang, quand j'y pense, j'aurais même dû mourir il y a deux jours…

Sa voix s'évanouit, tandis qu'il se plongeait dans ses pensées.

— Tu me fais peur, Dawson…

Il se ressaisit et reprit la parole.

— Au printemps, il y a eu un incendie sur la plate-forme… commença-t-il.

Puis il lui raconta tout : le brasier sur le pont, comment il avait sauté à l'eau et vu l'homme brun, comment cet inconnu l'avait mené à la bouée de sauvetage, puis avait ressurgi vêtu d'un coupe-vent bleu, avant de disparaître ensuite à bord du bateau de ravitaillement. Il lui relata tout ce qui s'était passé dans les semaines qui avaient suivi, sa sensation d'être observé, et en quelles circonstances il avait revu l'homme brun à la marina. Enfin, il lui décrivit sa confrontation avec Ted, ainsi que l'apparition inexplicable de l'homme brun, avant que celui-ci se volatilise dans le bois.

Quand il eut terminé, Amanda sentit son pouls s'affoler alors qu'elle tentait de comprendre.

— Tu es en train de m'annoncer que Ted a essayé de te tuer ? Qu'il a débarqué chez Tuck avec un pistolet pour te traquer… et tu n'as même pas jugé utile de m'en parler hier ?

Dawson secoua la tête d'un air apparemment indifférent.

— C'était fini. L'affaire était réglée.

Elle entendit sa propre voix monter dans les aigus.

— Tu largues son corps devant la vieille propriété et tu appelles Abee ? Tu prends son flingue et tu le jettes à l'eau ? C'est ça, régler l'affaire ?

Dawson n'avait visiblement pas envie d'entamer une discussion à ce sujet.

— C'est ma famille, dit-il. C'est comme ça qu'on règle les problèmes.

— Tu n'as rien à voir avec eux.

— J'ai toujours été l'un des leurs. Je suis un Cole, tu te souviens ? Ils se pointent, on se bat, ils reviennent à la charge. C'est ce qu'on fait.

— Alors, cette histoire n'est pas encore finie ?

— Pas pour eux, en tout cas.

— Qu'est-ce que tu comptes faire ?

— Ce que je fais depuis le début. Tâcher d'être discret, de me tenir le plus possible à l'écart. Ça ne devrait pas être trop difficile. À part pour laver la voiture ou peut-être repasser au cimetière, je n'ai aucune raison de traîner là-bas.

Une idée soudaine, un peu floue au début, prit forme dans l'esprit d'Amanda, qui sentit la panique l'envahir.

— C'est pour cette raison qu'on n'est pas retournés là-bas hier soir ? demanda-t-elle. Parce que tu pensais qu'ils risquaient de se trouver chez Tuck ?

— Je suis sûr qu'ils y étaient. Mais non… c'est pas la raison de notre retour ici. J'ai pas du tout pensé à eux hier. J'ai plutôt vécu une journée fabuleuse avec toi.

— Tu ne leur en veux pas ?

— Pas particulièrement.

— Comment tu peux agir comme ça ? Ignorer le problème, alors que tu sais qu'ils sont à tes trousses ? questionna Amanda, qui sentait l'adrénaline monter en elle. Encore une conception tordue de ta destinée en tant que Cole ?

— Non, dit-il en secouant à peine la tête. Je ne pensais pas à eux parce que je pensais à toi. Et depuis le jour où tu es entrée dans ma vie, j'ai toujours fonctionné comme ça. Ils n'occupent pas mes pensées parce que je t'aime, et il n'y a pas de place dans ma tête pour les deux.

Elle baissa les yeux.

— Dawson…

— T'es pas forcée de le dire, murmura-t-il en lui coupant la parole.

— Bien sûr que si, insista Amanda, qui se pencha et scella ses lèvres à celles de Dawson.

Lorsqu'ils s'écartèrent, les paroles s'échappèrent de sa bouche aussi naturellement qu'un soupir :

— Je t'aime, Dawson Cole.

— Je sais, dit-il en la prenant par la taille. Je t'aime aussi.

*
* *

L'orage avait débarrassé l'air de son humidité, laissant dans son sillage un ciel azur et de doux effluves fleuris. De temps à autre, une goutte tombait du toit pour s'écraser sur le lierre et les fougères, les faisant miroiter dans la lumière dorée matinale. Dawson avait gardé son bras autour d'Amanda, qui restait blottie contre lui en savourant le contact de leurs deux corps.

Après qu'elle eut remis le trèfle dans le bout de papier pour le glisser dans sa poche, ils se levèrent et flânèrent dans la propriété en se tenant enlacés. Tout en évitant les fleurs sauvages – le sentier emprunté la veille était boueux –, ils firent le tour par-derrière. La maisonnette se dressait sur une petite falaise, en contrebas de laquelle coulait la Bay River, presque aussi large que la Neuse. Au bord de l'eau, ils aperçurent un héron qui pataugeait et, un peu plus loin, des tortues qui se doraient au soleil sur la berge.

Ils restèrent un petit moment et profitèrent au maximum du cadre idyllique, avant de regagner la demeure. Sur le pas de la porte, Dawson attira Amanda vers lui et l'embrassa à nouveau ; elle lui rendit son baiser, exaltée à la pensée de l'aimer plus que jamais. Lorsqu'ils se séparèrent enfin, elle perçut la sonnerie à peine audible d'un portable. Son téléphone lui rappelait la vie qui l'attendait ailleurs. Amanda pencha la tête comme à regret, et Dawson l'imita. Leurs fronts s'effleurèrent, tandis que la sonnerie persistait, et Amanda ferma les yeux. Le bruit semblait ne jamais vouloir s'arrêter, mais lorsque le portable se tut enfin, elle releva les paupières et dévisagea Dawson en espérant qu'il comprendrait.

Il hocha la tête et poussa la porte. Elle entra dans la maison et se retourna, avant de comprendre qu'il ne la suivrait pas. Puis, après l'avoir vu s'installer sur les marches, elle se força à gagner la chambre. Elle dénicha ensuite son portable dans son sac, puis consulta la liste des appels manqués.

Brusquement, la nausée la gagna, tandis que son esprit entrait en ébullition. Elle fila dans la salle de bains tout en se déshabillant. D'instinct, elle fit l'inventaire de ce qu'elle devait faire, de ce qu'elle allait dire. Elle ouvrit le robinet de la douche et fouilla les placards en quête de shampooing et de savon, qu'elle trouva fort heureusement. Puis elle se glissa sous le jet d'eau et tenta de faire disparaître ce sentiment de panique qui lui collait à la peau. Ensuite, elle s'essuya et s'habilla en se séchant les cheveux comme elle le put. Puis elle se maquilla avec soin, grâce à la petite trousse de produits qu'elle gardait toujours dans son sac.

De retour dans la chambre, Amanda ne perdit pas une minute. Elle refit le lit, remit les oreillers en place, récupéra la bouteille de vin quasi vide au salon et versa le restant dans l'évier de la cuisine. En glissant celle-ci dans la poubelle en dessous du bac, elle hésita à deux reprises avant de l'emporter, puis décida de la laisser là. Sur la table basse, elle récupéra les deux verres, qu'elle rinça ensuite avant de les essuyer pour les ranger. Comme si elle dissimulait des preuves.

Mais il restait les appels. Les appels manqués. Les messages.

Amanda allait devoir mentir. Confier à Frank à quel endroit elle avait passé la nuit lui paraissait tout bonnement impossible. Elle n'osait imaginer ce que ses enfants pourraient penser. Ou sa mère. Elle allait devoir régler ça. D'une façon ou d'une autre, elle allait devoir tout régler… Cependant, une petite voix insistante lui murmurait : *Sais-tu au moins ce que tu as fait ?*

Debout dans la cuisine, bouleversée, elle crut qu'elle allait fondre en larmes. Et peut-être que ça se serait produit si la minute d'après, comme s'il devinait son désarroi, Dawson n'était pas entré. Il la prit dans ses bras et lui murmura à nouveau qu'il l'aimait et, pendant un instant, aussi incroyable que cela puisse paraître, Amanda sentit que tout allait bien se passer.

*
**

Tous deux restèrent silencieux durant le trajet du retour. Dawson devinait toute l'anxiété qu'elle éprouvait et se gardait bien d'intervenir, mais il tenait le volant d'une main ferme.

Amanda avait la gorge sèche... les nerfs, à l'évidence. Seule la présence de Dawson à ses côtés l'empêchait de craquer. Dans sa tête, les souvenirs cédaient la place aux projets, avant de passer le relais aux sentiments, puis aux soucis, l'un après l'autre, tel un kaléidoscope qui tournoyait sans cesse. Perdue dans ses pensées, elle vit à peine les kilomètres défiler.

Ils parvinrent à Oriental un peu avant midi et passèrent devant la marina ; quelques minutes plus tard, ils bifurquaient dans l'allée. Elle observa vaguement l'attitude de Dawson, crispé sur le volant, ses yeux furetant ici et là dans les arbres qui bordaient le chemin. Il était sur le qui-vive. *Ses cousins*, pensa-t-elle alors et, comme la voiture ralentissait, l'incrédulité s'afficha soudain sur le visage de Dawson.

En suivant son regard, Amanda se tourna vers la maison. Apparemment, rien n'avait changé et leurs véhicules étaient garés au même endroit. Mais lorsqu'elle vit ce que Dawson avait déjà remarqué, elle découvrit qu'elle n'éprouvait pratiquement rien. Elle savait depuis le début que ça arriverait.

Dawson s'arrêta et Amanda se tourna vers lui en lui décochant un bref sourire, tandis qu'elle tentait de lui assurer qu'elle pouvait gérer la situation.

— Elle m'a laissé trois messages, dit-elle dans un haussement d'épaules, l'air désarmé.

Dawson acquiesça, sachant qu'elle devait affronter la situation toute seule. Amanda prit une profonde inspiration en ouvrant la portière et sortit, pas le moins du monde étonnée de constater que sa mère avait visiblement pris le temps de soigner sa toilette pour l'occasion.

15

Dawson regarda Amanda se diriger tout droit vers la maison, laissant sa mère libre de la suivre ou non. Evelyn parut incapable de se décider. À l'évidence, c'était la première fois qu'elle venait chez Tuck, un endroit peu pratique pour quiconque arborait un tailleur pantalon crème agrémenté d'un collier de perles, surtout après un orage. L'air hésitant, elle se tourna vers Dawson. Elle le fixa, impassible, comme si réagir à sa présence se révélait indigne d'elle.

Finalement, elle se détourna et suivit sa fille sur la véranda. Amanda était déjà installée dans l'un des rocking-chairs. Dawson, quant à lui, rentra lentement dans le garage.

Il descendit de la Stingray, puis s'appuya contre l'établi. De l'endroit où il se tenait, impossible de voir Amanda, pas plus qu'il ne pouvait imaginer ce qu'elle disait à sa mère. Tandis qu'il parcourait du regard l'atelier, une pensée lui titilla la mémoire, une parole prononcée par Morgan Tanner quand Amanda et lui se trouvaient dans son cabinet. L'avocat avait déclaré que Dawson et Amanda sauraient à quel moment lire la lettre que Tuck avait adressée à chacun d'eux. Et, tout à coup, Dawson comprit que

Tuck souhaiterait qu'il lise la sienne maintenant. Tuck avait dû prévoir la manière dont la situation évoluerait.

Dawson sortit l'enveloppe de sa poche. Il la déplia et passa un doigt sur son nom, griffonné de la même écriture tremblante que celle de la missive qu'Amanda et lui avaient lue ensemble. Puis il retourna l'enveloppe et sortit la lettre. Contrairement à la première, celle-ci tenait sur une seule page recto verso. Dans la quiétude du garage où il avait autrefois élu domicile, Dawson commença à lire.

Dawson,

Je ne sais pas trop par où commencer, si ce n'est en te disant qu'au fil des années j'ai fini par bien connaître Amanda. J'aimerais me dire qu'elle n'a pas changé depuis la première fois où j'ai posé les yeux sur elle, mais je ne peux pas sincèrement l'affirmer. À l'époque, vous deux restiez souvent dans votre coin et, comme beaucoup de jeunes gens, vous cessiez de parler sitôt que j'arrivais dans les parages. Ça ne me posait aucun problème, soit dit en passant. À votre âge, je faisais pareil avec Clara. J'ignore si son père avait même entendu le son de ma voix avant qu'on soit mariés, mais c'est une autre histoire.

Là où je veux en venir, c'est qu'à l'époque je ne savais pas vraiment qui était Amanda, mais je sais qui elle est maintenant, et disons que j'ai compris pourquoi tu ne l'as jamais oubliée. Elle est pétrie de bonté, pardi. Elle déborde d'amour, de patience. En plus d'être vive comme l'éclair, c'est à n'en pas douter la plus jolie femme qui ait jamais arpenté les rues de cette ville. Mais c'est sa gentillesse que je préfère, je crois, parce que j'ai vécu assez longtemps pour apprécier une qualité aussi rare.

Je ne t'apprends sans doute rien que tu ne saches déjà, mais ces dernières années j'en suis venu à la considérer comme ma fille. Ça signifie que je dois te parler un peu comme le ferait son père, parce que les pères ne servent pas à grand-chose s'ils ne se font pas un peu de bile. Surtout à propos d'Amanda. D'autant que tu dois comprendre qu'Amanda souffre, depuis un petit bout de temps, je pense. Je l'ai senti la première fois qu'elle est venue me voir et j'ai dû espérer que sa détresse n'était que passagère, mais, au fur et à mesure de ses visites, elle me paraissait de plus en plus mal. De temps à autre, je me réveillais et je la voyais bricoler dans le garage, alors j'ai commencé à me dire que tu devais être en partie responsable de ce qu'elle éprouvait. Elle était hantée par le passé, hantée par toi. Mais tu dois me croire quand je te dis que les souvenirs fonctionnent bizarrement. Parfois, ils sont bien réels, mais à d'autres moments ils deviennent ce qu'on veut qu'ils soient. Et, à sa manière, je crois bien qu'Amanda essayait de comprendre ce que le passé signifiait réellement pour elle. C'est pourquoi j'ai organisé ce week-end. J'ai eu comme l'intuition que le fait de te revoir serait le seul moyen pour Amanda de sortir du tunnel... si toutefois cette expression signifie quelque chose.

Mais, comme je te le disais, elle souffre et, s'il y a une chose que j'ai apprise, c'est que les gens qui souffrent ne voient pas toujours la situation aussi clairement qu'ils devraient la voir. Amanda arrive à une étape de sa vie où elle doit prendre certaines décisions, et c'est là que tu interviens. À vous de trouver tous les deux ce qui va se passer ensuite, mais n'oublie pas qu'il lui faudra peut-être plus de temps qu'à toi. Il se pourrait même qu'elle change d'avis une ou deux fois. Mais dès lors que la décision finale sera prise, vous devrez tous les deux l'accepter. Et si, n'importe comment, ça ne marche pas entre vous, Amanda et toi devrez alors comprendre que vous ne pouvez plus vous tourner sans cesse vers le passé. Sinon, ça finira par vous détruire tous les deux. Ni elle ni toi ne pouvez plus continuer à vivre avec des regrets, parce que ça vous tue à petit feu et, rien que d'y penser, j'en ai le cœur brisé. Après tout, si j'ai fini par considérer Amanda comme ma fille, je te considère aussi comme mon fils. Et si j'avais un seul souhait à formuler avant de mourir, ce serait de vous savoir heureux, d'une manière ou d'une autre, mes enfants.

Tuck

Amanda observa sa mère, qui testait le plancher branlant de la véranda, comme si elle craignait de passer à travers. Evelyn hésita aussi face au rocking-chair, ne sachant trop s'il lui était nécessaire de s'asseoir.

Amanda éprouva une lassitude familière en voyant sa mère s'installer avec précaution dans le fauteuil. Evelyn se tenait assise de telle sorte que son postérieur soit le moins possible en contact avec le bois.

Ainsi positionnée à sa manière, Evelyn se tourna vers elle en attendant visiblement qu'elle prenne la parole, mais Amanda s'y refusait. Elle savait que rien de ce qu'elle dirait ne faciliterait cette conversation, si bien qu'elle évitait volontiers son regard et préférait contempler les rayons du soleil traversant la cime des arbres.

Sa mère finit par lever les yeux au ciel.

— Franchement, Amanda ! Cesse de te comporter comme une gamine. Je ne suis pas ton ennemie. Je suis ta mère.

— Je sais d'avance ce que tu vas me dire, répliqua Amanda d'une voix monocorde.

— Peut-être mais, malgré tout, l'une des responsabilités d'un parent consiste à veiller à ce que ses enfants sachent qu'ils commettent une erreur.

— C'est donc ce que tu penses ? rétorqua Amanda, qui la regarda en plissant les yeux.

— Et comment appellerais-tu cela, sinon ? Tu es une femme mariée.

— Tu crois peut-être que je ne le sais pas ?

— Tu n'agis pas comme telle, en tout cas. Tu n'es pas la première épouse au monde malheureuse dans son couple. Ni la première à agir en fonction de cette mésentente conjugale. La différence avec toi, c'est que tu continues de rejeter la faute sur autrui.

— Mais de quoi tu parles ? demanda Amanda, dont les mains se crispaient sur les accoudoirs du fauteuil.

— Tu en veux au monde entier, Amanda. Tu m'en veux à moi, à Frank et, après la mort de Bea, tu en as même voulu à Dieu. Tu cherches partout la cause de tes problèmes, en oubliant de te regarder dans le miroir. Au lieu de quoi, tu déambules en jouant les martyrs. « Pauvre petite Amanda qui lutte contre l'adversité dans ce monde si cruel. » La vérité, c'est que la vie n'est facile pour aucun d'entre nous. Elle ne l'a jamais été et ne le sera jamais. Mais si tu étais honnête envers toi-même, tu comprendrais que tu n'es pas tout à fait innocente non plus dans cette histoire.

Amanda riposta :

— Et moi qui espérais de toi une vague étincelle de sympathie ou de compréhension. Je me trompais, j'imagine.

— C'est vraiment ce que tu penses ? s'enquit Evelyn en enlevant une poussière imaginaire sur son pantalon immaculé. Dans ce cas, je t'écoute… Que serais-je censée te dire ? Devrais-je te tenir la main et te demander comment tu te sens ? Devrais-je te mentir en affirmant que tout va très bien se passer ? Qu'il n'y aura aucune répercussion, même si tu t'es débrouillée pour garder Dawson secret ? Il y a toujours des répercussions, Amanda. Tu es assez grande pour le savoir. Ai-je besoin de te le rappeler ?

Amanda s'efforça de ne pas exploser.

— Tu ne vois pas où je veux en venir.

— Et toi non plus. Tu ne me connais pas aussi bien que tu le penses.

— Je te connais, maman.

— Ah oui, c'est vrai. Selon tes propres termes, je suis incapable de te témoigner « une étincelle de sympathie ou de compréhension », répliqua Evelyn en tripotant le petit diamant à son oreille. Ce qui nous amène bien sûr à la question suivante : pourquoi je t'ai couverte hier soir ?

— Quoi ?

— Lorsque Frank a appelé. La première fois, j'ai fait l'innocente, tandis qu'il me parlait du parcours de golf qu'il avait prévu de faire aujourd'hui avec son ami Roger. Plus tard, quand il a rappelé, je lui ai dit que tu dormais déjà, alors que je savais exactement ce que tu manigançais. Je savais que tu étais en compagnie de Dawson et, au dîner, j'ai deviné que tu ne rentrerais pas.

— Comment pouvais-tu le savoir ? s'enquit Amanda en essayant de dissimuler sa stupéfaction.

— N'as-tu jamais remarqué combien Oriental était petit ? Les endroits où louer une chambre ne courent pas les rues. Pour commencer, j'ai parlé avec Alice Russell, du bed & breakfast, au téléphone. Nous avons eu une agréable conversation, d'ailleurs. Elle m'a confié que Dawson avait réglé sa note, mais le simple fait de le savoir en ville m'a suffi pour comprendre ce qui se passait. Je suppose que c'est pour cette raison que j'ai préféré venir ici, plutôt que de t'attendre chez moi. J'ai pensé que nous pourrions éviter les mensonges et les faux-semblants, et que cela faciliterait la discussion de ton côté.

Amanda se sentait un peu prise de vertige.

— Merci, marmonna-t-elle. De n'avoir rien dit à Frank.

— Ce n'est pas mon rôle de lui dire quoi que ce soit qui puisse ajouter des problèmes à ton couple. Ce que tu confies à Frank ne regarde que toi. En ce qui me concerne, il ne s'est rien passé.

Amanda ravala la boule d'amertume qui lui serrait la gorge.

— Alors, pourquoi es-tu là ?

Sa mère soupira.

— Parce que tu es ma fille. Tu ne souhaites peut-être pas me parler, mais j'espère en tout cas que tu vas m'écouter.

Amanda perçut de la déception dans le ton de sa mère.

— Je n'ai aucune envie d'entendre les détails sordides de ce qui s'est passé hier soir, ni tes reproches à mon égard pour n'avoir jamais accepté Dawson. Pas plus que je ne désire discuter de tes problèmes avec Frank. Ce que j'aimerais, en revanche, c'est te donner un conseil. En tant que mère. Malgré ce que tu peux penser parfois, tu restes ma fille et je tiens à toi. Le tout, c'est de savoir si tu es prête à m'écouter…

— Oui, répondit Amanda d'une voix à peine audible. Qu'est-ce que je devrais faire ?

Le visage d'Evelyn perdit alors toute sa raideur calculée, tandis que sa voix se teintait d'une douceur incroyable.

— C'est vraiment très simple, dit-elle. Ne suis pas mon conseil.

Amanda attendit la suite, mais sa mère n'ajouta rien d'autre. Elle ne savait trop quoi penser d'une phrase aussi sibylline.

— Tu es en train de me dire de quitter Frank ? finit-elle par murmurer.

— Non.

— Alors, je devrais tenter de résoudre les problèmes avec lui ?

— Je n'ai pas dit cela non plus.

— Je suis perdue…

— Ne complique pas ce qui ne l'est pas.

À ces mots, sa mère se leva, rajusta sa veste, puis s'avança vers les marches du perron.

Amanda battait des paupières, essayant de comprendre ce qui se passait.

— Attends… Tu t'en vas déjà ? Tu n'as rien dit !

Evelyn se tourna vers elle.

— Bien au contraire. J'ai dit le plus important.

— « Ne suis pas mon conseil » ?

— Exactement, confirma sa mère. Ne suis ni le mien, ni celui de qui que ce soit. Aie confiance en toi. Que tu agisses bien ou mal, qu'elle soit heureuse ou malheureuse, il s'agit de ta vie. Et ce que tu en fais a toujours dépendu de toi.

Evelyn posa un escarpin verni sur la première marche, qui grinça, tandis que son visage recouvrait son habituel masque imperturbable.

— Sinon, je suppose que je te verrai plus tard ? Quand tu reviendras chercher tes affaires ?

— Oui.

— Je te préparerai un en-cas et des fruits, conclut sa mère en descendant les marches.

Arrivée à sa voiture, elle remarqua Dawson dans l'atelier et l'observa brièvement avant de se détourner. Puis elle se mit au volant et disparut dans l'allée.

*
**

Dawson posa la lettre de côté puis quitta le garage, les yeux rivés sur Amanda. Elle contemplait la forêt, plus détendue qu'il ne l'aurait imaginé, mais impossible d'en lire davantage sur son visage.

Comme il s'approchait de la véranda, elle le gratifia d'un faible sourire avant de se détourner. Dawson sentit la crainte lui nouer l'estomac.

Il s'installa dans le rocking-chair vide, puis se pencha en avant et joignit les mains sans dire un mot.

— Tu vas me demander comment ça s'est passé, oui ou non ? le questionna Amanda.

— Je me suis dit que tu allais me le raconter tôt ou tard. À condition que tu veuilles en parler, bien sûr.

— Suis-je aussi prévisible que ça ?

— Non.

— Bien sûr que si. Ma mère, en revanche…

Elle se caressa le lobe de l'oreille, comme pour gagner du temps.

— Si jamais je te dis que je connais ma mère par cœur, n'hésite pas à me rappeler ce qui s'est passé aujourd'hui, OK ?

— Compte sur moi, dit-il dans un hochement de tête.

Amanda prit une longue inspiration, avant de s'exprimer d'une voix singulièrement distante.

— Quand elle est arrivée sur la véranda, j'ai tout de suite deviné la tournure de notre conversation. Elle allait me tirer les vers du nez, puis me dire que je commettais une erreur monumentale. Ensuite, j'aurais droit au sermon d'usage sur les aspirations et les responsabilités, puis je lui couperais la parole en lui reprochant de ne pas me comprendre. J'ajouterais que je t'aimais depuis toujours, que Frank ne me rendait plus heureuse et que je souhaitais vivre avec toi.

Elle se tourna vers Dawson, le suppliant du regard dans l'espoir que lui la comprenne.

— Je m'entendais déjà prononcer ces paroles, mais…

Dawson vit le visage d'Amanda se fermer.

— Ma mère a cette façon bien à elle de m'obliger à tout remettre en question.

— Tu parles de nous, devina-t-il, alors que sa crainte lui nouait davantage l'estomac.

— De moi, dit-elle dans un murmure. Mais sinon… je faisais aussi allusion à nous. Car j'avais plus que jamais envie de lui dire tout ça, parce que c'est vrai.

Elle secoua la tête, comme pour essayer de chasser les vestiges d'un rêve.

— Mais quand ma mère à commencé à parler, j'ai eu soudain l'impression de replonger dans ma vraie vie, et je m'entendais déjà parler autrement. Un peu comme s'il y avait deux radios, chacune branchée sur une station différente. Dans l'autre version, je m'entendais dire que je ne souhaitais pas que Frank soit au courant de tout ça. Et que les enfants m'attendaient à la maison. Et quoi que je dise ou essaye de leur expliquer, ma démarche resterait toujours foncièrement égoïste.

Lorsqu'elle s'interrompit, Dawson la regarda faire tourner son alliance d'un air absent.

— Annette est encore petite, enchaîna Amanda. Je ne m'imagine pas l'abandonner, pas plus que la priver de son père, d'ailleurs. Comment expliquer un truc pareil à une enfant ? Et Jared et Lynn ? Ils sont presque adultes, mais est-ce que ce serait plus facile pour eux ? D'apprendre que j'ai brisé la famille dans le seul but de te rejoindre… Comme pour tenter de revivre ma jeunesse… dit-elle d'une voix angoissée. J'adore mes enfants et j'aurais le cœur brisé de lire la déception sur leur visage chaque fois qu'ils poseraient les yeux sur moi.

— Ils t'aiment aussi, souligna Dawson, une boule dans la gorge.

— Je sais. Mais je ne veux pas les placer dans cette situation, dit-elle en grattant la peinture qui s'écaillait sur le rocking-chair. Je ne veux pas les décevoir ou qu'ils me détestent. Quant à Frank… oui, il a des problèmes et, oui, je suis tout le temps aux prises avec mes sentiments envers lui. Il n'a pas un mauvais fond et je sais qu'une part de moi restera attachée à lui. J'ai parfois l'impression qu'il arrive à survivre grâce à moi. Mais ce n'est pas le genre d'homme capable de se faire à l'idée que je puisse le quitter pour quelqu'un d'autre. Crois-moi quand je te dis qu'il serait incapable de s'en remettre. Ça le… détruirait, tout bonnement, et après que se passerait-il ? Se mettrait-il à boire davantage ? À sombrer dans une profonde dépression ? Je ne sais pas si je peux lui faire une chose pareille. Et puis, bien sûr, il y a toi…

Dawson devina la suite.

— Ce week-end a été merveilleux, mais coupé de la vraie vie. C'était une sorte de lune de miel… et, au bout d'un moment, la magie s'en ira. On peut toujours se dire que ça n'arrivera pas et se faire toutes les promesses du monde, mais c'est inévitable… et, après, tu ne me regarderas plus jamais de la manière dont tu me regardes en ce moment. Je ne serai plus la femme dont tu rêves ou la fille que tu aimais autrefois. Et tu ne seras plus celui que j'aimais et que j'avais perdu de vue depuis longtemps, ni mon seul véritable amour. Tu deviendras celui que mes enfants détestent parce qu'il aura brisé notre famille, et tu me verras sous mon vrai jour. D'ici quelques années, je serai simplement une femme qui frise la cinquantaine avec trois enfants qui la haïssent, et qui risque de finir par se détester elle-même à cause de tout ça. Au bout du compte, tu finiras toi aussi par la haïr.

— Tu te trompes, riposta Dawson d'une voix ferme.

Amanda rassembla tout son courage.

— Bien sûr que non. Les lunes de miel s'achèvent forcément un jour.

Il posa une main sur la cuisse d'Amanda.

— Être ensemble n'a rien à voir avec une lune de miel, dit-il. C'est toi et moi dans la réalité. Je veux me réveiller à tes côtés le matin, passer mes soirées à te regarder, assise en face de moi, à la table du dîner, partager le moindre détail de ma journée avec toi et réciproquement. Je veux rire avec toi et m'endormir avec toi dans mes bras. Parce que tu n'es pas seulement celle que j'ai aimée dans le passé. Tu étais ma meilleure amie, tu représentais ce qu'il y avait de meilleur en moi, et je n'imagine pas de nouveau renoncer à tout ça.

Il hésita, en quête des mots les plus justes.

— Il se peut que tu ne comprennes pas, mais je t'ai donné le meilleur de moi-même, et après ton départ plus rien n'était pareil.

Dawson sentait ses mains devenir moites.

— Je sais que tu as peur, et moi aussi. Mais si on rate le coche cette fois encore, si on fait comme si rien n'était jamais arrivé, alors je suis certain qu'aucune autre occasion ne se présentera.

Il écarta une mèche qui barrait les yeux d'Amanda, tout en ajoutant :

— On est encore jeunes. Il est encore temps pour nous de rectifier le tir.

— On n'est plus si jeunes…

— Détrompe-toi, insista Dawson. On a tout le reste de notre vie.

— Je sais, murmura-t-elle. C'est pourquoi j'ai besoin de ton aide…

— Je t'écoute…

Amanda avait beaucoup de mal à retenir ses larmes.

— Je t'en prie… ne me demande pas de partir avec toi, parce que si tu le fais je te suivrai. Ne me demande pas de parler de nous à Frank, parce que je le ferai. Ne me demande pas de renoncer à mes responsabilités ou de briser ma famille.

Elle respirait avec peine, haletant comme une personne qui se noie.

— Je t'aime, et si tu m'aimes aussi, alors tu ne peux pas me demander de faire tout ça. Parce que je n'ai pas assez confiance en moi pour refuser.

Lorsqu'elle eut terminé, Dawson resta muet. Même s'il ne souhaitait pas l'admettre, il savait qu'il y avait beaucoup de vrai dans les propos d'Amanda. Briser sa famille bouleverserait tout, à commencer par elle-même ; et, bien que cela l'effrayât, Dawson se souvint de ce que Tuck lui disait dans sa lettre. « Il lui faudra peut-être plus de temps qu'à toi. » Ou peut-être que l'histoire était vraiment finie et que Dawson était censé aller de l'avant.

Mais c'était impossible. Il se rémémora toutes les années où il avait rêvé de la revoir, et l'avenir que tous deux risquaient de ne jamais partager. Il ne voulait pas lui laisser du temps, mais qu'elle le choisisse, lui, maintenant. Pourtant, il savait qu'il devait plus que jamais accéder à sa requête et il soupira, comme si cela pouvait en quelque sorte l'aider à répondre.

— OK, murmura-t-il enfin.

Amanda fondit alors en larmes. Luttant contre les émotions qui faisaient rage en lui, Dawson se leva. Elle l'imita et il l'attira tout contre lui en la sentant s'effondrer. Tandis qu'il s'imprégnait une dernière fois de son parfum, des images tournoyèrent dans sa tête : le soleil miroitant sur les cheveux d'Amanda quand elle était sortie du garage, lorsqu'il était revenu pour la première fois chez Tuck ; son élégance naturelle lorsqu'elle flânait parmi les fleurs à Vandemere ; la douceur avide avec laquelle leurs lèvres s'étaient effleurées dans la chaleur de cette maisonnette dont il ignorait jusqu'à l'existence. À présent, la fin approchait et Dawson avait l'impression d'entrevoir la dernière lueur d'espoir s'éteindre au fond d'un interminable tunnel.

Ils s'étreignirent longuement sur la véranda. Amanda écoutait battre le cœur de Dawson, persuadée que plus rien ne lui semblerait aussi parfait. Elle mourait d'envie de tout recommencer. Elle ne se tromperait pas, cette fois ; elle resterait auprès de lui, ne l'abandonnerait plus. Ils étaient faits l'un pour l'autre et s'appartenaient. *Il leur restait encore du temps pour vivre leur histoire.* Elle faillit même prononcer cette phrase en sentant les mains de Dawson dans ses cheveux. Mais les mots restèrent au fond de sa gorge. Si bien qu'elle préféra murmurer :

— Je suis heureuse d'avoir pu te revoir, Dawson Cole.

Dawson savourait la douceur soyeuse de la chevelure d'Amanda.

— Peut-être qu'on pourra remettre ça un jour ? suggéra-t-il.

— Peut-être, dit-elle en essuyant une larme sur sa joue. Qui sait ? Peut-être que je vais recouvrer mes esprits et débarquer un beau matin en Louisiane. Avec les enfants, je veux dire.

Il grimaça un sourire, tandis qu'un espoir furtif lui déchirait le cœur.

— Je ferai à dîner, proposa-t-il. Pour tout le monde.

Mais il était temps de rentrer pour Amanda. Alors qu'ils descendaient les marches, Dawson lui donna sa main qu'elle serra fort, à en avoir mal. Ils récupérèrent ses affaires dans la Stingray, puis elle regagna lentement sa voiture. Tous les sens de Dawson étaient exacerbés… Le soleil matinal picotait sa nuque, la brise caressait sa peau avec la légèreté d'une plume, le feuillage bruissait alentour, mais rien ne semblait réel. Il savait que tout serait bientôt fini.

La main d'Amanda se cramponnait à la sienne. Lorsqu'ils parvinrent à son véhicule, il ouvrit la portière et se tourna vers elle. Il l'embrassa avec une douceur infinie, puis ses lèvres suivirent le chemin de ses larmes en lui effleurant les joues. Il redessina l'ovale de son visage en songeant aux mots que Tuck avait écrits. Dawson ne tournerait jamais la page, se disait-il à présent avec une certitude soudaine, en dépit de ce que Tuck lui avait demandé. Amanda resterait la seule femme qu'il aimerait jamais, la seule femme qu'il ait jamais souhaité aimer.

Puis elle se détacha de lui. Une fois au volant, elle démarra et referma la portière avant d'abaisser la vitre. Les yeux de Dawson étincelaient de larmes, qui reflétaient celles d'Amanda. À contrecœur, elle passa la marche arrière. Dawson recula sans dire un mot, sa douleur faisant écho à l'angoisse gravée sur le visage d'Amanda.

Elle fit demi-tour et prit la direction de la grand-route. Le monde se brouillait sous ses yeux. Comme elle tournait dans l'allée, elle lança un regard dans le rétroviseur et étouffa un sanglot en voyant la silhouette immobile de Dawson rétrécir à mesure qu'elle s'éloignait. Il semblait figé sur place.

Ses larmes redoublèrent quand la voiture accéléra. Les arbres surgissaient de tous côtés comme pour l'étouffer. Elle mourait d'envie de rebrousser chemin, de retrouver Dawson et de lui dire qu'elle avait le courage d'être enfin celle qu'elle souhaitait devenir. Elle murmura son nom et, même s'il ne pouvait l'entendre, Dawson leva la main en un ultime adieu.

*
* *

Sa mère était assise sur la véranda quand Amanda la retrouva. Evelyn sirotait un verre de thé glacé, tandis que la radio diffusait de la musique douce. Amanda passa devant elle sans dire un mot et grimpa au premier, dans sa chambre. Elle ouvrit le robinet de la douche, se déshabilla et se retrouva nue devant le miroir, comme épuisée, vidée de sa substance.

La pluie d'eau brûlante sur sa peau lui fit l'effet d'un châtiment et, lorsqu'elle sortit enfin de la salle de bains, elle enfila un jean et un simple corsage en coton, avant de ranger le reste de ses affaires dans sa valise. Comme toujours, elle retira les draps du lit et les porta dans la buanderie. Puis elle les glissa sans réfléchir dans le lave-linge.

De retour dans sa chambre, son pense-bête mental reprit du service alors qu'elle dressait la liste des activités qui l'attendaient. Elle se rappela qu'il fallait faire réparer le distributeur de glaçons du réfrigérateur, elle avait oublié de s'en occuper avant de partir. Elle devait commencer à organiser la collecte de fonds pour l'hôpital. Voilà un petit moment qu'elle repoussait l'échéance, mais septembre serait là avant qu'elle s'en rende compte. Il lui fallait trouver un traiteur, et ce serait sans doute une bonne idée de solliciter des donations pour les corbeilles de cadeaux. Lynn devait s'inscrire aux cours de préparation à l'examen d'entrée en fac, et Amanda ne se souvenait plus s'ils avaient réglé la caution pour la chambre en cité universitaire de Jared. Annette allait rentrer plus tard dans la semaine et voudrait sans doute un plat spécial pour son retour.

Faire des projets. Oublier le week-end, réintégrer sa vraie vie. Comme le jet brûlant de la douche qui la débarrassait de l'odeur de Dawson sur sa peau, une autre forme de punition l'attendait.

Mais, alors même que son esprit commençait à se calmer, Amanda savait qu'elle n'était pas encore prête à redescendre au rez-de-chaussée. Elle préféra donc s'asseoir sur le lit, tandis que le soleil baignait la chambre d'une lumière apaisante. Tout à coup, elle revit le regard de Dawson quand elle l'avait laissé dans l'allée. L'image lui apparaissait nettement, comme si la scène se reproduisait à l'instant sous ses yeux et, malgré elle, malgré tout le reste… Amanda comprit brusquement qu'elle prenait la mauvaise décision. Elle pouvait toujours rejoindre Dawson, et tous deux pourraient trouver un moyen de faire en sorte que ça marche, peu importe les défis qui

les attendaient. Avec le temps, ses enfants lui pardonne-
raient ; avec le temps, elle pourrait même se pardonner.

Mais Amanda restait comme paralysée, incapable de se
résoudre à bouger.

« Je t'aime », murmura-t-elle dans la pièce silencieuse,
en imaginant son avenir balayé comme autant de grains de
sable soufflés par le vent du large, un avenir qui ressemblait déjà à un rêve inassouvi.

16

Debout dans la cuisine de la ferme, Marilyn Bonner observait distraitement les ouvriers qui réglaient le système d'irrigation du verger un peu plus bas. Malgré le déluge de la veille, les arbres avaient encore besoin d'eau, et elle savait que les hommes s'activeraient une grande partie de la journée, même si c'était le week-end. Marilyn en était venue à comparer le verger à une sorte d'enfant gâté, presque jamais content, nécessitant toujours davantage d'attention et de soins.

Toutefois, le cœur de son affaire se situait de l'autre côté du verger, dans la petite fabrique où on mettait en bocaux les confitures et les conserves. Pendant la semaine, une dizaine de personnes y travaillaient, mais l'endroit était désert le week-end. Elle entendait encore les gens d'Oriental murmurer, lors du lancement, que son affaire ne pourrait pas supporter le coût d'une telle installation. Et peut-être qu'elle avait en effet pris des risques à l'époque ; mais, petit à petit, les commérages avaient cessé. Certes, Marilyn ne s'enrichirait jamais en produisant gelées et confitures, mais elle savait l'entreprise assez saine pour la transmettre à ses enfants et leur assurer à tous deux des revenus confortables. En définitive, c'était tout ce qu'elle souhaitait.

Marilyn arborait la même tenue qu'elle avait portée à l'église puis au cimetière. D'ordinaire, elle en changeait aussitôt rentrée à la maison, mais elle n'en avait pas la force aujourd'hui. Pas plus qu'elle n'avait d'appétit, ce qui n'était guère habituel. N'importe qui aurait pensé qu'elle couvait quelque chose, mais Marilyn savait parfaitement ce qui la tracassait.

Elle se détourna de la fenêtre et balaya la cuisine du regard. Voilà quelques années qu'elle l'avait fait rénover, avec les salles de bains et la majeure partie du rez-de-chaussée. Si bien qu'à ses yeux l'ancienne ferme commençait à devenir sa maison... ou plutôt le genre de maison qu'elle avait toujours souhaité. Jusqu'à la rénovation, elle se sentait davantage chez ses parents, une impression qui la dérangeait à mesure qu'elle vieillissait. Des tas d'autres choses l'incommodaient dans sa vie d'adulte au parcours semé d'embûches mais, aussi difficiles que furent certaines années, Marilyn avait su tirer parti de son expérience. Au bout du compte, elle avait bien moins de regrets que les gens pouvaient l'imaginer.

Cependant, quelque chose qu'elle avait vu un peu plus tôt ce matin l'agaçait encore, et elle ne savait trop comment agir. Ou même si elle devait agir, d'ailleurs. Certes, elle pouvait faire mine d'en ignorer la signification et laisser le temps accomplir sa magie.

Mais elle avait appris à ses dépens qu'ignorer une situation n'était pas toujours la meilleure solution. Brusquement, Marilyn sut ce qu'elle devait faire et elle attrapa son sac.

*
* *

Après avoir coincé le dernier carton sur le siège passager de sa voiture, Candy rentra chez elle pour récupérer la statue de bouddha en or sur le rebord de fenêtre du salon. Aussi moche qu'il soit, elle l'avait toujours plutôt aimé, s'imaginant qu'il lui portait chance. C'était aussi sa police d'assurance et, porte-bonheur ou pas, elle prévoyait de le mettre en gage le plus tôt possible, sachant qu'elle aurait besoin d'argent pour prendre un nouveau départ.

Elle enveloppa donc le bouddha dans du papier journal et le glissa dans la boîte à gants, avant de reculer pour vérifier son chargement. Candy n'en revenait pas d'avoir pu tout caser dans la Mustang. Le coffre fermait tout juste, et tant de choses s'entassaient sur le siège passager qu'on ne pouvait rien voir par la vitre, sans compter que le moindre coin et recoin de l'habitacle était occupé par un objet. Candy devait à tout prix cesser d'acheter n'importe quoi sur Internet. À l'avenir, elle aurait besoin d'un véhicule plus grand, sinon elle aurait encore plus de mal à foutre le camp en vitesse. Bien sûr, elle aurait pu laisser deux ou trois trucs. La machine à cappuccino, par exemple, mais à Oriental elle en avait eu besoin, ne serait-ce que pour ne pas se sentir dans un bled perdu. Ça donnait une petite touche citadine à son intérieur, pour ainsi dire.

En tout cas, elle avait fait le plus gros. Elle terminerait son service au Tidewater en fin de soirée, puis elle filerait sur l'autoroute en mettant le cap au sud dès qu'elle atteindrait l'Interstate-95. Candy avait décidé de s'installer en Floride. Elle avait entendu plein de trucs sympas sur South Beach, et c'était apparemment le genre d'endroit où elle pourrait peut-être rester un petit bout de temps. Voire s'installer. OK, elle savait qu'elle avait déjà dit ça avant et ça ne s'était pas fait, mais une fille avait bien le droit de rêver, non ?

Côté pourboires, elle avait touché le pactole samedi soir, mais le vendredi s'était révélé décevant, d'où sa résolution de rester une soirée de plus. Pourtant, le vendredi soir avait bien commencé : en la voyant vêtue d'un débardeur et d'un minishort, les mecs vidaient quasiment leur portefeuille pour attirer son attention, mais Abee s'était pointé et avait tout gâché. Il s'était installé à une table, visiblement malade comme un chien et en nage comme s'il sortait du sauna. Puis il avait passé la demi-heure suivante à la bouffer des yeux avec son air débile.

Elle y avait déjà eu droit – à ce genre de possessivité qui frisait la parano –, mais Abee était carrément un cran au-dessus, vendredi soir. Bref, elle avait hâte que le week-end se termine. D'autant qu'elle sentait qu'Abee était à deux doigts de faire une connerie, peut-être même un truc grave. Elle était certaine qu'il allait péter un câble ce soir-là et peut-être qu'il l'aurait fait mais, heureusement, quelqu'un l'avait appelé sur son portable et il avait dû quitter le bar en vitesse. Elle s'attendait plus ou moins à le retrouver devant chez elle le samedi matin ou l'attendant au bar le samedi soir, mais, bizarrement, il ne s'était pas pointé. À son grand soulagement, il ne s'était pas montré aujourd'hui non plus. Tant mieux ! Vu que sa voiture bourrée à bloc la trahissait et qu'Abee n'aurait pas apprécié de savoir qu'elle se tirait. Même si elle ne voulait pas l'admettre, Abee lui faisait peur. Et il avait même effrayé la moitié du bar, vendredi soir. L'établissement avait commencé à se vider sitôt qu'Abee était entré, si bien qu'elle avait vu ses pourboires fondre comme neige au soleil. Même après le départ d'Abee, les gens avaient mis du temps à revenir.

Mais tout ça se terminerait d'ici peu. Encore un service et elle roulerait vers le Sud. Et Oriental, comme tous les autres endroits où elle avait vécu, ne serait bientôt plus qu'un souvenir.

Pour Alan Bonner, le dimanche était toujours un peu déprimant, parce qu'il savait que le week-end touchait à sa fin. Travailler, décida-t-il, c'était pas aussi génial qu'on le disait.

Non pas qu'il ait vraiment le choix. Sa mère tenait à ce qu'il « fasse ses preuves tout seul », comme elle disait… ou un truc dans ce goût-là, et ça l'emmerdait un peu. Ç'aurait été sympa de sa part de l'embaucher comme directeur de la fabrique de confitures : il aurait pu s'installer dans un bureau avec la clim, donner des ordres et superviser le boulot, plutôt que de livrer des amuse-gueule à des supérettes. Mais qu'est-ce qu'il pouvait bien y faire ? C'était m'man la patronne, et elle réservait ce poste à sa sœur, Emily. Contrairement à lui, Emily avait décroché un diplôme à la fac.

Toutefois, il n'avait pas trop à se plaindre. Il possédait son petit chez-soi, offert par maman, et c'était la boîte qui réglait les factures, ce qui voulait dire que tout l'argent qu'Alan gagnait tombait direct dans sa poche. Mieux encore, il pouvait aller et venir à sa guise, un sacré avantage par rapport à l'époque où il vivait dans la maison. Et puis, travailler pour sa mère, même dans un bureau avec la clim, ça n'aurait pas été évident. D'abord, s'il bossait pour elle, ils seraient tout le temps dans les pattes l'un de l'autre, ce que ni lui ni elle n'auraient apprécié. Ajoutez à ça que m'man était du genre à cheval sur la paperasse – ce qui n'avait jamais été son fort à lui –, alors Alan savait qu'il était mieux loti comme ça. Grosso modo, il pouvait faire ce qu'il voulait, quand il voulait, avec ses soirées et ses week-ends entièrement pour lui.

Le vendredi soir avait été plutôt cool, parce que le Tidewater n'était pas aussi blindé que d'habitude. Pas après l'arrivée d'Abee, en tout cas. Les gens étaient pressés de se barrer, du coup. Mais Alan était resté au bar et, pendant un moment, c'était carrément… agréable. Il pouvait parler à Candy, et elle avait même l'air intéressée par ce qu'il disait. Bien sûr, elle flirtait avec les autres mecs, mais il avait l'impression de lui plaire. Si bien qu'il en avait espéré davantage le samedi, mais l'endroit était bourré de monde. Les gens se bousculaient au bar et chaque table était occupée. C'est tout juste s'il s'entendait réfléchir, et il pouvait encore moins parler à Candy.

Mais chaque fois qu'il lui commandait un truc, elle lui souriait par-dessus la tête des autres gars, et ça lui donnait de l'espoir pour ce soir. Le dimanche, il n'y avait jamais grand-monde, et Alan s'était préparé toute la matinée pour inviter Candy à sortir avec lui. Bon, il n'était pas sûr qu'elle dirait oui, mais qu'est-ce qu'il avait à perdre ? C'était pas comme si elle était mariée, pas vrai ?

*
* *

À trois heures de route vers l'ouest, Frank se tenait sur le green d'exercice au dix-huitième trou et buvait sa bière, tandis que Roger se préparait pour un coup roulé. Roger jouait à merveille, bien mieux que Frank. Aujourd'hui, Frank n'était pas fichu de réussir un coup pour sauver son honneur. Il saucissonnait ses coups de départ. Ses coups d'approche se révélaient trop courts. Quant à ses coups roulés, il préférait ne pas y penser.

Toutefois, il tenta de se rappeler qu'il n'était pas là pour s'inquiéter de son score. Cette sortie lui offrait l'occasion de s'échapper du cabinet dentaire et de passer du temps avec son meilleur ami, Roger ; bref, de prendre l'air et de se détendre. Malheureusement, ça ne marchait pas. Tout le monde savait que la joie du golf résidait dans la réussite d'un long drive sur le fairway ou d'un coup roulé à soixante centimètres du trou. Jusqu'ici, il n'avait pas réussi un seul coup digne de ce nom, et au huitième trou il avait dû frapper cinq fois la balle avant de la faire rentrer. Cinq fois ! Avec un jeu aussi minable, autant essayer de faire un putt dans le moulin ou la bouche du clown, au golf miniature du coin. Même le retour imminent d'Amanda ne parvenait pas à lui remonter le moral. À ce rythme-là, il n'était pas vraiment sûr d'avoir envie de regarder le match ensuite, vu qu'il n'allait sans doute pas en profiter.

Il finit sa bière en se disant qu'il avait bien fait de remplir la glacière. La journée s'annonçait longue.

*

* *

Jared savourait l'absence de sa mère, puisqu'il pouvait sortir aussi tard qu'il le souhaitait. Toute cette histoire de permission de minuit était ridicule. Il était en fac et les étudiants faisaient ce qu'ils voulaient, mais personne n'en avait visiblement informé sa mère. Lorsqu'elle reviendrait d'Oriental, il allait devoir la mettre au parfum.

Non pas que ça lui ait posé problème ce week-end. Une fois dans les bras de Morphée, son père dormait d'un sommeil de plomb. Ça laissait le champ libre à Jared pour ses sorties nocturnes. Vendredi soir, il n'était pas rentré avant 2 heures du matin et, hier soir, à 3 heures passées. Son père n'y avait vu que du feu. Ou peut-être qu'il n'était pas dupe, mais Jared n'avait aucun moyen de le savoir. Quand il s'était levé ce matin, son père était déjà parti faire un golf avec son ami Roger.

Jared ressentait cependant les effets de ces sorties nocturnes. Après avoir cherché dans le frigo de quoi manger, il songea à se recoucher, histoire de piquer un somme. Parfois, rien ne valait une petite sieste en plein après-midi. Sa petite sœur était en colo, Lynn au lac Norman et ses parents absents. Autrement dit, il avait la maison pour lui tout seul.

Tout en s'étirant sur son lit, Jared hésitait à couper son portable. Il ne tenait pas à être dérangé… mais Melody risquait d'appeler. Ils étaient sortis ensemble vendredi soir, puis s'étaient rendus à une fête hier soir et, même s'ils ne se fréquentaient pas depuis longtemps, Jared l'aimait bien. À vrai dire, il l'aimait beaucoup.

Il laissa son portable en veille et se glissa entre les draps. Quelques minutes plus tard, il dormait.

*
* *

Dès son réveil, Ted sentit une douleur fulgurante dans sa tête et, même si les images lui arrivaient par bribes dans le cerveau, le puzzle se reconstitua peu à peu. Dawson, son nez cassé, l'hosto. Son bras dans le plâtre. Hier soir, l'attente sous la pluie, pendant que Dawson gardait ses distances en se foutant de sa gueule…

Dawson se foutait ouvertement de lui.

Ted se redressa doucement en position assise, tandis que sa cervelle lui cognait les tempes et que son estomac faisait la culbute. Il grimaça, mais même ça lui faisait mal et, lorsqu'il effleura son visage, la douleur fut insoutenable. Son nez avait la taille d'une patate, et la nausée l'assaillait par vagues. Il se demanda s'il arriverait jusqu'aux toilettes pour pisser un coup.

Ted repensa au démonte-pneu qui lui avait écrabouillé la gueule, puis à cette foutue soirée passée sous la pluie, et il sentit sa colère monter. Dans la cuisine, le bébé braillait si fort que ses vagissements couvraient le raffut de la télé. Ted plissa les yeux, mais ne parvint pas à ignorer le vacarme, alors il sortit du lit en vacillant.

Sa vision se troublait dans les angles ; il tendit la main vers le mur pour éviter de tomber. Puis il inspira un grand coup et serra les dents comme le bébé continuait de brailler. Pourquoi Ella ne lui faisait pas fermer sa gueule, bordel ? Et pourquoi le son de la télé était si fort ?

Ted trébucha en gagnant la salle de bains, mais il leva le plâtre trop vite pour se rattraper en sortant, si bien qu'il reçut une décharge électrique dans le bras. Comme il poussait un cri, la porte de la chambre s'ouvrit à toute volée dans son dos. Les hurlements du gosse lui faisaient penser à des coups de couteau entre les oreilles et, en se retournant, il vit deux Ella et deux bébés.

—Fais quelque chose pour qu'il arrête de brailler, sinon je m'en charge, grogna-t-il. Et éteins cette foutue télé !

Elle sortit de la pièce. Ted virevolta en fermant un œil, tandis qu'il essayait de trouver son Glock. Sa vision en double s'atténua lentement et il repéra le flingue sur la table de nuit, près de ses clés de bagnole. Il s'y prit à deux fois pour choper le Glock. Dawson s'était foutu de lui tout le week-end, mais il était temps que ça se termine.

Ella le dévisagea, les yeux comme des soucoupes, quand il sortit de la chambre. Elle avait réussi à calmer le môme, mais oublié d'éteindre la télé. Le bruit lui vrillait le crâne. Ted s'avança brusquement dans le petit salon et colla un coup de latte dans la télé, l'envoyant s'écrabouiller par terre. La petite de trois ans se mit à hurler, tandis qu'Ella et le gamin braillèrent de concert. Quand Ted franchit la porte, son estomac fit un roulé-boulé et la nausée la saisit.

Il se plia en deux et dégueula au bord de la véranda. Puis il s'essuya la gueule, avant de fourrer son flingue dans

sa poche. Cramponné à la balustrade, il descendit doucement les marches. Le pick-up se brouillait sous ses yeux,
mais Ted partit dans sa direction.

Dawson n'allait pas s'en tirer comme ça. Pas cette fois.

*
* *

Abee se tenait à la fenêtre de sa baraque et regardait
Ted chavirer vers le pick-up. Il savait exactement où Ted
allait, même s'il mettait un temps fou pour arriver à sa
bagnole. Il virait un coup à gauche, un coup à droite, à
croire qu'il était incapable de marcher tout droit.

Même s'il était mal foutu hier soir, Abee se sentait bien
mieux à son réveil. Les médocs du véto avaient dû faire
effet, parce que sa fièvre était tombée et, même si son
entaille au bide restait sensible au toucher, elle paraissait
moins rouge que la veille.

Non pas qu'il se sente au top de sa forme. Loin de là.
Mais il allait drôlement mieux que Ted, c'est sûr, et n'avait
franchement pas envie que le reste de la famille voie son
frangin dans cet état. Déjà que le bruit circulait plus ou
moins que Dawson l'avait encore emporté sur Ted…
et c'était pas bon signe. Parce que ça voulait dire qu'ils
se demandaient s'ils pourraient pas eux aussi prendre le
dessus sur lui, et c'était la dernière chose qu'il lui fallait, là,
maintenant.

Bref, quelqu'un devait tuer le ver dans le fruit. Si bien
qu'Abee ouvrit la porte et partit rejoindre son frère.

17

Après avoir nettoyé la Stingray au jet d'eau, Dawson rangea le tuyau d'arrosage, puis descendit au bord de la rivière, derrière la maison de Tuck. C'était l'après-midi et il faisait trop chaud pour voir les rougets sauter, si bien que la surface de l'eau semblait lisse et inerte comme du verre. Tout paraissait figé, et Dawson se surprit à se remémorer ses ultimes instants en compagnie d'Amanda.

Quand elle s'était éloignée, il avait dû se faire violence pour ne pas courir après la voiture et essayer de la convaincre de changer d'avis. Il voulait lui dire encore combien il l'aimait. Mais il l'avait regardée partir et savait tout au fond de lui qu'il la voyait pour la dernière fois, tout en se demandant ce qui lui prenait de la laisser de nouveau lui échapper.

Dawson n'aurait jamais dû revenir à Oriental. Il n'y avait pas sa place et ne l'avait jamais eue. Il ne s'y sentait pas chez lui, et il était temps qu'il s'en aille. À vrai dire, il savait qu'il forçait sa chance avec ses cousins, en s'attardant dans le coin. Dawson tourna donc les talons et longea la maison pour regagner sa voiture. Il lui restait une halte à faire en ville, puis il quitterait Oriental une fois pour toutes.

*
* *

Amanda ne savait plus depuis combien de temps elle se trouvait là dans sa chambre. Une heure ou deux, voire davantage. Chaque fois qu'elle jetait un œil par la fenêtre, elle voyait sa mère assise sur la véranda en contrebas, un livre ouvert sur les genoux. Evelyn avait couvert les aliments pour éloigner les mouches. Pas une seule fois elle ne s'était levée pour voir si Amanda allait bien, depuis son retour, mais Amanda ne s'attendait pas non plus à ce qu'elle le fasse. Elles se connaissaient suffisamment l'une l'autre pour savoir qu'Amanda descendrait lorsqu'elle serait fin prête.

Frank avait appelé tout à l'heure depuis le golf. Il ne s'était pas attardé, mais elle devinait déjà qu'il avait bu en l'entendant parler. En dix ans, elle avait appris à reconnaître aussitôt les signes de son ébriété. Bien qu'elle n'ait pas manifesté une grande envie de discuter, Frank n'avait rien remarqué. Non pas parce qu'il était ivre, ce qu'il était à l'évidence, mais parce que, après un début exécrable, il avait fini le parcours de golf en réussissant quatre pars. C'était peut-être la première fois qu'Amanda était ravie qu'il ait bu. Elle savait qu'il serait trop fatigué quand elle rentrerait à la maison, si bien qu'il s'endormirait sans doute avant qu'elle aille se coucher. Faire l'amour avec lui était bien la dernière chose qui la tentait. Impossible de gérer un truc pareil ce soir.

Cependant, elle n'était pas prête à descendre. Elle se leva du lit et gagna la salle de bains. Puis elle fouilla l'armoire à pharmacie et y dénicha un flacon de gouttes ophtalmiques. Elle en versa quelques-unes dans ses yeux rougis et bouffis, puis se donna un coup de peigne. Ça ne l'aida pas vraiment, mais Amanda s'en moquait, d'autant que Frank ne se rendrait compte de rien.

Dawson, en revanche, aurait remarqué. Avec Dawson, elle aurait soigné son apparence.

Elle repensa à lui, comme elle le faisait depuis son retour chez sa mère, tout en essayant de maîtriser ses émotions. Tandis qu'elle lançait un regard vers les affaires qu'elle avait préparées tout à l'heure, elle repéra le coin d'une enveloppe qui dépassait de son sac à main. Amanda s'approcha et s'en empara en voyant son nom griffonné de la main tremblante de Tuck. Elle se rassit sur le lit, ouvrit l'enveloppe et sortit la lettre avec l'étrange sentiment que Tuck détenait les réponses à ses interrogations.

Chère Amanda,

Quand tu liras ça, tu seras sans doute confrontée aux choix les plus difficiles de ton existence, en ayant à coup sûr l'impression que le monde s'effondre autour de toi.

Si tu te demandes comment je peux le deviner, disons juste que j'ai fini par drôlement bien te connaître ces dernières années. Je me suis toujours fait du souci pour toi, Amanda. Mais c'est pas le sujet de cette lettre. Je ne peux pas te dire comment agir, et je doute que je puisse dire quoi que soit pour t'aider à te sentir mieux. Je vais plutôt te raconter une histoire. Elle concerne Clara et moi, et c'en est une que tu ne connais pas, parce que je n'ai jamais trouvé la manière adéquate de te la raconter. J'avais honte et je crois bien que je craignais que tu ne viennes plus me voir, parce que tu risquais de penser que je t'avais menti depuis le début.

Clara n'était pas un fantôme. Oh ! Je l'ai vue, bien sûr, et je l'ai même entendue. Je ne dis pas que ces choses-là n'ont pas eu lieu, parce qu'elles ont vraiment existé. Tout ce que j'ai écrit dans la lettre destinée à Dawson et toi était vrai. J'ai vu Clara ce fameux jour, à mon retour de Vandemere, et plus je m'occupais des fleurs, plus je la voyais apparaître. L'amour peut faire des miracles, mais, tout au fond de moi, je savais bien qu'elle n'était pas vraiment là. Je voyais Clara parce que j'avais envie de la voir. Je l'entendais parce qu'elle me manquait. Ce que j'essaye de te dire, en fait, c'est que Clara était le fruit de mon imagination, rien de plus, même si j'avais envie de me persuader du contraire, quitte à me voiler la face.

Il se peut que tu te demandes pourquoi je te raconte ça maintenant, alors autant te le dire. J'ai épousé Clara à l'âge de dix-sept ans et on en a vécu quarante-deux ensemble, en fusionnant nos vies et nous-mêmes pour former un tout indestructible. Après sa mort, les vingt-huit années qui ont suivi ont été si douloureuses que la plupart des gens — moi y compris — ont cru que j'allais perdre la boule.

Tu es encore jeune, Amanda. Tu n'en as peut-être pas l'impression mais, à mes yeux, tu es encore une enfant avec une longue vie devant toi. Écoute-moi bien : j'ai vécu avec la vraie Clara, puis avec son fantôme et, de toutes les deux, une m'a comblé de bonheur tandis que l'autre n'était que son pâle reflet. Si tu te détournes à présent de Dawson, tu vivras à jamais avec le fantôme de celui qu'il aurait pu être pour toi. Je sais bien que, dans cette vie, des innocents sont inévitablement blessés par les décisions qu'on doit prendre. Traite-moi de vieux bonhomme égoïste, si tu veux, mais je n'ai jamais voulu que tu sois comme eux.

Tuck

Amanda rangea la lettre dans son sac, convaincue que Tuck avait raison. Cette vérité s'imposait à elle comme jamais et la laissait pantelante.

Dans une sorte de hâte désespérée, elle rassembla ses affaires et les emporta au rez-de-chaussée. D'ordinaire, elle les aurait posées près de la porte jusqu'à ce qu'elle soit prête à partir. Au lieu de quoi, elle se surprit à ouvrir la porte, puis à marcher tout droit vers sa voiture.

Amanda flanqua ses bagages dans le coffre, avant de faire le tour du véhicule. Alors seulement elle remarqua sa mère, debout sur la véranda, qui l'observait.

Aucune des deux ne parla. Elles se dévisagèrent simplement. Amanda éprouvait l'impression étrange que sa mère devinait où elle se rendait mais, avec les paroles de Tuck encore présentes dans sa tête, Amanda avait d'autres soucis en tête. Il lui fallait à tout prix retrouver Dawson.

Il était peut-être encore chez Tuck, mais elle en doutait. Nettoyer la Stingray n'avait pas dû l'occuper longtemps et, avec ses cousins dans la nature, il ne s'attarderait sans doute pas en ville.

Cependant, il existait un autre endroit où Dawson avait dit qu'il se rendrait peut-être...

Sans réfléchir, elle le revoyait soudain y faire allusion et, en prenant le volant, Amanda devina où elle pouvait peut-être le trouver.

*
* *

Au cimetière, Dawson descendit de la voiture, puis effectua à pied le court chemin qui le séparait de la tombe de David Bonner.

Dans le passé, il préférait venir à des heures irrégulières, en évitant de se faire remarquer.

Aujourd'hui, ce serait impossible. Le week-end, le cimetière accueillait davantage de monde. Toutefois, personne ne parut lui prêter attention, encore qu'il gardait la tête baissée.

Lorsqu'il atteignit enfin la tombe, il nota qu'on avait déplacé les fleurs déposées vendredi. Sans doute le gardien en tondant la pelouse. Dawson s'accroupit et arracha quelques brins d'herbe plus longs que la tondeuse avait manqués, près de la pierre tombale.

Il se remit à penser à Amanda, tandis qu'un sentiment de solitude intense l'envahissait. Dawson savait que sa vie était maudite depuis le début et, en fermant les yeux, il dit une dernière prière pour David Bonner, sans se douter qu'une ombre venait de se fondre dans la sienne et qu'une personne se tenait juste derrière lui.

*
**

Arrivée dans la grand-rue d'Oriental, Amanda s'arrêta au carrefour. Sur la gauche, la voie menait à la marina puis chez Tuck. En obliquant à droite, elle quitterait la ville puis retrouverait la nationale pour rentrer chez elle. Tout droit, derrière les grilles en fer forgé, il y avait le cimetière, où le Dr David Bonner reposait en paix. Dawson avait dit qu'il y passerait avant de partir.

Les grilles étaient ouvertes. Amanda balaya du regard la demi-douzaine de véhicules garés sur le parking, puis retint son souffle en repérant la voiture de location. Trois jours plus tôt, il l'avait garée auprès de celle d'Amanda en arrivant chez Tuck. Ce matin, elle se tenait encore tout près de ce véhicule, quand il l'avait embrassée pour la dernière fois.

Dawson était là.

« On est encore jeunes, lui avait-il dit. Il est encore temps pour nous de rectifier le tir. »

Le pied d'Amanda écrasait la pédale de frein. Dans la rue principale, un minivan qui roulait vers le centre-ville passa bruyamment, lui bouchant un instant la vue. Sinon la route était déserte.

Si elle la traversait pour aller se garer, Amanda savait qu'elle pourrait retrouver Dawson. Elle pensa à la lettre de

Tuck, aux années de chagrin qu'il avait dû endurer sans la présence de Clara, et Amanda sut qu'elle avait pris la mauvaise décision. Elle ne pouvait imaginer sa vie sans Dawson.

Elle voyait déjà la scène se dérouler dans sa tête. Elle surprendrait Dawson occupé à se recueillir sur la tombe du Dr Bonner et s'entendait lui dire qu'elle avait eu tort de s'en aller. Elle sentait déjà le bonheur qui l'envahirait quand il la prendrait de nouveau dans ses bras, en sachant qu'ils étaient faits pour vivre ensemble.

Si elle le rejoignait, Amanda savait qu'elle le suivrait n'importe où. Mais elle sentait plus que jamais le poids de ses responsabilités… Aussi releva-t-elle tout doucement le pied de la pédale de frein et, plutôt que d'aller tout droit, elle tourna à droite, un sanglot dans la gorge, tandis qu'elle s'engageait sur la grand-route et prenait la direction de son foyer.

Amanda accéléra, en essayant une énième fois de se convaincre que sa décision était la bonne, la plus réaliste qui soit. Derrière elle, le cimetière s'éloignait de plus en plus.

— Pardonne-moi, Dawson… murmura-t-elle en espérant qu'il l'entende quelque part, alors même qu'elle aurait souhaité n'avoir jamais prononcé ces paroles.

*
**

Un bruissement dans son dos arracha Dawson à sa torpeur et il se redressa. Surpris, il la reconnut sur-le-champ, mais ne trouva pas ses mots.

— Vous êtes donc là, déclara Marilyn Bonner. Sur la tombe de mon mari.

— Désolé, dit-il en baissant les yeux. Je n'aurais pas dû venir.

— Pourtant, vous l'avez fait. Et vous êtes venu récemment aussi.

Comme Dawson ne réagissait pas, elle indiqua les fleurs d'un hochement de tête.

— Je mets un point d'honneur à venir ici après l'office. Elles n'étaient pas là le week-end dernier et se révèlent trop fraîches pour qu'on les ait déposées dans la semaine. Vous les avez apportées… vendredi, c'est ça ?

Dawson reprit son souffle avant de répondre.

— Dans la matinée.

Elle ne le quitta pas des yeux.

— Vous aviez coutume de le faire il y a longtemps aussi. Après être sorti de prison ? C'était vous, non ?

Dawson resta muet.

— C'est bien ce que je pensais.

Elle soupira en s'approchant de la pierre tombale. Dawson s'écarta pour la laisser passer, tandis que Marilyn posait son regard sur l'épitaphe.

— Beaucoup de gens sont venus fleurir la tombe de David après sa mort, pendant un an ou deux, mais ensuite ils ont cessé de venir, j'imagine. Sauf moi. Pendant un certain temps, j'étais la seule à lui apporter des fleurs puis, environ quatre ans après sa mort, j'ai commencé à voir d'autres bouquets que les miens. Par intermittence, mais assez souvent pour que cela m'intrigue. J'ignorais qui pouvait les déposer. J'ai interrogé mes parents, mes amis, mais en vain. Pendant un petit moment, je me suis même demandé si David avait fréquenté une autre femme. Vous vous rendez compte ?

Marilyn secoua la tête et prit une longue inspiration.

— C'est quand on a cessé de déposer des fleurs que j'ai compris que c'était vous. Je savais que vous étiez sorti de prison et en liberté surveillée. J'ai aussi appris que vous aviez quitté la ville un an plus tard. Ça m'a rendue tellement… furieuse de savoir que c'était vous depuis le début.

Elle croisa les bras, comme pour se protéger des souvenirs qui lui revenaient en mémoire.

— Et puis, ce matin, j'ai à nouveau découvert des fleurs qui n'étaient pas les miennes. J'ai compris que vous étiez revenu. Je n'étais pas certaine que vous reviendriez aujourd'hui… c'est pourtant le cas.

Dawson glissa les mains dans ses poches, souhaitant soudain se trouver loin d'ici.

— Je ne reviendrai plus et je ne fleurirai plus la tombe, marmonna-t-il. Vous avez ma parole.

Elle le regarda.

— Et vous pensez que ça vous dédouane de vos visites antérieures ? Compte tenu de ce que vous avez fait au départ ? Et que mon mari se trouve là, sous terre, au lieu d'être avec moi ? Sans compter qu'il n'a pas eu la chance de voir ses enfants grandir.

— Non, dit-il.

— Bien sûr que non. Parce que vous vous sentez toujours coupable de ce que vous avez fait. C'est pour cette raison que vous nous avez envoyé de l'argent pendant toutes ces années… Je me trompe ?

Il lui aurait volontiers menti, mais ne le pouvait pas.

— Depuis quand vous êtes au courant ? demanda-t-il.

— Depuis le premier chèque. Vous étiez passé me voir deux semaines plus tôt, vous vous rappelez ? Je n'ai pas eu trop de mal à faire le rapprochement.

Marilyn hésita, puis reprit.

— Vous souhaitiez me présenter vos excuses, non ? En personne. Quand vous êtes venu chez moi, ce jour-là ?

— Oui.

— Je vous en ai empêché. J'ai dit… toutes sortes de choses, ce jour-là. Des choses que je n'aurais sans doute pas dû dire.

— C'était votre droit le plus strict.

L'ombre d'un sourire se dessina sur les lèvres de Marilyn.

— Vous aviez vingt-deux ans. J'ai vu un adulte sur le pas de ma porte mais, en prenant moi-même de l'âge, j'ai découvert qu'on ne devient pas vraiment adulte avant au moins trente ans. Mon fils est plus âgé que vous l'étiez à l'époque et je le considère encore comme un gamin.

— Vous avez fait ce que n'importe qui aurait fait.

— Peut-être, admit-elle dans un léger haussement d'épaules, avant de s'approcher de lui. L'argent que vous avez envoyé nous a beaucoup aidés au fil des ans, mais je n'en ai plus besoin à présent. Alors cessez ces virements, s'il vous plaît.

— Je voulais simplement…

— Je sais ce que vous vouliez, l'interrompit-elle. Mais tout l'argent du monde ne me rendra jamais David, pas plus qu'il n'effacera la perte que j'ai éprouvée à sa mort. Et il ne peut donner à mes enfants le père qu'ils n'ont jamais connu.

— Je sais.

— Et puis, l'argent n'achète pas le pardon.

Dawson sentit l'accablement peser sur ses épaules.

— Je ferais mieux de m'en aller, dit-il en tournant les talons.

— Oui, sans doute… Mais avant que vous partiez, il y a encore quelque chose que j'aimerais vous dire.

Comme il faisait volte-face, elle le fixa en l'obligeant à la regarder droit dans les yeux.

— Je sais très bien que c'était un accident. Je l'ai toujours su. Et je sais que vous feriez n'importe quoi pour changer le passé. Votre attitude depuis ce drame en est la preuve. Certes, je dois admettre que j'étais en colère, effrayée et accablée de solitude quand vous avez débarqué chez moi… mais sachez que je n'ai jamais cru un seul instant que vous aviez agi par malveillance ce fameux soir de l'accident. C'était simplement un horrible concours de circonstances comme il en arrive parfois et… quand vous avez frappé à ma porte, je me suis défoulée sur vous.

Marilyn lui laissa le temps de digérer ses paroles et, quand elle reprit, sa voix se révéla presque amicale.

— Je vais bien à présent, et mes enfants aussi. Nous avons survécu. Nous ne sommes pas à plaindre.

Comme Dawson détournait les yeux, elle attendit qu'il la regarde à nouveau pour ajouter :

— Je suis venue vous dire que vous n'avez plus besoin de mon pardon, précisa-t-elle en insistant sur les mots. Mais je sais aussi qu'il n'a jamais été question de cela, en vérité. Pas plus de moi que de ma famille. C'est de vous qu'il s'agit. Depuis le début. Voilà trop longtemps que vous vous raccrochez à une terrible erreur et, si vous étiez mon fils, je vous dirais qu'il est grand temps pour vous de lâcher prise. Alors lâchez prise, Dawson. Faites-le pour moi.

Elle le dévisagea, comme pour s'assurer d'avoir été comprise, avant de tourner les talons. Dawson resta pétrifié, tandis que la silhouette de Marilyn serpentait entre les pierres tombales, érigées comme des sentinelles, jusqu'à ce qu'elle disparaisse.

18

Insensible à la circulation, Amanda roulait en pilotage automatique. Des familles en minivan et en quatre-quatre, dont certaines tractaient un bateau, envahissaient l'autoroute après avoir passé le week-end à la plage.

Tout en conduisant, elle ne pouvait s'imaginer rentrer chez elle et faire comme si rien ne s'était passé ces derniers jours. Certes, elle savait qu'elle ne pouvait en parler à personne, mais, bizarrement, n'éprouvait aucune culpabilité non plus. Elle regrettait plutôt de ne pas avoir agi autrement. Si elle avait su d'entrée de jeu comment leur week-end s'achèverait, Amanda serait restée plus longtemps avec Dawson lors de leur première soirée, de même qu'elle ne se serait pas détournée quand elle avait senti qu'il voulait l'embrasser. Elle l'aurait aussi vu le vendredi soir, peu importe les mensonges qu'elle aurait dû raconter à sa mère… et elle aurait donné n'importe quoi pour passer tout le samedi lovée dans les bras de Dawson. Après tout, si elle avait cédé plus tôt à ses sentiments, la soirée du samedi se serait terminée différemment. Peut-être que les barrières – établies par les vœux prononcés à son mariage – auraient été franchies. Ce fut d'ailleurs presque le cas. Tandis qu'ils dansaient dans le salon, elle ne rêvait que de faire l'amour avec lui et, lorsqu'ils s'étaient embrassés, elle avait su exactement ce qui se passerait ensuite. Elle désirait Dawson comme à l'époque lointaine où ils formaient un couple.

Amanda avait cru pouvoir aller jusqu'au bout, et qu'une fois dans la chambre elle serait capable de faire abstraction de sa vie à Durham, ne serait-ce que pendant une nuit. Même quand il la déshabilla puis la porta jusqu'au lit, elle se dit qu'elle pourrait oublier la réalité de son mariage. Amanda voulait tellement devenir une autre femme ce soir-là, une femme libre de toute responsabilité et de toute promesse insoutenable, et elle désirait tellement Dawson qu'elle se savait sur le point de franchir la ligne blanche et ne plus pouvoir faire machine arrière. Toutefois, en dépit des caresses insistantes de Dawson et du délicieux contact de son corps contre le sien, Amanda n'avait pu s'abandonner à ses sentiments.

Dawson n'en avait pas pris ombrage, mais choisi de la tenir pelotonnée contre lui en lui caressant les cheveux. Il l'avait embrassée et rassurée en lui chuchotant à l'oreille que ce n'était pas grave, que cela ne changerait jamais ce qu'il éprouvait pour elle.

Ils étaient restés enlacés toute la nuit, jusqu'à ce que le sommeil les surprenne ; dans les premières lueurs de l'aube, elle s'était endormie dans ses bras. À son réveil, le dimanche matin, son premier geste avait été de tendre la main vers lui. Mais Dawson était déjà sorti.

*
**

Au bar du country-club, longtemps après avoir fini leur partie de golf, Frank fit un signe au barman afin qu'il lui serve une autre bière, sans voir celui-ci interroger Roger du regard. Roger se borna à hausser les épaules, lui-même étant passé au Coca Light. Le barman posa donc une nouvelle canette sous le nez de Frank, tandis que Roger se penchait vers lui pour se faire entendre dans le vacarme ambiant. Depuis une heure, les clients affluaient pour suivre le match retransmis à la télévision. Après la neuvième manche, les deux équipes se retrouvaient à égalité.

— Tu te rappelles que je retrouve Susan pour dîner, alors je ne vais pas pouvoir te déposer chez toi. Mais tu n'es pas en état de conduire, mon vieux.

— Ouais, je sais.

— Tu veux que je t'appelle un taxi ?

— Tâchons de profiter du match jusqu'au bout. On verra plus tard, OK ?

Frank leva sa canette et reprit une gorgée, ses yeux vitreux rivés à l'écran.

*
* *

Abee s'installa dans le fauteuil à côté du lit de son frère, en se demandant pour la énième pourquoi Ted vivait dans un trou à rat pareil. L'endroit schlinguait comme c'était pas permis, un mélange de couches de bébé souillées, de moisi, et Dieu sait quoi d'autre qui avait dû crever dans le coin. Sans compter que le môme n'arrêtait pas de hurler et qu'Ella s'agitait dans la baraque comme un fantôme aux abois. À se demander comment Ted n'était pas encore devenu plus cinglé qu'il ne l'était !

Abee ne savait même pas ce qu'il foutait là. Depuis que son frangin s'était écroulé en marchant vers sa bagnole, il était resté dans les vapes quasiment tout l'après-midi. Abee venait à peine de le ramasser pour l'aider à rentrer chez lui qu'Ella braillait déjà qu'il devait le ramener à l'hosto.

Abee s'en chargerait si l'état de Ted empirait, mais les toubibs ne pourraient pas faire grand-chose. Ted avait juste besoin de repos, alors il serait aussi bien chez lui. Il avait une commotion cérébrale et, hier soir, il aurait dû y aller tout doux, ce qu'il n'avait pas fait, alors maintenant il en payait le prix.

Le fait est qu'Abee ne voulait pas repasser une nuit au chevet de son frère à l'hosto, surtout que lui-même se sentait mieux. Bon sang, ça le gonflait de rester là à côté de lui, mais il avait un bizness à faire tourner, un bizness qui marchait à l'intimidation, et Ted en était comme qui dirait le moteur. Encore heureux que le reste de la famille n'ait pas vu ce qui s'était passé et qu'Abee ait pu ramener le frangin dans la baraque sans se faire repérer.

Putain, qu'est-ce que ça puait ici ! On se serait cru dans les égouts… et la chaleur de la fin d'après-midi n'arrangeait rien ! Abee sortit son portable et fit défiler ses contacts… Quand il eut trouvé Candy, il pressa la touche ENVOI. Il l'avait appelée un peu plus tôt, mais elle n'avait pas répondu ni rappelé. Ça lui plaisait pas trop qu'elle le snobe comme ça. Pas du tout, même !

Mais pour la deuxième fois de la journée, le portable de Candy sonna et sonna encore sans qu'elle décroche.

*
* *

— C'est quoi, ce bordel ? grogna soudain Ted.

Il avait la voix râpeuse et l'impression qu'un marteau-piqueur lui avait pilonné la tête.

— T'es au lit, répondit Abee.

— Qu'est-ce qui s'est passé, putain ?

— T'as pas réussi à arriver jusqu'au pick-up et t'as mordu la poussière. Alors je t'ai traîné jusqu'ici.

Ted se redressa lentement. Il attendit que ses vertiges le reprennent, et la tête lui tourna, mais moins fort que le matin.

— T'as retrouvé Dawson ?

— Je suis pas allé le pister, vu que je suis resté tout l'après-midi à ton chevet, couillon.

Ted cracha par terre, près d'une pile de linge sale.

— Si ça se trouve, il est toujours dans les parages.

— Ça se pourrait. Mais j'en doute. Il doit savoir que t'es après lui. S'il est malin, il s'est barré depuis longtemps.

— Ouais, eh ben peut-être qu'il est pas si malin que ça.

En s'agrippant au montant du lit, Ted réussit à se lever, et glissa le Glock dans sa ceinture.

— Tu prends le volant.

Abee savait bien que Ted ne lâcherait pas le morceau. Peut-être que ce serait bien que la famille sache que Ted était d'aplomb et prêt à prendre les affaires en main.

— Et s'il est pas là ?

— Ben tant pis. Mais faut d'abord que je sache.

Abee le dévisagea, en se demandant pourquoi Candy ne répondait pas et où elle pouvait bien être. Il pensait au mec qu'il avait vu flirter avec elle au Tidewater.

— OK, dit-il. Mais après, j'aurai peut-être besoin que tu me donnes aussi un coup de main.

*
* *

Au volant de sa voiture, dans le parking du Tidewater, Candy contemplait l'écran de son portable. Deux coups de fil d'Abee. Elle n'avait pas décroché. Deux appels manqués qui la faisaient flipper, d'autant qu'elle savait qu'elle devait rappeler. Elle n'aurait qu'à minauder un peu et trouver les mots qu'il fallait, mais Abee risquait de se mettre en tête de passer la voir au boulot… Et c'était la dernière chose qu'elle souhaitait. À tous les coups, il verrait la Mustang bourrée à bloc, devinerait qu'elle prévoyait de foutre le camp et… qui sait ce que ce débile déciderait de faire ?

Candy aurait dû charger la bagnole plus tard, après le boulot, puis partir de chez elle. Mais elle n'avait pas réfléchi et son service allait commencer. Et si elle avait assez de fric pour tenir environ une semaine dans un motel, bouffe comprise, elle avait quand même drôlement besoin des pourboires de ce soir pour l'essence.

Mais impossible pour elle de se garer devant le bar… sinon Abee verrait la voiture. Elle passa donc la marche arrière, puis sortit du parking et s'engagea dans le virage pour regagner le centre d'Oriental. Derrière l'une des boutiques d'antiquités, à l'entrée du patelin, il y avait un petit parking. Elle s'y gara incognito. C'était mieux. Même si ça l'obligerait à marcher un peu.

Mais si Abee se pointait et ne voyait pas la Mustang ? Ça risquait de poser problème aussi. Candy n'avait pas envie qu'il la mitraille de questions. Elle y réfléchit puis décida que s'il rappelait, elle répondrait en disant, l'air de rien, qu'elle avait eu un problème de caisse et avait dû s'en occuper. C'était pénible, mais elle tenta de se consoler à l'idée qu'il ne lui restait plus que cinq heures à tirer. Ensuite, Candy pourrait tailler la route en laissant tout ça derrière elle.

*
**

Jared dormait encore quand son portable sonna à cinq heures et quart. Il se retourna et attrapa le téléphone, en se demandant pourquoi son père appelait.

Sauf que c'était pas lui, mais son partenaire de golf, Roger, qui lui demandait de passer prendre Frank au country-club. Parce que ce dernier avait bu et ne devait pas prendre le volant.

Tiens donc ! Papa était encore bourré ?

Même si ça le démangeait, Jared s'abstint de toute remarque et promit d'être là-bas d'ici une vingtaine de minutes. En se levant, il remit le short et le tee-shirt qu'il portait plus tôt, puis enfila ses tongs avant de récupérer ses clés et son portefeuille, posés sur la commode. Tout en bâillant, il descendit au rez-de-chaussée et songea à appeler Melody.

*
* *

Abee ne prit pas la peine de cacher le pick-up dans un fourré avant de passer par le bois, comme la veille. Il n'hésita pas à rouler à toute blinde sur le chemin de terre cahoteux pour s'arrêter en dérapant dans une gerbe de graviers, comme le chef d'un groupe d'intervention en mission. Il était déjà descendu de bagnole, pistolet au poing, mais son frère le suivit avec une incroyable agilité, compte tenu de son état. Les bleus sous ses yeux avaient viré au noir violacé. Son frangin faisait penser à un raton laveur.

Personne aux alentours, comme Abee s'y attendait. La maison semblait vide, et pas le moindre signe de Dawson dans le garage. Son foutu cousin leur filait encore entre les pattes. Dommage qu'il ne soit pas resté dans le coin pendant toutes ces années. Abee aurait pu lui trouver de quoi faire, quitte à ce que Ted en chope une attaque.

Ted ne s'étonnait pas non plus du départ de Dawson, mais ça ne l'empêchait pas d'être en pétard. Abee voyait

283

bien que la mâchoire de son frangin se contractait par à-coups, tandis qu'il titillait du doigt la détente de son Glock. Après avoir bouillonné de rage pendant une bonne minute, il partit d'un pas décidé vers la baraque de Tuck et défonça la porte d'un coup de pied.

Abee s'adossa au pick-up et décida de le laisser faire. Il l'entendait jurer, brailler et renverser un tas de trucs dans la maison. Pendant que son frangin piquait sa crise, une vieille chaise valsa par la fenêtre, qui explosa en mille morceaux. Ted réapparut enfin sur le seuil, qu'il franchit quasi d'une traite pour gagner l'atelier.

Une Stingray classique y était garée. Elle ne s'y trouvait pas la veille, encore un signe que Dawson était passé puis reparti. Abee ne savait pas trop si Ted avait pigé, mais il supposa que ça n'avait pas d'importance. *Laissons le frangin se défouler. Plus tôt sa rage sera passée, plus tôt les choses redeviendront normales.* Il avait besoin que Ted commence à se concentrer un peu moins sur ses problèmes et un peu plus sur ce qu'Abee lui demandait de faire.

Abee regarda Ted choper un démonte-pneu sur l'établi. De son bras valide, il le brandit au-dessus de sa tête avant de l'écraser sur le pare-brise de la bagnole en poussant un hurlement. Puis il entreprit de marteler le capot, qui se bossela sur-le-champ. Il continua en fracassant les phares et en faisant sauter les rétros, mais c'était que le début.

Pendant le quart d'heure qui suivit, Ted réduisit la voiture en miettes à l'aide de tous les outils qui lui tombaient sous la main. Le moteur, les pneus, le revêtement intérieur et le tableau de bord se retrouvèrent écrabouillés sous la fureur de Ted comme s'il s'en prenait à Dawson.

Dommage, se dit Abee. Un petit bijou, cette bagnole, un modèle classique haut de gamme. Mais elle était pas à lui, et si ça pouvait faire du bien à Ted, alors tant mieux !

Quand Ted eut enfin terminé le massacre, il revint vers Abee. Il flageolait moins sur ses jambes, mais soufflait comme un bœuf, le regard toujours un peu fou. À tel point qu'il allait peut-être braquer le flingue sur son frère et l'abattre sous le coup de la colère.

Mais Abee n'était pas devenu chef de famille en se dégonflant, même quand son frangin piquait ses crises. Il resta donc adossé au pick-up et, l'air nonchalant, regarda Ted s'approcher. Il se cura vaguement les dents, puis examina son doigt, sachant que Ted se trouvait juste devant lui.

— Ça y est, t'as fini ?

*
* *

Entouré de bateaux amarrés ici et là, Dawson se trouvait sur l'embarcadère situé derrière l'hôtel de New Bern. Il était venu directement depuis le cimetière, puis s'était assis au bord de l'eau tandis que le soleil amorçait sa descente vers l'horizon.

C'était le quatrième endroit où il séjournait en quatre jours, et le week-end l'avait exténué tant sur le plan physique qu'émotionnel. En dépit de ses efforts, impossible pour lui d'imaginer son avenir. Demain, après-demain et l'interminable chapelet de semaines, de mois, d'années qui suivraient lui paraissait dépourvu du moindre but. Il avait mené une vie bien précise pour des raisons bien précises, et celles-ci s'envolaient en fumée. Amanda et à présent Marilyn Bonner l'avaient libéré à jamais. Tuck était mort. Que devait-il faire maintenant ? Déménager ? Rester en Louisiane ? Conserver son travail ? Tenter sa chance ailleurs ? Quel était son but, à présent que son existence semblait privée de tout point de repère ?

Dawson savait qu'il ne trouverait pas les réponses ici. Il se leva et regagna le hall de l'hôtel d'un pas lourd. Il avait réservé un vol de bonne heure le lendemain matin et savait qu'il serait debout avant l'aube, afin de pouvoir rendre la voiture de location et s'enregistrer à l'aéroport. Selon son itinéraire, il serait de retour à La Nouvelle-Orléans avant midi et chez lui peu après.

Quand il fut dans sa chambre, il s'allongea tout habillé sur son lit, plus perdu qu'il ne l'avait été de toute sa vie, alors qu'il sentait encore la douceur des lèvres d'Amanda sur les siennes. « Il lui faudra peut-être plus de temps qu'à toi », avait écrit Tuck. Avant de sombrer dans un sommeil agité, Dawson s'accrocha à l'espoir que Tuck avait raison, d'une manière ou d'une autre.

*
* *

Arrêté au feu rouge, Jared observa son père dans le rétroviseur. Il avait encore dû boire comme un trou, décida Jared. En arrivant au country-club quelques minutes plus tôt, il avait vu son père adossé contre l'une des colonnes, les yeux bouffis et troubles, tandis que son haleine seule aurait pu alimenter le barbecue du jardin. Sans doute la raison de son mutisme. Il cherchait visiblement à masquer son ébriété.

Jared avait fini par s'habituer à de telles situations. À vrai dire, le problème de son père l'irritait moins qu'il ne l'attristait. Quant à sa mère, elle adopterait sans doute son humeur de circonstance et tenterait d'agir comme si de rien n'était, alors que Frank tituberait ivre mort dans la maison. Ça ne valait pas la peine de dépenser son énergie en se mettant en colère, mais il savait qu'au fond d'elle-même sa mère fulminerait. Certes, elle ferait de son mieux pour sauver la face mais, quel que soit l'endroit où son père irait s'affaler, elle s'installerait dans une autre pièce, comme si c'était tout à fait normal pour un couple.

Bref, la soirée ne s'annonçait pas très drôle, mais il laisserait Lynn gérer ça, en supposant qu'elle rentre avant que leur père tombe dans les pommes. Quant à Jared, il avait déjà appelé Melody et tous deux iraient nager chez un copain qui avait une piscine.

Le feu passa enfin au vert et, Jared, qui imaginait déjà Melody en Bikini, appuya sur l'accélérateur sans remarquer l'autre voiture, qui traversait le carrefour à toute vitesse.

Celle-ci percuta la sienne dans un fracas assourdissant, en propulsant des éclats de verre et des fragments de métal de tous côtés. Une partie du châssis de la portière conducteur toute défoncée fut projetée contre la poitrine de Jared, tandis que l'airbag se gonflait au même instant. Dans un soubresaut, il se retrouva plaqué au siège par la ceinture de sécurité et il tourna brusquement la tête, alors que la voiture se mettait à vriller en pleine intersection. *Je vais mourir*, pensa-t-il, le souffle coupé.

Lorsque le véhicule cessa enfin de tournoyer, Jared mit un certain temps à comprendre qu'il respirait encore. Sa poitrine lui faisait mal, il pouvait à peine remuer le cou et sentait qu'il allait vomir à cause de l'odeur entêtante de brûlé dégagée par l'airbag.

Il essaya de remuer, mais la douleur cuisante dans son torse l'en empêcha. Coincé entre le volant et le châssis de la portière, il batailla pour se dégager. Tout en se tortillant vers la droite, il parvint finalement à se libérer du poids qui lui comprimait la poitrine.

À l'extérieur, il aperçut d'autres voitures arrêtées au carrefour. Les gens en sortaient et certains composaient déjà le 911 sur leur portable. Au milieu des bris de verre, il constata que la tôle défoncée de son capot était repliée comme une tente.

Jared entendait comme dans le lointain des voix lui criant de ne pas bouger. Il se tourna malgré tout, pensant soudain à son père, dont il aperçut le visage ensanglanté. Alors il se mit à hurler.

*

* *

Amanda se trouvait à une heure de route de chez elle quand son mobile sonna. Elle tendit la main vers le siège passager et dut fourrager dans son sac, avant de récupérer le mobile et répondit à la troisième sonnerie.

Tandis qu'elle écoutait le récit que lui livrait Jared d'une voix chevrotante, elle eut l'impression qu'un courant d'air glacé la paralysait. De manière décousue, son fils lui parlait de l'ambulance venue sur les lieux de l'accident, puis du visage de Frank couvert de sang. Lui-même allait bien, assura Jared, mais les urgentistes l'emmenaient avec Frank dans l'ambulance. Tous deux seraient transportés à l'hôpital universitaire de Duke.

La main d'Amanda se crispa sur le téléphone. Pour la première fois depuis la maladie de Bea, la peur revenait s'enraciner en elle. Une peur viscérale, qui occultait tout autre sentiment.

— J'arrive, dit Amanda. Je serai là au plus vite…

Puis, tout à coup, pour une raison quelconque, la communication fut interrompue. Elle rappela aussitôt, mais personne ne répondit.

Elle déboîta dans la file de gauche, appuya sur l'accélérateur et fit des appels de phares à la voiture qui la précédait pour la doubler. Amanda devait gagner l'hôpital sans tarder. Mais le flux des automobilistes rentrant de la plage ralentissait encore la circulation.

*
* *

Après leur petite expédition chez Tuck, Abee réalisa qu'il crevait de faim. Depuis son infection, il n'avait pas grand appétit, mais la fringale lui revenait maintenant, encore un signe que les antibios faisaient leur effet. Chez Irvin, il avait commandé un cheeseburger, des beignets d'oignons et des frites au chili nappées de fromage. Même s'il n'avait pas encore terminé, il savait qu'il nettoierait les trois plats sans problème. Peut-être bien qu'il lui resterait de la place pour une part de tarte et une glace.

Ted, en revanche, chipotait dans son assiette. Lui aussi avait pris un cheeseburger, mais il mangeait du bout des lèvres et mastiquait lentement. Bousiller la bagnole l'avait vidé de toute son énergie.

Pendant qu'ils attendaient d'être servis, Abee avait appelé Candy. Cette fois, elle répondit à la première sonnerie et ils discutèrent un petit moment. Elle lui dit qu'elle était déjà au boulot et s'excusa de ne pas l'avoir rappelé, en précisant qu'elle avait eu des problèmes de voiture. Au téléphone, elle semblait ravie de l'entendre et flirtait comme elle le faisait toujours. Quand il raccrocha, Abee se sentit tout requinqué et se demanda même s'il ne s'était pas fait un film en la voyant avec ce mec, l'autre soir.

Peut-être que c'était la bouffe ou le fait qu'il aille mieux mais, tout en mangeant, Abee repensait malgré lui à sa conversion avec Candy et tâchait de réfléchir à ce qui le chiffonnait. Parce que, oui, un truc le chiffonnait. Déjà, le fait que Candy ait mentionné un problème de voiture et pas de portable… et puis, occupée ailleurs ou pas, elle aurait pu le rappeler si elle avait voulu. Mais bon, Abee n'était pas sûr de savoir ce qui collait pas dans cette histoire.

Ted se leva au milieu du repas et s'exila un moment aux toilettes. En le regardant revenir à table, Abee se dit que son frangin avait l'air de sortir tout droit d'un film d'horreur de série Z, mais les autres clients du restau gardaient le nez dans leur assiette en évitant de le regarder. Abee sourit. C'était l'avantage d'être un Cole.

Pourtant, impossible de ne pas repenser à son coup de fil avec Candy, et il suçota ses doigts d'un air songeur, entre deux bouchées.

*

* *

Frank et Jared ont eu un accident.
Tandis qu'Amanda s'agitait de plus en plus, la phrase se déroulait dans sa tête, comme l'annonce d'un fait divers atroce au bas de l'écran d'une chaîne d'infos. Elle cramponnait le volant à en faire blêmir ses phalanges et ne cessait de lancer des appels de phares pour que le véhicule de devant la laisse doubler.

On les a emmenés en ambulance. Jared et Frank ont été transportés d'urgence à l'hôpital. Mon mari et mon fils…
Finalement, la voiture qui la précédait changea de file et Amanda put la dépasser, pied au plancher, et combler rapidement la distance la séparant des véhicules situés plus loin.

Elle se rappelait que Jared avait tout au plus l'air secoué. *Mais le sang…*
La voix paniquée, Jared disait que Frank avait le visage ensanglanté. Amanda attrapa son portable et tenta de rappeler son fils. Il n'avait pas répondu quelques minutes plus tôt, mais elle pensa qu'il devait se trouver dans

l'ambulance ou aux urgences, et les téléphones y étaient interdits. Elle se dit que Jared et Frank étaient à présent entre les mains des équipes médicales et, que quand Jared répondrait enfin, elle regretterait sans doute de s'être affolée pour rien. Plus tard, ce serait une anecdote que la famille se raconterait à table, et tout le monde se moquerait de maman qui avait roulé comme une folle, alors qu'il n'y avait pas de quoi en faire un drame.

Mais Jared ne répondait toujours pas, et Frank non plus. Quand les deux appels basculèrent sur la messagerie vocale de chacun, elle eut l'impression de tomber au fond d'un gouffre. Amanda fut soudain persuadée que l'accident était grave, bien pire que Jared ne l'avait laissé entendre. Elle ignorait la raison de ce pressentiment, mais il l'envahissait.

Elle laissa tomber son mobile sur le siège passager et pressa de plus belle l'accélérateur, collant au train de la voiture de devant. Laquelle finit par la laisser passer, et Amanda la doubla sans même faire un signe de tête au conducteur.

19

Dans son rêve, Dawson se retrouvait sur la plate-forme, juste au moment où la série d'explosions commençait à ébranler la structure, mais cette fois le silence régnait et les événements se déroulaient au ralenti. Il assista à l'éclatement soudain du réservoir de stockage, suivi par les flammes jaillissant vers le ciel ; il repéra la fumée qui se répandait peu à peu en formant de gros nuages noirs. Il vit les ondes de choc se déplacer sur le pont et tout renverser dans leur sillage, arrachant les pylônes et délogeant les machines. Les hommes basculaient par-dessus bord en agitant les bras, alors que d'autres explosions survenaient. Le feu rongeait le pont, et la destruction s'amorçait.

Mais il restait planté là, insensible aux secousses et aux débris qui virevoltaient comme par magie autour de lui. Tout droit, près de la grue, il vit un homme surgir d'un écran de fumée, mais, à l'instar de Dawson, celui-ci paraissait ne pas s'inquiéter de la catastrophe ambiante. L'espace d'un instant, la fumée parut l'envelopper, avant de se lever comme un rideau. Dawson retint son souffle en apercevant l'homme brun au coupe-vent bleu.

L'inconnu s'arrêta, son visage aux traits indistincts miroitant au loin. Dawson voulut l'appeler, mais aucun son ne s'échappa de ses lèvres ; il souhaita s'approcher de lui, mais restait cloué sur place. Si bien qu'ils échangèrent un regard et, malgré la distance, Dawson crut vaguement le reconnaître.

Il se réveilla au même moment et sentit une décharge d'adrénaline le parcourir, tandis qu'il balayait la chambre du regard en battant des paupières. Il était à l'hôtel à New Bern, juste au bord de l'eau ; et, même s'il savait que ce n'était qu'un rêve, Dawson réprima un frisson. Il se redressa et posa les pieds par terre.

À en croire la pendule, il avait dormi plus d'une heure. Au-dehors le soleil serait bientôt couché et les couleurs de la chambre s'atténuaient dans la lumière déclinante.

Comme dans un rêve…

Dawson se leva, repéra son portefeuille et ses clés près de la télévision, ce qui lui mit la puce à l'oreille… Il traversa la pièce et retourna les poches du costume qu'il avait porté. Il vérifia de nouveau, avant de farfouiller dans son sac de voyage. Finalement, il saisit son portefeuille et ses clés, puis descendit aussitôt au parking.

Il fouilla le moindre centimètre carré de la voiture de location, en procédant avec méthode : boîte à gants, coffre, entre les sièges, plancher. Mais il commençait déjà à se remémorer la matinée.

Après l'avoir lue, Dawson avait posé la lettre de Tuck sur l'établi. La mère d'Amanda était passée devant lui et il s'était tourné vers Amanda sur la véranda… en oubliant de récupérer la missive qui devait être restée sur l'établi. Il pouvait la laisser, bien sûr… sauf qu'il ne s'imaginait pas un instant faire une chose pareille. C'était la dernière lettre de Tuck, son dernier présent, en quelque sorte, et Dawson souhaitait la rapporter chez lui.

Il savait néanmoins que Ted et Abee devaient sillonner la ville pour le retrouver. Cela ne l'empêcha pas de reprendre la voiture et de franchir le pont en roulant vers Oriental. Il y serait quarante minutes plus tard.

*
* *

Après avoir pris son courage à deux mains, Alan Bonner entra au Tidewater, en remarquant qu'il y avait encore moins de monde que prévu. Deux gars discutaient au bar, tandis que quelques autres disputaient une partie de billard dans le fond ; une seule table était occupée, par un couple qui comptait sa monnaie et semblait sur le départ. Rien à voir avec samedi ou vendredi soir. Avec le juke-box à l'arrière et la télé allumée près de la caisse, on se serait presque cru chez soi.

Candy nettoyait le bar et lui sourit en agitant son torchon. Vêtue d'un jean et d'un tee-shirt, elle avait les cheveux tirés en queue-de-cheval et, bien qu'elle soit moins pomponnée que les autres jours, elle n'en restait pas moins la plus jolie fille du coin. Alan commença à avoir le trac, se demandant si elle accepterait de dîner avec lui.

Il bomba le torse et se dit : *Ne te cherche pas d'excuses*. Il s'installerait au bar, comme d'habitude, et se débrouillerait pour glisser dans la conversation qu'il aimerait bien l'inviter au restau. Il se rappela qu'elle n'avait pas hésité à flirter avec lui et, même si elle était du genre aguicheuse, Alan savait bien qu'il y avait autre chose entre eux. C'était évident… Alors il inspira un grand coup et se dirigea vers le bar.

*
* *

Amanda franchit comme une tornade l'entrée des Urgences de l'hôpital universitaire de Duke et dévisagea de ses yeux affolés les patients et les familles présents. Pendant le reste du trajet, elle n'avait cessé de rappeler Jared et Frank sur leurs mobiles, mais aucun des deux n'avait répondu. Désespérée, elle avait fini par téléphoner à Lynn. Sa fille était encore au lac Norman, à quelques heures de route. L'adolescente avait craqué en apprenant la nouvelle, et promis de rejoindre Amanda au plus vite.

Toujours dans l'embrasure, Amanda balaya la salle du regard dans l'espoir de trouver Jared. Elle pria le ciel de s'être fait du souci pour rien. À sa grande stupéfaction, elle repéra Frank à l'autre bout de la pièce. Il se leva et s'approcha d'elle. Il semblait moins blessé qu'elle ne l'imaginait. Elle regarda plus loin, toujours en quête de Jared… mais aucun signe de son fils.

— Où est Jared ? demanda-t-elle comme Frank arrivait à sa hauteur. Tu vas bien ? Qu'est-ce qui s'est passé ? Alors, où est-il ?

Elle l'assaillait encore de questions quand Frank la prit par le bras pour l'entraîner à l'extérieur.

— Jared est hospitalisé, répondit-il.

En dépit des heures écoulées depuis son départ du club, il mangeait encore ses mots. Elle voyait bien qu'il tentait de masquer son ébriété, mais son haleine et sa sueur empestaient l'alcool.

— Je ne sais pas ce qu'il en est. Personne n'a l'air de le savoir. Mais l'infirmière m'a vaguement parlé d'un cardiologue.

Ses paroles ne firent qu'accroître l'angoisse d'Amanda.

— Pourquoi ? Qu'est-ce qui cloche ?

— Aucune idée.

— Il va s'en sortir ?

— Il avait l'air bien quand on est arrivés.

— Alors, pourquoi un cardiologue doit l'ausculter ?

— J'en sais rien.

— Il m'a dit que tu étais couvert de sang.

Frank effleura l'arête de son nez un peu enflé, où un croissant noir bleuté cernait une légère entaille.

— Je me suis cogné fort, mais ils ont pu stopper les saignements. Bref, rien de grave. Ça va aller.

— Pourquoi tu n'as pas répondu à mes coups de fil ? J'ai dû t'appeler une bonne centaine de fois !

— Mon portable est resté dans la voiture…

Mais Amanda n'écoutait déjà plus, tandis qu'elle digérait ce qu'elle venait d'apprendre. Jared était hospitalisé. C'était son fils qui était blessé. Pas son mari. L'aîné de ses enfants…

Tout en ayant la sensation d'avoir reçu un coup de poing dans le ventre, et soudain écœurée par la présence de Frank, elle s'éloigna de lui et fila directement vers l'infirmière du bureau des admissions. Amanda fit de son mieux pour contrôler son hystérie galopante et demanda des nouvelles de son fils.

Son interlocutrice lui répondit de manière laconique et ne fit que répéter les paroles de Frank. *Mon ivrogne de mari*, pensa Amanda, incapable de contenir sa rage. Elle claqua le bureau des deux mains et fit sursauter tous les gens présents dans la salle d'attente.

— Il faut que je sache ce qui se passe avec mon fils ! s'écria-t-elle. J'exige des réponses, tout de suite !

*
**

Des problèmes avec sa bagnole, se dit Abee. Ça le tracassait depuis son coup de fil avec Candy. Parce que si sa caisse était en rade, alors comment elle avait pu aller bosser ? Et pourquoi elle lui avait pas demandé s'il pouvait la conduire au boulot ou la ramener chez elle après ?

Et si quelqu'un l'avait déposée là-bas ? Genre, le gars vu au Tidewater ?

Elle n'aurait pas été conne à ce point. Bien sûr, il pouvait toujours la rappeler pour en avoir le cœur net, mais Abee connaissait un moyen plus efficace d'avoir le fin de mot de cette histoire. Irving n'était pas très loin de la petite maison qu'elle louait, si bien qu'Abee avait juste besoin d'y faire un saut pour vérifier si la Mustang était garée devant. Auquel cas, ça voulait dire qu'on avait véhiculé Candy jusqu'à son boulot… et Abee et elle devraient donc avoir une petite discussion, pas vrai ?

Il lâcha une poignée de billets sur la table et fit signe à Ted de le suivre. Son frangin n'avait quasiment pas desserré les dents de tout le dîner, mais Abee avait comme l'impression qu'il allait mieux, même s'il manquait d'appétit.

— On va où ? demanda Ted.

— J'ai un truc à vérifier.

La maison de Candy se trouvait à quelques minutes de là, presque au bout d'une rue peu habitée. La baraque était ni plus ni moins qu'un bungalow délabré, recouvert de bardeaux en alu et envahi par les buissons. C'était pas un palace, mais Candy avait l'air de s'en foutre. Faut dire aussi qu'elle avait rien fait pour le rendre plus attrayant.

En s'arrêtant dans l'allée, Abee constata l'absence de la Mustang. Peut-être que Candy était déjà au boulot, se raisonna-t-il. Mais, tout en lorgnant la bicoque depuis sa voiture, il remarqua un truc bizarre. Un truc qui manquait, pour ainsi dire, et il mit deux ou trois minutes avant de piger.

La statue de bouddha n'était plus là, celle qu'elle laissait à la fenêtre de devant et qu'on apercevait entre les buissons. Son porte-bonheur, comme elle disait, si bien que Candy n'avait aucune raison de le déplacer. À moins que…

Il ouvrit la portière et descendit. Comme Ted lui lançait un regard, il secoua la tête en disant :

— T'inquiète, je reviens tout d' suite.

Abee se faufila entre les buissons et gravit les marches de la véranda. Puis il regarda par la fenêtre et constata que la statue n'était en effet plus là. Le reste de la pièce n'avait pas changé, apparemment. Bien sûr, ça voulait rien dire, vu que c'était loué meublé. Mais l'absence du bouddha l'intriguait.

Abee fit donc le tour de la baraque en regardant à travers chaque fenêtre, mais ne vit pas grand-chose à cause des rideaux.

Finalement, fatigué de ses efforts, il ouvrit la porte de derrière d'un coup de pied, comme Ted l'avait fait chez Tuck.

Il entra en se demandant ce que cette foutue Candy pouvait bien manigancer.

*
* *

Comme elle le faisait tous les quarts d'heure depuis son arrivée, Amanda s'approcha du bureau pour demander s'il y avait du nouveau. On lui répondit patiemment qu'on lui avait déjà fourni tous les renseignements possibles : Jared avait été admis à l'hôpital, un cardiologue s'occupait de lui et le médecin savait que ses parents attendaient. Sitôt que l'infirmière en saurait plus, Amanda serait la première informée. La femme s'exprimait avec bienveillance, et Amanda la remercia d'un hochement de tête avant de tourner les talons.

Malgré la dure réalité ambiante, elle ne parvenait toujours pas à comprendre la raison de sa présence ici ou les circonstances de l'accident. Même si Frank et l'infirmière avaient tenté de le lui expliquer, leurs paroles ne signifiaient rien de concret. C'était à Jared et non à eux qu'Amanda souhaitait parler. Elle avait besoin de le voir, d'entendre de sa bouche qu'il allait bien. Et quand Frank avait essayé de poser une main réconfortante sur son épaule, elle s'était vivement écartée comme s'il l'avait brûlée au fer rouge.

Pour commencer, c'était de la faute de Frank si Jared se trouvait là. Si Frank n'avait pas bu, Jared aurait été à la maison ou avec une fille, chez des copains. Il ne se serait pas retrouvé à ce carrefour ni à l'hôpital. Il avait simplement essayé d'apporter son aide. C'était lui l'adulte responsable.

Quant à Frank…

Elle ne supportait pas de croiser son regard. Elle se retenait de lui hurler dessus.

La pendule murale semblait indiquer l'heure au ralenti.

Finalement, après ce qui lui parut durer une éternité, Amanda entendit s'ouvrir la porte menant aux chambres des patients et elle se tourna pour découvrir un médecin en tenue de chirurgien. Elle le regarda s'approcher de l'infirmière de garde, qui hocha la tête et pointa discrètement l'index en direction d'Amanda. Crispée par l'appréhension, Amanda le vit venir vers elle, essayant de lire sur son visage ce qu'il risquait de lui annoncer. Mais son expression ne laissait rien transparaître.

Elle se leva et Frank l'imita.

— Je suis le docteur Mills, déclara-t-il en les invitant à le suivre.

Ils franchirent une porte à deux battants qui conduisait à un autre couloir. Lorsqu'elle se referma, le praticien se tourna vers Frank et Amanda. Malgré ses cheveux grisonnants, elle devina qu'il devait être plus jeune qu'elle.

Il faudrait plus d'une conversation à Amanda pour assimiler complètement ce qu'il leur expliqua, elle en saisit toutefois l'essentiel. Alors qu'il semblait indemne, Jared avait été blessé sous l'impact de la portière défoncée. Le médecin de garde avait décelé un souffle au cœur d'origine traumatique, aussi avait-on admis Jared en observation. Dans l'intervalle, l'état de l'adolescent s'était nettement et rapidement détérioré. Le médecin poursuivit en employant des termes tels que « cyanosé », en leur précisant qu'ils avaient inséré un pacemaker par voie intraveineuse, mais que la capacité cardiaque de Jared ne cessait de diminuer. On soupçonnait une déchirure de la valve tricuspide et l'état de leur fils nécessitait une chirurgie de remplacement valvulaire. Jared avait d'ores et déjà subi un pontage, expliqua le Dr Mills, mais l'équipe médicale avait besoin de leur permission pour pratiquer une opération à cœur ouvert. Sans quoi, ajouta-t-il sans ménagement, leur fils allait mourir.

Jared allait mourir…

Amanda prit appui contre le mur, tandis que le chirurgien les regardait, Frank et elle, à tour de rôle.

— J'ai besoin de votre signature au bas du formulaire de consentement, reprit le Dr Mills.

À cet instant, Amanda comprit qu'il avait également senti l'haleine alcoolisée de Frank. Elle détesta soudain son mari de toute son âme. En proie à une sorte de torpeur, elle signa au bas du document.

Le Dr Mills les conduisit alors dans une autre aile de l'hôpital et les laissa dans une salle d'attente déserte. Sous le choc, Amanda était comme hébétée.

Jared a besoin d'être opéré, sinon il va mourir.

Impossible ! Jared n'avait que dix-neuf ans. Et toute la vie devant lui.

Amanda ferma les yeux et se laissa choir dans un fauteuil, incapable de comprendre pourquoi le monde s'effondrait subitement autour d'elle.

Candy n'avait pas besoin de ça. Pas ce soir.

Le jeune gars à l'autre bout du bar, Alan, Alvin ou peu importe, crevait visiblement d'envie de l'inviter à sortir avec lui. Pire encore, il n'y avait pas foule ce soir et elle ne gagnerait sans doute pas assez de pourboires pour faire le plein de la Mustang. Génial. Gé-nial !

— Hé, Candy !

Encore le jeune mec, qui se penchait par-dessus le bar comme un chiot en manque de caresses.

— J' peux avoir une autre bière, s' te plaît ?

Elle s'efforça de sourire en faisant sauter la capsule d'une bouteille. Comme elle s'approchait de lui, boisson en main, le jeune lui posa une question, mais une lumière de phares balaya soudain la porte, soit une voiture qui passait, soit quelqu'un qui se garait sur le parking… Et Candy ne put s'empêcher de regarder vers l'entrée. En attendant.

Comme personne ne franchit la porte, elle poussa un soupir de soulagement.

— Candy ?

La voix du gars la ramena à la réalité.

— Désolée, tu disais ?

— Je te demandais comment s'était passée ta journée.

— Super… Vraiment super.

*
* *

Frank s'assit dans un fauteuil en face d'elle, toujours un peu vacillant et le regard trouble. Amanda s'employa à faire abstraction de sa présence.

Sinon, impossible pour elle de se concentrer, hormis sur Jared vers lequel allaient toutes ses craintes et ses pensées. Dans le silence de la pièce, des années entières de l'existence de son fils défilaient par bribes sous ses yeux. Elle le revoyait tout petit dans ses bras, âgé de quelques semaines seulement. Plus tard, quand elle le coiffait et lui glissait un sandwich dans sa boîte à goûter Jurassic Park, pour son premier jour à la maternelle. Elle se souvenait combien il était nerveux pour son premier bal au collège, sa manière de boire la brique de lait au goulot, alors qu'elle le lui avait interdit mille fois. De temps à autre, les bruits de l'hôpital l'arrachaient à ses souvenirs et elle revenait à la dure réalité. Puis la hantise s'emparait d'elle à nouveau.

Avant de les laisser, le médecin leur avait dit que l'opération risquait de durer plusieurs heures, voire jusqu'à minuit, et elle se demanda si quelqu'un viendrait les tenir au courant avant la fin. Amanda tenait à savoir comment cela se déroulait. À ce qu'on lui explique en termes simples. Mais ce qu'elle souhaitait avant tout, c'était qu'on la serre fort en lui promettant que son petit garçon – même s'il était presque un homme – était hors de danger.

*
* *

Abee se trouvait dans la chambre de Candy. Sa bouche se crispa à mesure qu'il digérait le truc.

Le placard était vide. Les tiroirs, idem. Pareil pour cette foutue armoire de salle de bains.

Pas étonnant qu'elle n'ait pas répondu aux premiers coups de fil. Candy était trop occupée à faire ses bagages. Et quand elle avait fini par décrocher ? Tiens donc ! Elle avait comme par hasard oublié de parler de son petit projet de quitter la ville.

Mais personne ne larguait Abee Cole. Personne.

Et si c'était à cause de son nouveau petit copain ? Et s'ils avaient prévu de se barrer ensemble ?

Abee sortit comme une flèche par la porte déglinguée. Il fit le tour de la maison et se rua vers le pick-up, déterminé à foncer tout de suite au Tidewater.

Il allait donner une bonne leçon à Candy et à son petit morveux, ce soir. Ouais, à tous les deux. Le genre de leçon que l'un comme l'autre ne seraient pas près d'oublier.

20

Dawson n'avait jamais vu une nuit aussi noire. Un ciel opaque et ténébreux, à peine ponctué de rares étoiles qui scintillaient.

Il s'approchait d'Oriental et ne pouvait s'ôter de l'esprit qu'il commettait une erreur en y retournant. Il allait devoir traverser la ville pour se rendre chez Tuck et savait que ses cousins le guettaient quelque part.

Un peu plus loin, par-delà le virage qui avait bouleversé toute sa vie, Dawson entrevit les lumières d'Oriental au-dessus de la cime des arbres. S'il devait changer d'avis, c'était maintenant ou jamais.

Inconsciemment, il leva le pied de l'accélérateur et, tandis que la voiture ralentissait, Dawson se sentit tout à coup observé.

*
* *

Cramponné au volant, Abee traversa la ville à fond la caisse et fit hurler ses pneus dans les virages. Il bifurqua brusquement sur le parking du Tidewater et le pick-up dérapa, tandis qu'il donnait un violent coup de patins en se garant sur une place réservée aux handicapés. Pour la première fois depuis qu'il avait massacré la Stingray, même Ted commençait à s'animer, tant l'atmosphère du pick-up était chargée de testostérone, et ils étaient tous deux prêts à en découdre.

La voiture était à peine garée qu'Abee bondissait déjà dehors, suivi de près par son frangin. Abee n'arrivait pas à se faire à l'idée que Candy lui avait menti. Ça devait faire un petit bout de temps qu'elle prévoyait de mettre les bouts, en se disant qu'il n'y verrait que du feu. Bref, il était temps de lui apprendre qui faisait la loi, dans le coin.

Parce que tu vois, Candy, c'est certainement pas toi, ma belle !

En se précipitant vers l'entrée, Abee remarqua que la Mustang décapotable n'était pas sur le parking. Ça voulait dire qu'elle avait dû la garer chez ce mec, et tous les deux devaient bien rigoler dans le dos d'Abee. Il les imaginait déjà en train de se foutre de sa gueule. Rien que d'y penser, ça lui donnait envie de défoncer la porte, avant de braquer le flingue sur le bar et de presser la détente.

Mais Abee n'allait pas le faire. Oh non ! Parce qu'elle devait d'abord comprendre qui était le patron…

Derrière lui, Ted tenait incroyablement bien sur ses jambes, il avait même l'air tout excité. On entendait vaguement la musique du juke-box, et l'enseigne au néon projeta une lueur rouge sur leurs visages.

Abee fit un signe de tête à son frangin, tandis qu'il se préparait à shooter dans la porte.

*
* *

Dawson ralentit, tous ses sens en alerte. Les lumières d'Oriental se rapprochaient. Un sentiment de déjà-vu l'envahit, comme s'il devinait ce qui allait se passer, sans pouvoir intervenir.

Il se pencha sur le volant, plissa les yeux et reconnut la supérette devant laquelle il était passé l'autre matin en faisant son jogging. Illuminée par des projecteurs, la flèche de l'église baptiste dominait le quartier commerçant. Les réverbères halogènes diffusaient une lumière spectrale qui ponctuait l'itinéraire menant à la maison de Tuck. Elle semblait le narguer en suggérant qu'il ne pourrait jamais y parvenir. Les étoiles aperçues plus tôt avaient disparu et le ciel au-dessus de la ville était d'une noirceur irréelle. Un peu plus haut, sur la droite, se dressait le bâtiment de plain-pied qui avait remplacé le bosquet d'origine, quasiment dans le virage situé aux abords de la ville.

Dawson scruta attentivement les alentours, en attendant que… quelque chose se produise. Presque aussitôt il perçut un mouvement de l'autre côté de sa vitre.

Il se tenait là… dans la prairie qui bordait la grand-route. L'homme brun.

Le fantôme.

*

* *

Tout se passa si vite qu'Alan ne comprit même pas ce qui arrivait.

Il discutait – ou du moins essayait de discuter – avec Candy, qui s'apprêtait à déposer une nouvelle bouteille sur le comptoir quand, tout à coup, la porte d'entrée s'ouvrit avec une telle force que la partie supérieure s'arracha de ses gonds.

Alan n'eut même pas le temps de tressaillir que Candy réagissait déjà. La boisson en main, elle reconnut ceux qui venaient de faire irruption.

— Oh merde… souffla-t-elle en lâchant la bouteille.

Le temps que celle-ci éclate en morceaux sur le sol en béton, Candy avait tourné les talons pour s'enfuir en hurlant.

Derrière Alan, une voix tonitruante faisait vibrer les murs.

— Pour qui tu te prends, bordel ?

Alan se recroquevilla sur lui-même, tandis que Candy fonçait à l'autre extrémité du bar, en direction du bureau du patron. Alan fréquentait l'endroit depuis assez long-temps pour savoir que cette pièce disposait d'une porte blindée pourvue d'un verrou de sécurité, car elle abritait le coffre-fort.

Il eut un mouvement de recul et vit Abee passer devant lui comme un fou, poursuivant la queue-de-cheval blonde de Candy. Nul doute qu'Abee savait lui aussi où elle allait.

— Oh non ! Même pas en rêve, salope !

Candy lança un regard terrifié par-dessus son épaule avant d'attraper le montant de la porte. Poussant un nouveau cri, elle se propulsa dans le bureau.

Elle referma le battant au moment où Abee bondissait par-dessus le bar en s'y appuyant d'une main. Verres et bouteilles vides volèrent de tous côtés. La caisse dégrin-gola par terre, mais il avait réussi à soulever ses jambes.

Ou presque.

Il posa les pieds sur le sol en trébuchant et, dans son élan, renversa des bouteilles d'alcool sur l'étagère comme des quilles de bowling.

Elles le ralentirent à peine. En un éclair, il se retrouva devant la porte du bureau. Chaque séquence de la scène se déroula sous les yeux ahuris d'Alan avec une précision aussi brutale qu'irréelle. Mais lorsqu'il revint à la réalité, la panique envahit toutes les fibres de son corps.

Il n'était pas dans un film.

Abee martelait le panneau blindé en braillant comme un forcené.

— Ouvre cette putain de porte !

C'était bel et bien réel.

Alan entendait Candy pousser des cris hystériques dans le bureau.

Houlà…

Les gars qui jouaient au fond de la salle piquèrent un sprint vers la sortie de secours, lâchant leurs queues de billard, qui claquèrent sur le béton en dégringolant. En les entendant se fracasser sur le sol, Alan sentit son cœur faire un bond dans sa poitrine, déclenchant son instinct de survie.

Il devait vider les lieux.

Tout de suite !

Comme sous le coup d'un pic à glace, Alan bondit du tabouret, qui tomba à la renverse, et il se cramponna au bar pour garder l'équilibre. En se tournant vers la porte d'entrée défoncée, il aperçut le parking de l'autre côté. Et la route un peu plus loin, qui l'attirait comme un aimant. Il s'y précipita.

C'était tout juste s'il entendait Abee tambouriner et menacer Candy de la tuer si elle n'ouvrait pas. Il remarqua à peine les chaises et les tables sens dessus dessous. Une seule chose comptait : sortir au plus vite du Tidewater.

Alan perçut les semelles de ses baskets qui claquaient sur le béton, mais la porte d'entrée branlante n'avait pas l'air de se rapprocher de lui. Un peu comme celles du palais du rire à la fête foraine.

De très loin, il reconnut la voix de Candy qui braillait :

— Laisse-moi tranquille !

Il ne vit pas arriver Ted, ni la chaise que celui-ci balança dans sa direction, jusqu'à ce qu'elle se fracasse dans ses jambes et qu'il se retrouve à plat ventre. D'instinct, il essaya d'amortir sa chute, mais ne put briser son élan. Son front heurta violemment le sol et le choc l'étourdit. Il vit trente-six chandelles avant qu'un voile noir s'abatte sur ses yeux.

Puis il reprit lentement connaissance.

Tout en bataillant pour dégager ses jambes de la chaise brisée et rouler sur lui-même, Alan sentit le goût du sang dans sa bouche. Une Santiag s'aplatit brutalement sur sa joue, tandis que le talon s'enfonçait dans sa mâchoire, et sa tête se retrouva plaquée au sol.

Au-dessus de lui, Ted Cole le Cinglé le visait avec son revolver, l'air vaguement amusé.

— Tu croyais aller où, ducon ?

*
* *

Dawson se gara au bord de la route. En sortant du véhicule, il s'attendait plus ou moins à voir la silhouette disparaître dans l'ombre, mais l'homme brun ne bougea pas, entouré d'herbes folles jusqu'à hauteur des genoux. Il se tenait à une cinquantaine de mètres, assez près pour que Dawson voie le coupe-vent remuer dans la brise. En courant vite, il pouvait rejoindre l'inconnu en moins de dix secondes.

Dawson savait désormais qu'il ne l'imaginait pas. Il sentait sa présence aussi nettement que les battements de son cœur. Sans le quitter des yeux, il tendit le bras dans la voiture, coupa le moteur et éteignit les phares. Même dans le noir, il distinguait la chemise blanche de l'homme sous le coupe-vent ouvert. Son visage demeurait néanmoins trop flou, comme toujours.

Dawson s'éloigna de la route et foula l'étroite bande de gravillons du bas-côté.

L'inconnu resta immobile.

Dawson s'aventura ensuite dans le pré voisin, et la silhouette ne bougea toujours pas.

Dawson gardait le regard sur lui, tandis qu'il comblait peu à peu la distance qui les séparait. Cinq pas. Puis dix. Quinze. En plein jour, il aurait évidemment pu discerner les traits du visage de l'inconnu, mais dans le noir ils restaient confus.

Encore quelques pas. Dawson avançait, incrédule. Il ne s'était jamais trouvé aussi près de la silhouette fantomatique… assez pour l'atteindre en piquant un sprint.

Il continua de l'observer, ne sachant trop à quel moment il devrait se mettre à courir. Mais l'inconnu parut lire dans ses pensées. Il recula d'un pas.

Dawson s'arrêta. La silhouette aussi.

Dawson fit un pas en avant et vit l'individu reculer de même. Dawson s'avança de deux pas cette fois, l'homme reproduisant son mouvement à l'identique en s'éloignant.

Abandonnant toute précaution, Dawson s'élança vers lui. L'homme brun tourna les talons et partit en courant. Dawson accéléra l'allure, mais impossible de le rattraper, tandis que le coupe-vent claquait dans la brise comme pour le défier.

Dawson pressa encore l'allure, et l'homme changea brusquement de direction, courant cette fois le long de la route. Ils repartaient vers Oriental et le bâtiment de plain-pied situé à l'entrée du virage.

Le virage…

Dawson gagnait du terrain, mais l'homme brun ne semblait plus vouloir s'éloigner. Pour la première fois, Dawson sentait qu'il l'entraînait vers un lieu bien précis. C'était à n'y rien comprendre, mais Dawson était trop occupé à le poursuivre pour réfléchir au pourquoi du comment.

La Santiag de Ted appuyait fortement sur la joue d'Alan, qui avait l'impression qu'on lui écrasait les deux oreilles et sentait le talon perforer de plus en plus sa mâchoire. Le pistolet braqué sur son crâne semblait si énorme qu'il envahissait la totalité de son champ visuel, tandis que ses boyaux se transformaient en charpie.

Je vais mourir, pensa-t-il soudain.

— Je sais que t'as tout vu, dit Ted, qui agitait son flingue en le gardant pointé sur Alan. Si je te laisse te relever, tu vas pas essayer de filer, hein ?

Alan tenta de déglutir, mais sa gorge était comme bloquée.

— Non, marmonna-t-il d'une voix rauque.

Ted enfonça davantage sa botte. La douleur était intense, Alan poussa un hurlement. Il avait les oreilles en feu et aplaties comme des crêpes. Tout en louchant vers son agresseur, il implora sa pitié et remarqua que Ted avait l'autre bras dans le plâtre et le visage violacé. Alan se demanda vaguement ce qui lui était arrivé.

Ted recula.

— Debout ! lâcha-t-il.

Alan se débarrassa tant bien que mal de la chaise cassée qui l'entravait, puis se leva péniblement, manquant vaciller sous la douleur qui élançait son genou. La porte d'entrée se trouvait à quelques pas.

— N'y pense même pas ! ricana Ted en lui montrant le bar. Par ici !

Alan s'exécuta en boitillant. Abee vociférait toujours, cognant la porte du bureau. Finalement, il se tourna vers eux.

Abee pencha la tête sur le côté, le regard fixe, l'air cinglé. Alan sentit de nouveau ses entrailles se nouer.

— J'ai ton petit copain avec moi ! beugla-t-il.

— C'est pas mon petit copain ! riposta Candy en hurlant, sa voix étouffée par la porte. J'appelle les flics !

Sur ses entrefaites, Abee revenait déjà vers le bar. Ted braquait toujours son arme sur Alan.

— Tu pensais que vous pouviez tous les deux vous barrer comme ça ? brailla Abee.

Alan ouvrit la bouche pour répondre, mais la terreur le privait de la parole.

Abee se pencha pour ramasser une queue de billard tombée par terre. Alan le regarda la prendre en main comme s'il tenait une batte de base-ball et s'apprêter à frapper comme un malade.

Pitié, non…

— Tu crois peut-être que j'aurais rien découvert ? Que je savais pas ce que vous aviez prévu ? Je vous ai vu tous les deux à l'œuvre, vendredi soir !

À quelques pas de lui, Alan était pétrifié, incapable de faire un geste, alors qu'Abee ramenait la queue de billard en arrière. Ted recula.

Oh mon Dieu…

— Je ne sais pas de quoi vous parlez… articula Alan d'une voix étranglée.

— Elle a laissé sa bagnole devant chez toi ? demanda Abee. C'est ça, hein ?

— Mais qu'est-ce que…

Alan n'eut pas le temps de finir qu'Abee lui fracassait la queue de billard sur le crâne. Alan s'écroula par terre, tandis qu'Abee le frappait encore et encore. Alan tenta vainement de se protéger et sentit son bras se briser. Quand la queue de billard se cassa en deux, Abee lui lança des coups de pied dans la figure avec sa botte à bout ferré. Quant à Ted, il s'en prit à ses reins, shootant dedans sans vergogne.

Alors qu'Alan hurlait de douleur, les deux frères se déchaînèrent sur lui, le passant copieusement à tabac.

*
* *

Après avoir traversé le pré au pas de course, ils approchaient maintenant du bâtiment ramassé et hideux situé dans le virage. Dawson aperçut quelques voitures garées sur le parking et remarqua une lueur rouge au-dessus de l'entrée. Lentement, ils avaient obliqué dans cette direction.

Alors que l'étranger aux cheveux bruns semblait glisser sans effort devant lui, Dawson avait l'impression lancinante de le connaître plus ou moins. La position détendue des épaules, le balancement régulier des bras, la cadence de ses longues foulées... Dawson avait déjà observé cette manière de courir, et pas seulement dans le bois avoisinant la maison de Tuck. Il n'arrivait toujours pas à situer où, mais sentait qu'il ne tarderait pas à le découvrir. L'homme lança un regard par-dessus son épaule, comme s'il devinait la moindre pensée de Dawson, qui entrevit pour la première fois ses traits et comprit qu'il l'avait vu auparavant.

Bien avant l'explosion.

Dawson trébucha mais, tout en se redressant, il sentit un frisson le parcourir.

Impossible.

Cela remontait à vingt-quatre ans. Depuis lors, Dawson avait été incarcéré, puis libéré ; il avait ensuite travaillé sur des plates-formes pétrolières dans le golfe du Mexique. Il avait aimé, perdu son amour, puis aimé de nouveau et encore perdu son amour, et l'homme qui l'avait autrefois pris sous son aile venait de mourir de vieillesse. Mais cet étranger – parce qu'il était un étranger pour lui et l'avait toujours été – n'avait pas pris une ride. Il était exactement comme ce fameux soir où il faisait un footing après ses consultations à son cabinet, alors qu'il avait plu un peu plus tôt. C'était lui, et Dawson pouvait désormais l'affirmer : le visage surpris qu'il avait vu en donnant un coup de volant pour l'éviter. Dawson transportait alors une cargaison de pneus pour Tuck et rentrait à Oriental...

C'était à cet endroit, se remémora Dawson. À cet endroit précis que le Dr David Bonner, époux et père de famille, avait été tué.

Dawson reprit son souffle et trébucha encore, mais l'homme semblait décidément lire dans ses pensées. Il hocha une fois la tête en atteignant l'allée de gravier du parking. Puis il accéléra en courant le long de la façade du bâtiment. Dawson était en nage quand il parvint dans son sillage. Un peu plus loin, l'inconnu – ou plutôt le Dr Bonner – avait cessé de courir et se tenait devant l'entrée de la bâtisse, sa silhouette baignant dans la lumière rouge du néon de l'enseigne.

Dawson s'approcha, les yeux rivés sur le Dr Bonner, juste au moment où le fantôme se tournait pour entrer dans le bâtiment.

Dawson le suivit et franchit l'entrée d'un bar à peine éclairé quelques secondes plus tard, mais dans l'intervalle le Dr Bonner avait disparu.

En un clin d'œil, Dawson embrassa la scène : les chaises et les tables renversées, les cris étouffés d'une femme au fond de la salle, tandis que la télé continuait à beugler. Ses cousins Ted et Abee, penchés sur quelqu'un à terre qu'ils tabassaient sauvagement, comme s'ils se livraient à une sorte de rituel macabre, jusqu'à ce qu'ils cessent tout à coup en levant les yeux sur lui. Dawson entrevit la silhouette ensanglantée qui gisait sur le sol et la reconnut aussitôt.

Alan…

Au fil des années, Dawson avait eu le temps de mémoriser les traits du jeune homme sur d'innombrables photos, mais il remarquait à présent sa ressemblance frappante avec son père : l'homme qui lui était apparu ces derniers mois… celui-là même qui l'avait conduit jusqu'ici.

Ted et Abee se figèrent, l'un comme l'autre visiblement surpris par la présence du nouveau venu. Ils haletaient en regardant Dawson, tels des loups interrompus en plein carnage.

Le Dr Bonner l'avait sauvé dans un but précis.

L'idée traversa l'esprit de Dawson à l'instant même où une lueur de compréhension brillait dans les yeux de Ted. Ce dernier leva son arme, mais n'eut pas le temps de presser la détente que Dawson se réfugiait d'un bond derrière une table. Dawson comprit soudain pourquoi on l'avait entraîné jusqu'ici… et peut-être même en quoi consistait sa mission depuis le début.

*
* *

Chaque fois qu'il reprenait son souffle, Alan avait l'impression de recevoir un coup de poignard.

Impossible pour lui de se lever mais, en dépit de sa vision trouble, il parvint à entrevoir ce qui se passait.

Depuis que l'inconnu avait fait irruption dans le bar, en se dévissant le cou pour regarder de tous côtés comme s'il pourchassait quelqu'un, Ted et Abee avaient cessé de le cogner pour concentrer toute leur attention sur le nouveau venu. Alan ne comprenait pas, mais en entendant les coups de feu il se roula en boule et se mit à prier.

L'inconnu s'était jeté derrière des tables et Alan ne le voyait plus, mais les bouteilles d'alcool volèrent au-dessus de lui, tandis que les balles de Ted et d'Abee ricochaient aux quatre coins du bar. Il entendit Abee pousser un cri et le bruit sourd du bois qui se fend, comme une chaise explosait en morceaux autour de lui. Ted avait disparu de son champ de vision, mais il l'entendait encore tirer comme un fou.

Quant à lui-même, Alan était certain qu'il agonisait.

Deux de ses dents étaient arrachées, et sa bouche remplie de sang. Il avait senti ses côtes éclater quand Abee l'avait frappé à coups de pied. Le devant de son pantalon était humide… soit il s'était pissé dessus, soit il saignait à cause des coups reçus dans les reins.

Il perçut vaguement un bruit de sirène à distance mais, comme il était convaincu de sa mort imminente, l'énergie lui manquait pour recouvrer l'espoir. Il entendit les chaises et les bouteilles s'entrechoquer. Quelque part au loin, Abee étouffa un grognement comme une bouteille d'alcool percutait une masse solide.

Il vit l'inconnu passer devant lui à toute vitesse en gagnant le bar. Aussitôt après, des cris précédèrent un coup de feu, qui fit voler en éclats le miroir derrière le comptoir. Alan sentit une pluie de bris de verre lui entailler la peau. Un autre cri, encore des bruits de bagarre. Abee hurla à tue-tête, puis s'interrompit soudain quand quelque chose produisit un bruit sourd en se fracassant par terre.

La tête de quelqu'un ?

D'autres échanges de coups suivirent. De sa position au sol, Alan vit Ted trébucher en arrière et manquer de justesse de lui écraser le pied. Ted braillait quelque chose en recouvrant son équilibre, mais Alan crut percevoir un soupçon de panique dans sa voix, tandis qu'un autre coup de feu résonnait dans le bar.

Alan plissa les yeux de toutes ses forces, puis les rouvrit quand une chaise vola dans les airs. Ted tira au plafond et l'étranger fonça sur lui comme un taureau en le poussant contre le mur. Un pistolet dégringola sur le sol, alors que Ted était projeté sur le côté.

L'homme ne lâchait plus Ted, qui tentait de s'éloigner de sa ligne de mire, mais Alan ne pouvait se déplacer. Derrière lui, les coups pleuvaient… en entrecoupant les braillements de Ted à chaque contact du poing contre sa mâchoire. Puis Alan n'entendit plus que les coups, Ted s'était tu. Puis les coups s'arrêtèrent, et on n'entendit plus qu'une respiration pantelante.

Le hurlement des sirènes s'était rapproché, mais Alan savait que les secours arrivaient trop tard.

Ils m'ont massacré, se dit-il comme sa vision se troublait à nouveau. Soudain, un bras le saisit par la taille et l'aida à se relever.

La douleur était insoutenable. Alan hurla en se sentant soulevé de terre, un bras s'enroulant autour de lui. Comme par miracle, il parvint à tenir sur ses jambes, tandis que l'in-connu le soutenait en le traînant plus au moins vers l'entrée de l'établissement. Il aperçut un bout de ciel sombre par la porte défoncée vers laquelle ils se dirigeaient.

— Je m'appelle Alan, dit-il d'une voix éraillée, en s'affaissant contre l'étranger. Alan Bonner.

— Je sais, répondit l'homme. Je suis censé te sortir de là.

*
* *

Je suis censé te sortir de là.

À peine conscient, Ted ne saisit pas vraiment les paroles de Dawson, mais comprit d'instinct la situation.

Dawson allait encore se barrer.

Une rage fulgurante l'envahit, plus puissante que la mort.

Il s'efforça de soulever une paupière ensanglantée et vit Dawson s'avancer en titubant vers la porte, le petit copain de Candy cramponné tant bien que mal à lui. Comme Dawson lui tournait le dos, Ted chercha son Glock en regardant de tous côtés.

Là ! À quelques pas, sous une table fracassée.

Les sirènes hurlaient de plus belle maintenant.

Rassemblant ses dernières forces, Ted se rua sur le flingue, ravi de le sentir peser de tout son poids dans sa main. Il le dirigea vers la porte en le braquant sur Dawson. Ted ignorait s'il restait encore des balles, mais savait que c'était sa dernière chance.

Il visa. Pressa la détente.

21

Aux alentours de minuit, Amanda se sentit tout engourdie. Mentalement, émotionnellement et physiquement vidée, elle oscillait entre l'épuisement et la crise de nerfs depuis plusieurs heures qu'elle était assise dans la salle d'attente. Elle avait feuilleté les pages de magazines distraitement et marché de long en large, s'efforçant de réprimer l'angoisse qui la tenaillait chaque fois qu'elle pensait à son fils. Mais son inquiétude grandissait à mesure que minuit approchait.

Lynn était arrivée une heure plus tôt, visiblement paniquée. Cramponnée à Amanda, elle l'avait mitraillée de questions auxquelles sa mère ne pouvait répondre. Elle se tourna ensuite vers Frank et lui demanda des tas de détails au sujet de l'accident. Quelqu'un avait franchi le carrefour à toute vitesse, lui répondit-il, impuissant, dans un haussement d'épaules. Il était dégrisé à présent et, même s'il s'inquiétait manifestement pour Jared, il ne précisa pas la raison pour laquelle son fils s'était trouvé en voiture avec lui à cette intersection.

Amanda n'avait pas parlé à Frank pendant toutes ces heures dans la salle d'attente. Lynn avait dû remarquer que ses parents ne se parlaient pas, mais elle-même se taisait maintenant, pétrie d'inquiétude pour son frère. À un moment, elle demanda malgré tout à sa mère si elle devait aller récupérer Annette à sa colonie de vacances. Amanda lui dit d'attendre qu'ils aient d'autres informations sur l'état de Jared. Annette était trop jeune pour saisir l'ampleur de ce drame familial et, en toute honnêteté, Amanda ne se sentait pas la force de s'occuper de sa cadette pour l'instant. Elle peinait déjà à se supporter elle-même.

À minuit vingt, alors qu'Amanda avait l'impression de vivre la journée la plus longue de son existence, le Dr Mills revint enfin dans la salle d'attente. Il accusait à l'évidence la fatigue, mais avait enfilé une blouse de chirurgie propre avant de venir leur parler. Amanda se leva de son siège, bientôt imitée par Lynn et Frank.

— L'opération s'est bien passée, annonça-t-il d'emblée. Nous sommes certains que Jared va se rétablir.

*
* *

Jared passa plusieurs heures en salle de réveil, mais Amanda ne fut pas autorisée à le voir avant son transfert en soins intensifs. Bien que l'unité soit normalement interdite aux visiteurs pendant la nuit, le Dr Mills fit une exception pour elle.

Dans l'intervalle, Lynn avait reconduit Frank à la maison. Il prétendait souffrir d'une intense migraine, après s'être cogné la tête lors de l'accident, mais promit de la retrouver le lendemain dans la matinée. Lynn s'était proposée pour revenir tenir compagnie sa mère, mais Amanda avait mis son veto. Elle passerait toute la nuit au chevet de Jared.

Elle s'installa donc auprès de lui pendant les heures qui suivirent, écoutant les « bips » du moniteur cardiaque et le sifflement du respirateur artificiel. Jared était pâle comme un linge, et ses joues creuses. Il ne ressemblait plus au fils dont elle gardait le souvenir, le fils qu'elle avait élevé ; il lui paraissait étranger dans cet environnement inhabituel, si éloigné de leur vie quotidienne.

Seules ses mains lui semblaient intactes, et Amanda en prit une dans la sienne en puisant son énergie dans la chaleur qu'elle dégageait. Quand l'infirmière était venue changer le pansement de Jared, Amanda avait entraperçu la violente entaille qui barrait son torse et elle avait dû détourner les yeux.

Le médecin avait précisé que Jared se réveillerait sans doute plus tard dans la journée et, tandis qu'elle veillait à son chevet, Amanda se demanda si son fils se rappellerait tout ou partie de l'accident et de son admission à l'hôpital. Avait-il eu peur lorsque son état s'était soudain aggravé ? Avait-il souhaité la présence d'Amanda ? Cette seule pensée lui était douloureuse, et elle se promit de rester auprès de lui aussi longtemps qu'il en aurait besoin.

Elle n'avait pas fermé l'œil depuis son arrivée. Au fil des heures, comme Jared ne se réveillait toujours pas, elle commença à somnoler, bercée par les bruits réguliers du matériel médical. Elle se pencha et posa la tête sur la barrière du lit. Une infirmière la réveilla vingt minutes plus tard, et lui suggéra de rentrer chez elle se reposer un peu.

Amanda secoua la tête et contempla à nouveau son fils, souhaitant insuffler de la force dans ce corps meurtri. Pour se consoler, elle songea aux paroles rassurantes du Dr Mills : une fois rétabli, Jared pourrait mener une vie quasi normale. « Cela aurait pu être pire », avait dit le chirurgien, et elle se répétait cette phrase comme un mantra destiné à éloigner toute autre catastrophe.

Tandis que la lumière du jour filtrait par les fenêtres de l'unité de soins intensifs, l'hôpital commençait à reprendre vie. Une nouvelle équipe d'infirmières prit la relève ; on chargeait les chariots pour la distribution du petit déjeuner ; les médecins commençaient la tournée de leurs patients. Un bourdonnement d'activités envahissait les couloirs. Une infirmière lui annonça qu'elle devait vérifier le cathéter et Amanda quitta la pièce à contrecœur pour gagner la cafétéria. Peut-être qu'un peu de caféine la revigorerait ; elle devait être présente quand Jared se réveillerait enfin.

Bien qu'il soit encore tôt, les gens restés comme elle debout toute la nuit faisaient déjà la queue. Un jeune homme qui frisait la trentaine prit place derrière elle.

— Ma femme va me tuer, avoua-t-il comme ils posaient leur plateau sur le rail de la file d'attente.

— Pourquoi donc ? répliqua Amanda en arquant un sourcil.

— Elle a accouché cette nuit et m'a envoyé ici lui chercher du café. Elle m'a dit de me dépêcher parce qu'elle en avait une envie folle, mais je n'ai pas pu m'empêcher de faire un détour par la pouponnière pour voir notre bébé.

Malgré sa détresse, Amanda esquissa un sourire.

— Un petit garçon ou une petite fille ?

— Un garçon. Gabriel… Gabe. C'est notre premier.

Elle songea alors à Jared. Puis à Lynn, à Annette et, bien sûr, à Bea. Amanda avait connu dans cet hôpital les jours les plus heureux et les plus tristes de son existence.

— Félicitations, dit-elle au jeune papa.

La file d'attente avançait lentement, les clients prenant le temps de choisir mille et une variantes compliquées pour leur petit déjeuner. Amanda jeta un œil sur sa montre, après avoir enfin payé sa tasse de café. Elle était partie depuis un quart d'heure. Comme elle se doutait qu'on ne l'autoriserait pas à rapporter son café en soins intensifs, elle s'attabla près de la fenêtre et vit que le parking commençait à se remplir.

Son café terminé, elle fit une halte aux toilettes. Son visage qu'elle reconnut à peine dans le miroir était hagard, manifestement privé de sommeil. Elle se passa de l'eau froide sur les joues et le cou, puis s'arrangea comme elle le put pour avoir l'air présentable. Elle reprit ensuite l'ascenseur et regagna les soins intensifs. Comme elle s'approchait de la porte, une infirmière l'intercepta.

— Désolée, mais vous ne pouvez pas entrer maintenant.

— Pourquoi ? rétorqua Amanda en s'arrêtant.

L'infirmière ne voulut pas lui répondre et son expression ne laissait rien transparaître. Amanda se sentit de nouveau en proie à la panique.

Elle attendit dans le couloir pendant près d'une heure, jusqu'à ce que le Dr Mills surgisse enfin pour lui parler.

— Navré, dit-il, mais il y a eu de sérieuses complications.

— Je… je ne… ne l'ai quasiment pas quitté… balbutia-t-elle, ahurie.

— Il a fait un infarctus, poursuivit le médecin. Ischémie du ventricule droit, précisa-t-il en secouant la tête.

Amanda fronça les sourcils.

— Je ne comprends rien à ce charabia ! Parlez-moi de façon que je puisse comprendre !

Le Dr Mills réagit avec bienveillance et reprit avec douceur :

— Votre fils, Jared… a fait une crise cardiaque.

Amanda battit des paupières et sentit le couloir vaciller.

— Non. C'est impossible. Il dormait… Il se rétablissait quand je me suis absentée pour…

Le médecin restait muet et Amanda fut prise de vertige, tandis qu'elle enchaînait en bégayant :

— Vous… vous disiez qu'il… qu'il s'en sortirait. Que l'opération s'était bien passée. Qu'il… qu'il se réveillerait un peu plus tard.

— Je suis désolé…

— Comment pourrait-il faire une crise cardiaque ? Il n'a que dix-neuf ans !

— Sans doute un caillot quelconque. C'est soit lié au traumatisme d'origine, soit à celui de l'opération, mais je ne peux rien affirmer, expliqua le Dr Mills. C'est inhabituel, mais tout peut arriver après une grave blessure dans la région du cœur.

Il lui effleura affectueusement le bras.

— Tout ce que je peux vous dire, c'est que si cela s'était produit ailleurs qu'en soins intensifs, il risquait de ne pas en réchapper.

— Mais il est tiré d'affaire, alors ? dit Amanda d'une voix chevrotante. Il va s'en sortir ?

— Je n'en sais rien, répondit le médecin, le visage fermé.

— Comment ça, vous n'en savez rien ?

— Nous avons du mal à maintenir un rythme sinusoïdal.

— Arrêtez de parler comme un médecin ! Dites-moi simplement ce que je suis censée savoir ? Est-ce que mon fils va se rétablir ?

Pour la première fois, le Dr Mills détourna les yeux.

— Le cœur de votre fils est défaillant, répondit-il. Sans… intervention, je ne peux formuler un pronostic vital.

Amanda tituba comme sous l'effet d'un coup de poing. Elle garda l'équilibre en se tenant au mur, tandis qu'elle tentait de digérer les paroles qu'elle venait d'entendre.

— Vous n'êtes pas en train de me dire qu'il va mourir, si ? murmura-t-elle. C'est impossible. Il est jeune, vigoureux, en bonne santé. Vous devez faire quelque chose.

— Nous faisons tout notre possible, répondit le Dr Mills d'une voix lasse.

Ça ne va pas recommencer, pensa-t-elle. *Après Bea. Jared à présent…*

— Alors, faites-en davantage ! lâcha-t-elle, mi-hystérique mi-implorante. Emmenez-le en chirurgie, faites ce que vous avez à faire !

— La chirurgie n'est pas envisageable à l'heure qu'il est.

— Faites tout ce que vous devez faire pour le sauver ! répliqua Amanda, dont la voix se brisait.

— Ce n'est pas aussi simple…

— Pourquoi ? insista-t-elle, incapable de comprendre où il voulait en venir.

— Je dois convoquer une réunion d'urgence avec le comité de transplantation.

Ce dernier mot réduisit à néant le peu de sang-froid qui restait à Amanda.

— Une transplantation ?

— Oui, dit-il en lançant un regard sur la porte avant de revenir à elle en soupirant. Votre fils a besoin d'un nouveau cœur.

*
* *

On raccompagna ensuite Amanda dans la même salle d'attente qu'elle avait occupée pendant la première opération de Jared.

Cette fois, elle n'était pas seule. Trois autres personnes occupaient la pièce, toutes arborant la même expression tendue et impuissante qu'Amanda. Elle s'effondra dans un fauteuil et essaya en vain de chasser une horrible impression de déjà-vu.

Je ne peux formuler aucun pronostic vital.

Mon Dieu…

Soudain, elle ne supporta plus l'atmosphère confinée de cette salle d'attente. L'odeur d'antiseptique, les néons hideux, les visages anxieux aux traits tirés… Amanda revivait les semaines et les mois que Frank et elle avaient passés dans des pièces identiques à celle-ci, pendant la maladie de Bea. Le désespoir, l'angoisse… Elle devait à tout prix s'en aller.

Elle se leva, mit son sac en bandoulière, puis traversa à la hâte les couloirs carrelés jusqu'à ce qu'elle trouve une sortie. Elle s'installa sur un banc de pierre, au cœur d'une petite terrasse, et respira à pleins poumons l'air frais du matin. Puis elle sortit son téléphone et appela la maison. Elle tomba sur Lynn, juste au moment où elle et Frank s'apprêtaient à partir pour l'hôpital. Amanda la mit au courant des derniers événements, tandis que Frank décrochait l'autre appareil pour écouter. De nouveau, Lynn lui posa une multitude de questions qui restèrent sans réponse, mais Amanda l'interrompit pour lui demander de prévenir la colonie où séjournait Annette et de s'arranger avec la direction pour passer chercher sa petite sœur. Le trajet aller-retour durerait trois heures, et Lynn protesta en disant qu'elle souhaitait voir son frère, mais Amanda répliqua fermement qu'elle devait d'abord lui rendre ce service. Frank ne dit rien du tout.

Après avoir raccroché, Amanda appela sa mère. Le simple fait de lui expliquer ce qui s'était passé ces dernières vingt-quatre heures ne fit que rendre son cauchemar d'autant plus réel, si bien qu'elle s'effondra avant de pouvoir terminer.

— J'arrive, dit simplement sa mère. Le plus vite possible.

*
* *

Quand Frank rejoignit Amanda à l'hôpital, ils rencontrèrent le Dr Mills dans son bureau, au deuxième étage, afin de discuter des possibilités de greffe cardiaque pour Jared.

Même si Amanda comprit les explications du médecin concernant la marche à suivre, deux détails retinrent toutefois son attention.

Primo, le dossier médical de Jared risquait de ne pas être approuvé par le comité de transplantation : en dépit de son état grave, on n'avait jusqu'ici jamais ajouté sur la liste d'attente un patient victime d'un accident de voiture. Rien ne garantissait donc son éligibilité.

Secundo, même en cas d'avis favorable du comité, il ne restait plus qu'à croiser les doigts pour qu'on puisse lui trouver un cœur compatible.

En d'autres termes, les chances se révélaient faibles, d'un côté comme de l'autre.

Je ne peux formuler aucun pronostic vital.

En regagnant la salle d'attente, Frank semblait aussi abasourdi que sa femme. La colère d'Amanda et la culpabilité de Frank dressaient entre eux comme un mur infranchissable. Une heure plus tard, une infirmière vint leur annoncer que l'état de Jared s'était pour le moment stabilisé et qu'ils avaient tous deux l'autorisation de lui rendre visite en unité de soins intensifs.

Stabilisé. Pour le moment.

Amanda et Frank se tinrent ensuite au chevet de Jared. Elle revoyait l'enfant qu'il avait été, le jeune homme qu'il était devenu, mais ne pouvait rapprocher ces images de la silhouette allongée et inconsciente dans ce lit d'hôpital. Frank marmonna des excuses en exhortant son fils à « tenir bon », des paroles qui ne firent qu'accroître la rage et le dépit qu'Amanda tentait de maîtriser.

Frank semblait avoir pris dix ans depuis la veille au soir ; débraillé et abattu, il incarnait la détresse, mais Amanda n'éprouvait pas la moindre compassion pour son mari.

Elle caressait les cheveux de son fils, tandis que les infirmières s'affairaient autour des autres patients de l'unité, comme si c'était une journée des plus ordinaires. Un jour comme un autre dans la vie d'un hôpital… Mais il n'y avait rien d'ordinaire dans tout cela. C'était la fin d'une vie telle qu'Amanda l'avait connue pour elle et sa famille.

Le comité de transplantation se réunissait bientôt. Jusqu'ici, on n'avait jamais ajouté un patient comme Jared à la liste d'attente. Si les membres refusaient son dossier, le fils d'Amanda allait mourir.

*
* *

Lynn arriva à l'hôpital en compagnie d'Annette, qui serrait contre elle un singe en peluche, son doudou préféré. Faisant encore une exception à la règle, les infirmières autorisèrent les deux sœurs à voir leur frère. Lynn devint toute pâle et embrassa Jared sur la joue. Annette posa l'animal en peluche près de lui, sur le lit.

*
* *

Quelques étages au-dessus, dans une salle de conférence, le comité de transplantation était réuni. Le Dr Mills présenta le profil de Jared et son dossier médical, ainsi que l'urgence de la situation.

— Il est noté ici qu'il souffre de défaillance cardiaque aiguë, observa l'un des membres en lisant le rapport qu'il avait sous les yeux.

Le Dr Mills acquiesça.

— Comme il est précisé dans le compte-rendu, l'infarctus a gravement endommagé le ventricule droit du patient.

— Lequel infarctus a résulté d'une blessure occasionnée par un accident de voiture, souligna le membre du comité. Par principe, les cœurs ne sont pas attribués aux victimes d'accidents de la route.

— Uniquement parce qu'ils ne vivent en général pas assez longtemps pour en profiter, remarqua le Dr Mills. Ce patient, en revanche, a survécu. C'est un jeune homme en bonne santé qui, sans cet accident, disposait d'excellentes perspectives d'avenir. La cause de l'infarctus demeure inconnue et, comme nous le savons, la défaillance cardiaque aiguë remplit les critères nécessaires à une transplantation.

Sur ces mots, le médecin mit le dossier de côté et se pencha en dévisageant ses confrères à tour de rôle.

— En l'absence de toute greffe cardiaque, je doute que ce patient franchisse le cap des vingt-quatre prochaines heures. Nous devons l'ajouter à la liste, insista le Dr Mills, une note implorante dans la voix. Il est encore jeune. Nous devons lui offrir la chance de survivre.

Quelques membres du comité échangèrent des regards sceptiques. Il savait ce qu'ils pensaient : non seulement il s'agissait d'un cas sans précédent, mais le délai semblait trop court. Il existait fort peu de probabilités qu'on puisse lui trouver un donneur dans le temps imparti ; cela signifiait que le patient risquait de mourir quelle que soit leur décision. Ils se gardèrent aussi de faire allusion à un facteur non plus humain... mais bel et bien financier, en l'occurrence. L'ajout de Jared à la liste d'attente pouvait déboucher sur un succès comme sur un échec, au sein du programme général de transplantation. Or, un taux de réussite plus élevé signifiait une réputation accrue pour l'hôpital, donc des fonds supplémentaires pour la recherche et les opérations. Par conséquent, davantage d'argent pour les transplantations à venir. À terme, cela signifiait davantage de vies sauvées, même si l'on devait en sacrifier une maintenant.

Toutefois, le Dr Mills connaissait bien ses confrères et savait qu'ils comprenaient aussi que chaque patient et chaque circonstance étaient uniques. Les chiffres ne recouvraient pas l'ensemble de la problématique. Ces médecins étaient des professionnels qui n'hésitaient pas à prendre certains risques pour aider un patient. Pour la plupart, se dit le Dr Mills, c'était la raison même de leur motivation à choisir la médecine, tout comme lui. Bref, ils souhaitaient sauver des vies et décidèrent donc d'essayer à nouveau ce jour-là.

En définitive, le comité adopta à l'unanimité la recommandation pour une greffe cardiaque. Le patient se vit attribuer dans l'heure le statut 1A, qui lui accordait la plus haute priorité… à condition qu'on lui trouve un donneur.

*
* *

Quand le Dr Mills leur annonça la nouvelle, Amanda lui sauta dans les bras et l'étreignit de toutes ses forces.

— Merci, murmura-t-elle. Merci… Merci…

Elle ne cessa de répéter ce mot. Elle craignait d'en dire trop, d'espérer en vain le miracle d'un donneur.

*
* *

Lorsque Evelyn entra dans la salle d'attente, un seul regard sur les membres de la famille en état de choc lui suffit pour comprendre que quelqu'un allait devoir veiller sur eux. Quelqu'un qui pourrait les soutenir, et non quelqu'un qui aurait besoin d'être soutenu.

Elle les embrassa à tour de rôle, étreignant Amanda un peu plus longtemps que les autres. Puis elle recula et scruta les visages en disant :

— À présent, qui a envie d'aller grignoter un morceau ?

*
**

Evelyn s'empressa de partir avec Lynn et Annette à la cafétéria, pour laisser Frank et Amanda en tête à tête. Amanda ne s'imaginait même pas avaler quoi que ce soit. Quant à Frank, elle ne s'inquiétait pas de son sort, ne pouvant penser qu'à Jared.

Et attendre.

Et prier.

Quand l'une des infirmières des soins intensifs passa devant la salle d'attente, Amanda se leva et la rattrapa dans le couloir. D'une voix tremblante, elle lui posa la question évidente.

— Non, répondit l'infirmière. Désolée. Jusqu'ici nous n'avons pas de donneur potentiel.

*
**

Debout dans le couloir, Amanda se prit le visage dans les mains.

Sans qu'elle s'en aperçoive, Frank l'avait rejointe, tandis que l'infirmière s'éloignait.

— Ils vont lui trouver un donneur, dit-il.

Il l'effleura d'une main hésitante, mais elle fit volte-face.

— Comme si tu étais le mieux placé pour me le promettre, répliqua-t-elle, des éclairs dans les yeux.

— Non, bien sûr…

— Alors, évite de parler pour ne rien dire.

— J'essayais juste de…

— Quoi ? De me réconforter ? Mon fils est mourant !

La voix d'Amanda résonna dans le couloir carrelé, tandis que des têtes se tournaient vers elle.

— Il est aussi mon fils, dit Frank d'une voix calme.

La colère qu'Amanda retenait depuis si longtemps explosa enfin.

— Alors, pourquoi tu lui as demandé de passer te prendre au club ? s'écria-t-elle. Parce que tu étais trop ivre pour conduire ?

— Amanda…

— C'est de ta faute ! lui hurla-t-elle au visage.

Des patients se tordirent le cou pour entrevoir ce qui se passait par la porte ouverte de leur chambre, tandis que des infirmières se figeaient sur place dans le corridor.

— Il n'aurait pas dû être dans la voiture ! Il n'avait aucune raison de se trouver là-bas ! Mais tu étais tellement soûl que tu ne pouvais pas te débrouiller tout seul ! Une fois de plus ! Comme toujours !

Frank tenta d'intervenir :

— C'était un accident…

— Bien sûr que non ! Tu ne comprends donc pas ! C'est toi qui as bu comme un trou… C'est toi qui as tout déclenché. Tu as carrément placé Jared sur le trajet de cette voiture !

Amanda pantelait, insensible à toutes les personnes qui pouvaient traverser ce couloir.

— Je t'ai demandé de cesser de boire, reprit-elle dans un souffle. Je t'ai même supplié. Mais tu ne t'es jamais arrêté. Tu n'en avais rien à faire de ce que je souhaitais ou de ce qui était le mieux pour les enfants. Tu n'as toujours pensé qu'à toi et à ta douleur après le décès de Bea.

Elle reprit son souffle avec peine, avant d'enchaîner :

— Eh bien, tu sais quoi ? Moi aussi, j'étais anéantie. C'est moi qui l'ai mise au monde, figure-toi. C'est moi qui l'ai nourrie, changée, pendant que tu étais au travail. C'est moi qui ne l'ai plus quittée quand elle est tombée malade. C'est moi, uniquement, dit-elle en se frappant la poitrine. Et non pas toi. Mais bizarrement, tu es devenu celui des deux qui ne pouvait plus supporter le drame qu'on vivait. Et tu sais ce qui s'est passé ? J'ai fini par perdre du même coup mon bébé et l'homme que j'avais épousé. Même quand j'ai pu reprendre du poil de la bête, envers et contre tout !

Amanda se détourna de Frank, le visage déformé par l'amertume.

— Mon fils est sous respirateur artificiel et le temps va lui manquer, parce que je n'ai jamais eu le courage de te quitter. Ce que j'aurais dû faire depuis longtemps.

Frank gardait la tête baissée, les yeux rivés au sol. À bout de forces, Amanda s'éloigna dans le couloir.

Elle s'arrêta un instant et se retourna en ajoutant :

— Je sais bien que c'était un accident. Je sais aussi que tu es désolé. Mais ça ne suffit pas. Si tu ne t'étais pas soûlé, on n'en serait pas là. Et tu le sais aussi bien que moi.

Ses dernières paroles résonnèrent dans toute l'aile de l'hôpital comme une ultime provocation, et Amanda espérait plus ou moins le faire réagir. Mais Frank resta muet et elle finit par s'en aller.

*
* *

Lorsque la famille fut de nouveau autorisée à se rendre aux soins intensifs, Amanda et les filles se relayèrent au chevet de Jared. Elle y resta près d'une heure. Sitôt que Frank arriva, elle quitta la chambre. Evelyn vint ensuite voir son petit-fils, mais ne resta qu'une poignée de minutes.

Quand le reste de la famille s'en alla, escorté par Evelyn, Amanda revint seule s'installer au chevet de Jared et y resta jusqu'à la relève de l'équipe d'infirmières.

Toujours aucun donneur en perspective.

*
**

L'heure du dîner arriva et le temps s'écoula encore. Evelyn réapparut et arracha sa fille à l'unité de soins intensifs pour l'emmener de force à la cafétéria. Même si la seule idée de se nourrir lui donnait la nausée, Amanda s'efforça de manger un sandwich en silence, sous le regard vigilant de sa mère. Tout en avalant chaque bouchée machinalement, Amanda engloutit le sandwich jusqu'à la dernière miette avant de froisser en boule l'emballage de cellophane.

Puis elle se leva et regagna les soins intensifs.

*
**

Vers les 8 heures du soir, quand les visites furent officiellement closes, Evelyn décida qu'il vaudrait mieux que les filles rentrent à la maison. Frank accepta de les accompagner mais, une fois de plus, le Dr Mills fit une exception pour Amanda en l'autorisant à rester.

Les activités de l'hôpital ralentirent à mesure que la soirée s'avançait. Amanda restait assise immobile au chevet de Jared. L'air un peu embrumé, elle remarqua à peine la rotation des infirmières, incapable de se rappeler leur nom sitôt qu'elles quittaient la pièce. Amanda supplia Dieu encore et encore de sauver son fils, comme elle l'avait supplié dans le passé d'épargner Bea.

Elle ne pouvait qu'espérer être entendue, cette fois.

*
* *

Peu après minuit, le Dr Mills entra dans la pièce.

— Vous devriez rentrer vous reposer un peu, dit-il. Je vous appelle si j'ai du nouveau. Promis.

Amanda refusa de lâcher la main de son fils et redressa le menton comme par défi.

— Pas question de l'abandonner.

*
* *

Il était presque 3 heures du matin quand le Dr Mills réapparut. Amanda était trop épuisée pour se redresser.

— Il y a du nouveau, dit-il.

Elle se tourna vers lui, subitement certaine qu'il allait lui annoncer qu'ils pouvaient dire adieu à leur ultime espoir.

Ça y est, se dit-elle, hébétée. *C'est la fin.*

Au lieu de cela, elle discerna un semblant d'espoir sur le visage du chirurgien.

— Nous avons trouvé un donneur compatible. Nous avions une chance sur un million.

Amanda sentit une poussée d'adrénaline l'envahir.

— Le cœur est transporté en ce moment même vers l'hôpital, et l'opération est d'ores et déjà programmée. À l'heure où je vous parle, l'équipe est déjà en place.

— Ça signifie que Jared va vivre ? s'enquit-elle d'une voix rauque.

— C'est le but même de l'intervention.

À ces mots, Amanda fondit en larmes.

22

Sur l'insistance du Dr Mills, Amanda rentra chez elle. Il lui avait expliqué que Jared serait bientôt transporté dans l'unité préopératoire et qu'Amanda ne pourrait plus rester à ses côtés. Ensuite, l'intervention proprement dite durerait entre quatre et six heures, en fonction d'éventuelles complications.

— Non, répondit le Dr Mills avant même qu'elle ait eu le temps de lui poser la question. Il n'y a pas lieu de s'attendre à des complications.

Malgré sa colère persistante, elle avait appelé Frank après avoir eu la nouvelle et avant de quitter l'hôpital. À l'instar d'Amanda, il n'avait pas fermé l'œil et, alors qu'elle s'attendait à l'entendre manger ses mots comme à son habitude, Frank n'avait manifestement pas bu une goutte d'alcool avant qu'elle l'ait au bout du fil. En revanche, son soulagement au sujet de Jared s'entendait dans sa voix et il la remercia de l'avoir prévenu.

Amanda ne vit pas son mari en arrivant à la maison. Comme sa mère occupait la chambre d'amis, Frank devait dormir sur le canapé du salon. Bien qu'exténuée, elle avait réellement besoin d'une douche, aussi passa-t-elle un long moment sous le jet d'eau salvateur avant de se glisser sous les draps.

Le soleil ne se lèverait pas avant une heure ou deux et, en fermant les paupières, Amanda se dit qu'elle ferait juste un petit somme avant de regagner l'hôpital.

Elle dormit sans rêver pendant six heures.

*
* *

Sa mère tenait une tasse de café, quand Amanda débarqua dans le couloir, pressée de partir pour l'hôpital, tandis qu'elle bataillait pour retrouver ses clés.

— J'ai appelé il y a quelques minutes à peine, déclara sa mère. Lynn m'a dit qu'ils ne savaient rien de plus, hormis que Jared se trouvait en salle d'opération.

— Je dois quand même y aller, marmonna Amanda.

— Bien sûr. Mais pas avant d'avaler un café, répliqua Evelyn en lui tendant la tasse. Je l'ai fait exprès pour toi.

Toujours en quête de ses clés, Amanda retournait le vide-poche et le courrier publicitaire qui s'amoncelait sur la desserte.

— J'ai pas le temps…

— Ça ne te prendra que cinq ou dix minutes, insista sa mère d'un ton qui ne supportait pas la contradiction.

Elle mit la tasse fumante dans la main d'Amanda.

— Ça ne changera rien. Une fois à l'hôpital, nous savons toi et moi que tu ne feras qu'attendre. La seule chose qui importe pour Jared, c'est que tu sois présente à son réveil, et ça ne se produira pas avant plusieurs heures. Alors, prends quelques minutes avant de te précipiter là-bas.

Sa mère s'assit sur l'une des chaises de la cuisine et lui en désigna une autre.

— Bois un café et mange un morceau.

— Je ne peux pas prendre un petit déjeuner alors qu'on est en train d'opérer mon fils ! s'énerva Amanda.

— Je sais que tu es morte d'inquiétude, dit Evelyn d'une voix étonnamment douce. Je le suis aussi. Mais en tant que mère, je me fais aussi du souci pour toi, parce que je sais combien le reste de la famille dépend de toi. Et nous savons toutes les deux que tu es bien plus énergique après avoir mangé et bu un café.

Amanda hésita puis porta la tasse à ses lèvres. Il était en effet savoureux.

— Tu penses vraiment que ce n'est pas gênant ? dit-elle dans un froncement de sourcils, alors qu'elle s'attablait à côté de sa mère.

— Bien sûr que non, voyons. Une longue journée t'attend. Jared aura besoin de te sentir forte quand il te verra.

Amanda se cramponnait à sa tasse.

— J'ai si peur, avoua-t-elle.

À la grande surprise d'Amanda, Evelyn posa la main sur celles de sa fille.

— Je sais. Moi aussi, dit-elle.

Amanda contempla ses doigts, qui agrippaient la tasse, entourés par les petites mains fines et manucurées de sa mère.

— Merci d'être venue.

Evelyn s'accorda un léger sourire.

— Comme si j'avais le choix, ironisa-t-elle. Tu es ma fille et tu avais besoin de moi.

*
* *

Amanda et Evelyn partirent ensemble à l'hôpital et retrouvèrent le reste de la famille dans la salle d'attente. Annette et Lynn se précipitèrent dans les bras d'Amanda. Frank hocha à peine la tête en marmonnant un bonjour. Evelyn, qui sentit aussitôt la tension entre sa fille et son gendre, embarqua les filles avec elle pour un déjeuner de bonne heure.

Lorsque Amanda et Frank se retrouvèrent seuls, il se tourna vers elle.

— Je suis désolé, dit-il. Pour tout.

— Je sais bien que tu l'es, répondit Amanda en le regardant.

— C'est moi qui devrais être à la place de Jared.

Elle resta muette.

— Je peux te laisser seule, si tu préfères. J'irai m'asseoir ailleurs.

Amanda soupira et secoua la tête.

— Ça va. C'est aussi ton fils. Ta place est ici.

Frank reprit son souffle avec peine.

— J'ai arrêté de boire… soit dit en passant. Pour de bon, cette fois.

Amanda lui fit un signe pour l'interrompre.

— Évite le sujet… OK ? Je n'ai pas envie d'en parler maintenant. Ce n'est ni le moment ni l'endroit, et ça ne fera que raviver ma colère. J'ai déjà entendu ces promesses auparavant, et je ne suis vraiment pas en mesure de gérer ça en plus de tout le reste.

Frank acquiesça. Il se tourna et reprit le siège qu'il occupait. Amanda s'installa dans un fauteuil, le long du mur d'en face. Ils n'échangèrent plus un mot jusqu'au retour d'Evelyn et des filles.

*
* *

À midi passé, le Dr Mills entra dans la salle d'attente. Toute la famille se leva. Amanda le dévisagea en s'attendant au pire, mais l'air à la fois épuisé et satisfait du chirurgien eut tôt fait d'apaiser ses craintes.

— L'intervention s'est bien passée, commença-t-il, avant de leur décrire les différentes étapes de la procédure.

Lorsqu'il eut terminé, Annette lui demanda :

— Jared va s'en sortir ?

— Oui, répondit le Dr Mills en souriant et en lui tapotant la tête. Ton frère ira très bien.

— Quand pourrons-nous le voir ? s'enquit Amanda.

— Il est actuellement en salle de réveil, mais vous devriez le voir d'ici quelques heures.

— Il sera conscient alors ?

— Oui, répondit le Dr Mills. Il sera conscient.

*
**

Quand on les informa qu'ils pouvaient aller voir Jared, Frank secoua la tête.

— Vas-y, suggéra-t-il à Amanda. On le verra dès ton retour.

Amanda suivit l'infirmière jusqu'à la salle de réveil. Un peu plus loin, le Dr Mills l'attendait.

— Il a repris connaissance, annonça-t-il en lui emboîtant le pas. Mais je tiens à vous prévenir qu'il pose beaucoup de questions et n'a pas vraiment bien pris la nouvelle. Tout ce que je vous demande, c'est d'éviter au maximum de le brusquer.

— Qu'est-ce que je suis censée lui dire ?

— Contentez-vous de lui parler. Vous trouverez les mots. Vous êtes sa mère.

Devant la salle, Amanda prit une profonde inspiration, puis le médecin poussa la porte. Elle entra dans la pièce inondée de lumière et repéra aussitôt son fils dans un box aux rideaux ouverts.

Jared était d'une pâleur cadavérique, les joues plus creuses que jamais. Il tourna la tête sur le côté, un bref sourire éclairant son visage.

— Salut, m'man, murmura-t-il d'une voix rendue pâteuse par l'anesthésie.

Amanda lui effleura le bras en prenant soin de ne pas déranger les tubes et les pansements.

— Bonjour trésor. Comment tu te sens ?

— Fatigué, marmonna-t-il. J'ai mal partout.

— Je sais, dit-elle en écartant les cheveux de son front avant de s'asseoir à son chevet. Et tu vas sans doute avoir mal pendant un petit moment. Mais tu ne resteras pas ici longtemps. Une semaine environ.

Il battit lentement des paupières, comme lorsqu'il était petit, juste avant qu'elle éteigne la lumière à l'heure du coucher.

— On m'a greffé un nouveau cœur, reprit-il. Le médecin a dit que je n'avais pas le choix.

— En effet.

— Qu'est-ce que ça veut dire ? demanda Jared comme son bras se crispait. Est-ce que je vais mener une vie normale ?

— Bien sûr que oui, dit-elle d'une voix apaisante.

— Ils ont retiré mon cœur d'avant, m'man, insista-t-il en agrippant le drap. Ils m'ont prévenu que je devrais prendre des médicaments toute ma vie.

Ses traits juvéniles trahissaient la confusion et l'anxiété. Il comprenait que son avenir était modifié de manière irrévocable, alors qu'elle aurait aimé le protéger de cette dure réalité, tout en sachant que c'était impossible.

— Oui, confirma Amanda sans le quitter des yeux. On t'a greffé un cœur. Et, oui, tu devras prendre des médicaments. Mais tout cela signifie que tu es en vie.

— Pour combien de temps ? Même les médecins ne sont pas fichus de me le dire.

— Est-ce bien important, là, maintenant ?

— Bien sûr, rétorqua Jared. Ils m'ont dit qu'une transplantation durait en moyenne de quinze à vingt ans. Et que j'aurai ensuite besoin d'un nouveau cœur.

— Eh bien, on t'en greffera un autre. Et dans l'intervalle, tu vas vivre et, ensuite, tu vivras encore. Comme tout le monde.

— Tu ne comprends pas ce que j'essaye de te dire, s'agaça Jared en tournant la tête de l'autre côté.

Amanda chercha les mots susceptibles de faire mouche, d'aider son fils à accepter sa nouvelle existence.

— Quand j'attendais ces deux ou trois dernières heures, tu sais à quoi je pensais ? commença-t-elle. Je pensais qu'il existait tellement de choses que tu n'avais pas encore vécues. Comme la satisfaction d'obtenir ton diplôme à la fac, l'excitation d'acheter ta première maison, de décrocher un boulot génial ou de rencontrer la fille de tes rêves et de tomber amoureux.

Jared ne semblait pas l'avoir entendue, mais elle devina qu'il l'écoutait à la manière dont il restait immobile, comme sur le qui-vive.

— Tu pourras toujours faire une quantité de choses, enchaîna-t-elle. Dans la vie, tu commettras des erreurs et devras te battre comme tout le monde, mais quand tu auras rencontré la bonne personne, tu auras l'impression d'être le plus heureux des hommes.

Elle lui tapota le bras en ajoutant :

— Et puis, en définitive, une greffe du cœur n'a rien à voir avec tout cela. Parce que tu es toujours en vie. Et ça signifie que tu vas aimer et que tu seras aimé… Et rien n'est plus important que l'amour.

Jared resta allongé sans bouger suffisamment longtemps pour qu'Amanda se demande s'il avait succombé à la somnolence post-opératoire. Puis son fils tourna lentement la tête vers elle.

— Tu crois franchement à tout ce que tu viens de me dire ? hésita-t-il.

Pour la première fois depuis qu'on l'avait mise au courant de l'accident, Amanda songea à Dawson Cole. Elle se pencha vers Jared et lui murmura :

— J'y crois dur comme fer.

23

Debout dans le garage de Tuck, les mains jointes devant lui, Morgan Tanner contemplait l'épave de la Stingray. Il grimaça en songeant que le propriétaire n'allait guère apprécier le sort subi par son véhicule.

Les dégâts étaient manifestement récents. Un démonte-pneu dépassait d'un panneau arrière de la carrosserie, partiellement arraché au châssis, et l'avocat était certain que Dawson ou Amanda n'y étaient pour rien. Pas plus qu'on ne pouvait les tenir pour responsables de la chaise balancée par la fenêtre, qui avait atterri sur la véranda. Tout cela était sans doute l'œuvre de Ted et Abee Cole.

Bien qu'il ne soit pas natif d'Oriental, Tanner n'en demeurait pas pour autant insensible aux murmures de la ville. Au fil du temps, il avait appris qu'en tendant l'oreille à l'Irvin's Diner on pouvait en découvrir beaucoup sur l'histoire de cette partie du monde et de ses habitants. Bien sûr, toute information circulant dans cet établissement devait être prise avec des pincettes. Rumeurs, commérages et insinuations disputaient la vedette à la vérité. Pourtant, il en savait plus sur la famille Cole que la plupart des gens ne l'auraient cru. Et même pas mal au sujet de Dawson.

Après que Tuck l'eut informé de ses projets pour Dawson et Amanda, Tanner se souciait suffisamment de sa propre sécurité pour collecter un maximum de renseignements sur le clan Cole. Même si Tuck se portait garant de ce Dawson, l'avocat avait pris le temps de discuter avec le shérif qui l'avait arrêté, ainsi qu'avec le procureur et l'avocat commis d'office. Le milieu juridique du comté de Pamlico étant plutôt restreint, Tanner n'eut aucune peine à obtenir de ses confrères le récit d'une des affaires les plus marquantes d'Oriental.

Le procureur et l'avocat de la défense s'accordaient tous deux sur la présence d'une autre voiture, ce soir-là, et sur le fait que Dawson avait dû faire un écart pour l'éviter. Mais comme le juge et le shérif étaient des amis de la famille Bonner, les deux juristes n'avaient guère pu agir. Cela permit à Tanner de découvrir avec effarement les réalités de la justice en milieu rural. Après quoi, il s'adressa au directeur en retraite de la prison de Halifax, lequel lui certifia que Dawson s'était comporté en détenu modèle. Tanner appela aussi certains anciens employeurs de Dawson en Louisiane, afin de vérifier que l'homme était fiable et sain d'esprit. Ensuite seulement il accéda à la requête de Tuck.

À présent, après le règlement des derniers détails de la succession de Tuck – et la gestion du problème de la Stingray –, le rôle de Tanner dans cette affaire s'achevait. Compte tenu de tous ces événements, y compris les arrestations respectives de Ted et Abee Cole, il s'estimait heureux de ne pas avoir entendu son nom circuler dans les conversations qu'il avait surprises chez Irvin. Et, en avocat digne de ce nom, Tanner avait tenu sa langue.

Cependant, cette situation le troublait bien plus qu'il ne le laissait paraître. Il était même allé jusqu'à passer quelques coups de fil peu orthodoxes ces deux derniers jours, quitte à se mettre en porte-à-faux.

Tout en se détournant du véhicule, il promena son regard sur l'établi, en quête du bon de commande et dans l'espoir d'y découvrir le numéro de téléphone du propriétaire de la Stingray. Il le trouva sur le bloc-notes et un rapide coup d'œil lui fournit tous les renseignements qu'il souhaitait. Il le reposait quand il repéra un objet familier.

Il s'en empara, sachant qu'il l'avait déjà vu auparavant, et l'examina un petit moment. Il réfléchit aux répercussions avant de sortir son portable de sa poche. Il fit défiler son répertoire, trouva le nom, puis pressa la touche APPEL.

À l'autre bout de la ligne, le téléphone sonna.

*
* *

Amanda avait passé le plus clair des deux derniers jours à l'hôpital, si bien qu'elle se languissait de pouvoir dormir dans son lit ce soir-là. Non seulement le fauteuil placé au chevet de son fils était inconfortable, mais Jared lui-même l'avait poussée à rentrer à la maison.

— J'ai besoin de me retrouver seul un moment, lui avait-il dit.

Alors qu'elle profitait de l'air frais, assise dans le petit jardin en terrasse, son fils se trouvait à l'étage et rencontrait pour la première fois, et au grand soulagement d'Amanda, une psychologue. Physiquement, elle savait qu'il faisait d'excellents progrès. Sur le plan émotionnel, c'était une autre paire de manches. Même si Amanda se plaisait à croire que leur conversation avait au moins laissé entrevoir à son fils une nouvelle manière de réfléchir à son état, Jared avait le sentiment qu'on lui dérobait plusieurs années de sa vie. Il voulait retrouver ce qu'il possédait avant, un corps en parfaite santé et un avenir relativement tout tracé, mais ce n'était plus possible. Il prenait des immunodépresseurs pour prévenir tout rejet de la greffe et, afin de pallier les éventuelles infections que ceux-ci pouvaient entraîner, il était aussi sous antibiotiques à haute dose, de même qu'on lui avait prescrit un diurétique pour éviter toute rétention d'eau. Bien qu'il sorte la semaine suivante, il aurait des rendez-vous réguliers à l'hôpital de jour pour surveiller ses progrès pendant au moins un an. Il devrait également suivre une physiothérapie dirigée et un régime restrictif. Sans oublier un rendez-vous hebdomadaire avec la psychologue.

Le chemin qui l'attendait constituait un véritable défi pour toute la famille, mais Amanda avait bon espoir désormais. Jared était plus solide qu'il ne le pensait. Ce serait un travail de longue haleine, mais il finirait par trouver le moyen de traverser cette épreuve. Ces deux derniers jours, Amanda avait remarqué que son fils recouvrait déjà sa vigueur par intermittence, même si lui-même n'en était pas conscient. Et elle savait que la psychologue l'aiderait énormément.

Frank et Evelyn faisaient la navette entre la maison et l'hôpital pour amener Annette ; Lynn s'y rendait toute seule en voiture. Amanda sentait bien qu'elle n'avait pas passé autant de temps qu'elle l'aurait dû avec ses filles. Elles aussi luttaient pour tenir le coup, mais quel autre choix Amanda avait-elle ?

Ce soir, décida-t-elle, elle passerait prendre une pizza sur le trajet du retour. Ensuite, elles pourraient peut-être regarder un film toutes les trois. Ce n'était pas grand-chose, mais Amanda ne pouvait guère en faire davantage pour le moment. Quand Jared serait sorti de l'hôpital, la vie familiale reprendrait peu à peu son cours normal.

Amanda devait donc appeler sa mère, afin de l'informer de ses projets pour la soirée… Elle sortit son portable de son sac et remarqua aussitôt sur l'écran un numéro qu'elle ne reconnut pas. Son icône de messagerie clignotait aussi.

Par curiosité, elle l'appela et reconnut la voix traînante de Morgan Tanner, qui lui demandait de lui téléphoner dès qu'elle en aurait l'occasion.

Elle composa alors son numéro. L'avocat décrocha à la première sonnerie.

— Merci de me rappeler, dit-il avec la même affabilité un peu austère qu'il avait témoignée à Amanda et Dawson, lors de leur entretien. Avant de commencer, je vous prie de m'excuser de vous avoir appelée pendant la période difficile que vous traversez.

Confuse, elle battit des paupières, se demandant comment il était au courant.

— Merci… mais Jared va beaucoup mieux. Nous sommes vraiment soulagés.

Tanner garda le silence, comme s'il essayait d'interpréter ce qu'elle venait de lui dire.

— Bien, dans ce cas… Je vous ai téléphoné parce que je suis passé chez Tuck un peu plus tôt ce matin et, pendant que j'examinais la voiture…

— Ah oui, c'est vrai ! l'interrompit Amanda. Je voulais vous en parler. Dawson a fini de la réparer avant de partir. Elle devrait être prête.

De nouveau, Tanner mit quelques secondes avant de poursuivre.

— Le fait est que j'ai trouvé la lettre que Tuck avait écrite à Dawson. Il a dû la laisser là-bas, et je me demandais si vous souhaitiez que je vous la fasse parvenir.

Amanda changea le téléphone d'oreille, ne comprenant décidément plus rien à cette conversation.

— C'était celle de Dawson, répliqua-t-elle. Vous devriez plutôt la lui renvoyer, non ?

Elle entendit alors l'avocat soupirer à l'autre bout de la ligne.

— Je présume que vous n'êtes pas au courant des derniers événements, dit-il posément. Survenus dimanche soir ? Au Tidewater ?

— Que s'est-il passé ? répliqua Amanda en fronçant les sourcils.

— Je ne tiens pas à vous l'annoncer par téléphone. Pourriez-vous passer à mon cabinet ce soir ? Ou demain matin ?

— Non, dit-elle. Je suis de retour à Durham. Mais enfin, de quoi s'agit-il ?

— Je pense réellement qu'il vaut mieux vous en informer de visu.

— Ça ne va pas être possible, insista-t-elle, une note d'impatience dans la voix. Dites-moi simplement de quoi il retourne. Que s'est-il passé au Tidewater ? Et pourquoi ne pas simplement envoyer la lettre à Dawson ?

Tanner hésita avant de s'éclaircir la voix.

— Il y a eu une… altercation au bar. L'établissement a été pour ainsi dire mis en pièces et on a tiré de nombreux coups de feu. Ted et Abee Cole ont été arrêtés et un jeune homme du nom d'Alan Bonner a été gravement blessé. Il se trouve encore à l'hôpital, mais d'après ce que j'ai pu apprendre, ses jours ne sont pas en danger.

En l'entendant prononcer les patronymes l'un après l'autre, Amanda sentit ses tempes commencer à palpiter. Elle connaissait bien sûr le nom qui était lié aux trois autres. Elle reprit la parole en murmurant presque :

— Dawson était présent ?

— Oui, répondit Morgan Tanner.

— Qu'est-ce qui s'est passé ?

— D'après les informations que j'ai pu glaner, Ted et Abee Cole agressaient Alan Bonner quand Dawson a soudain fait irruption dans le bar. Et c'est à ce moment-là que les frères Cole s'en sont pris à lui.

Tanner marqua une pause.

— Vous devez comprendre que le rapport de police officiel n'est pas encore publié…

— Dawson va bien ? demanda-t-elle. C'est tout ce qui m'importe.

Elle entendit l'avocat soupirer à l'autre bout de la ligne.

— Dawson aidait Alan Bonner à sortir du bar quand Ted s'est débrouillé pour tirer une dernière balle. Dawson a été touché.

Chaque muscle du corps d'Amanda se contracta, tandis qu'elle s'armait de courage pour la suite… qu'elle devinait déjà. Ces paroles, comme tant d'autres ces derniers jours, semblaient impossibles à assimiler.

— Il… il a reçu la balle dans la tête. Il n'avait aucune chance, Amanda. Il se trouvait en état de mort cérébrale à son arrivée à l'hôpital.

À mesure que Tanner parlait, Amanda sentit que le téléphone lui échappait lentement des mains. L'appareil tomba sur le sol. Elle le contempla sur le gravier, avant de se pencher pour presser la touche OFF.

Dawson. Pas lui. Il ne pouvait pas être mort.

Mais elle se rappela aussitôt les paroles de l'avocat. Dawson s'était rendu au Tidewater. Ted et Abee s'y trouvaient. Il avait sauvé Alan Bonner, et à présent il n'existait plus.

Une vie contre une autre, pensa-t-elle. Une ruse divine pour le moins cruelle.

Amanda se revit tout à coup dans le champ de fleurs sauvages, main dans la main avec Dawson. Et lorsque ses larmes se mirent à couler, elle pleura pour Dawson et pour toutes ces années qu'ils ne vivraient jamais ensemble. Jusqu'au jour où, comme Tuck et Clara, leurs cendres s'entremêleraient dans une prairie inondée de soleil, loin des sentiers battus de la vie quotidienne.

Épilogue

Deux ans plus tard

Amanda glissa deux plats de lasagnes dans le réfrigérateur, avant de jeter un œil sur le four pour vérifier
la cuisson du gâteau. Même si Jared n'aurait pas vingt
et un ans avant deux mois, elle en était venue à considérer le 23 juin comme une sorte de seconde naissance
pour son fils. Ce jour-là, deux ans plus tôt, il avait reçu
un nouveau cœur… et une seconde chance dans la vie.
Si cela ne méritait pas d'être fêté, alors qu'est-ce qui en
valait la peine ?

Elle se trouvait seule à la maison. Frank était au cabinet
dentaire. Annette rentrerait plus tard de sa soirée pyjama
chez sa copine, tandis que Lynn travaillait chez Gap
pendant l'été. Pendant ce temps, Jared profitait de ses
derniers jours de liberté en jouant au softball avec des
amis, avant de commencer son stage dans un cabinet de
gestion. Amanda l'avait prévenu qu'il aurait chaud, et fait
promettre de boire beaucoup d'eau.

— Je ferai attention, lui avait-il assuré avant de partir
pour le terrain de sport.

Ces derniers temps – peut-être parce qu'il devenait plus mûr ou à cause de tout ce qui lui était arrivé –, Jared semblait comprendre que l'inquiétude allait de pair avec le rôle de parent.

Il n'avait pas toujours été aussi tolérant. À la suite de son accident, tout semblait le hérisser. Si elle le regardait d'un air inquiet, il prétendait qu'elle l'étouffait ; si elle lançait une conversation, il lui répondait souvent avec effronterie. Amanda comprenait les raisons de la mauvaise humeur de Jared ; son rétablissement se révélait pénible, et les médicaments lui donnaient souvent la nausée. Ses muscles autrefois vigoureux commençaient à s'atrophier en dépit des séances de physiothérapie, ce qui renforçait son sentiment d'impuissance. Sur le plan émotionnel, contrairement à bon nombre de transplantés ayant attendu des années avant de pouvoir bénéficier d'une greffe, Jared continuait à penser qu'on lui avait volé sa jeunesse. Il lui arrivait de s'en prendre à ses amis quand ils venaient le voir. Et Melody, la fille qui l'intéressait tant lors de ce sinistre week-end, lui avait annoncé quelques semaines après l'accident qu'elle sortait avec un autre garçon. Visiblement déprimé, Jared avait décidé d'abandonner la fac.

Le chemin fut long et parfois décourageant, mais avec l'aide de sa thérapeute Jared commença petit à petit à rebondir. La psychologue suggéra aussi que Frank et Amanda la rencontrent régulièrement, afin de discuter des défis que leur fils devait relever, et de la meilleure manière d'y réagir et de l'aider. Compte tenu de leur passé conjugal, il leur fut quelquefois difficile de mettre de côté leurs propres conflits pour offrir à leur fils la sécurité et les encouragements dont il avait besoin. Mais au bout du compte, l'amour qu'ils lui portaient prit le pas sur le reste. Ils firent de leur mieux pour le soutenir quand il traversa des périodes de chagrin et de rage pour parvenir enfin au stade où il commença à accepter sa nouvelle situation.

Au début de l'été précédent, il s'était inscrit à l'université publique locale afin d'y suivre une formation en économie et, à la grande fierté et au grand soulagement de ses parents, Jared avait annoncé peu de temps après qu'il reprendrait ses cours à plein temps à Davidson dès l'automne. Plus tard, cette même semaine, il déclara, l'air de rien, au cours du dîner, qu'il avait lu un article sur un homme ayant vécu trente et un ans après sa transplantation cardiaque. Comme la médecine progressait d'année en année, Jared supposait qu'il pourrait vivre encore plus longtemps.

De retour à la fac, son moral ne cessa de remonter. Après avoir consulté ses médecins, il s'adonna à la course à pied et s'entraîna si bien qu'il courait désormais neuf kilomètres par jour. Il commença à fréquenter la salle de sport trois à quatre fois par semaine, recouvrant progressivement son physique d'avant. Captivé par les cours qu'il avait pris en été, il décida de se concentrer sur l'économie quand il réintégra Davidson. Dans les semaines qui suivirent la rentrée universitaire, il rencontra une étudiante appelée Lauren. Tous deux étaient tombés éperdument amoureux l'un de l'autre et parlaient même de se marier dès leur diplôme en poche. Ces deux dernières semaines, ils étaient partis en mission à Haïti, sous l'égide de la paroisse de Lauren.

Excepté le fait qu'il prenait ses médicaments sans sourciller et s'abstenait de toute boisson alcoolisée, Jared menait plus ou moins à présent la vie d'un garçon normal de vingt et un ans. Toutefois, il ne contrariait pas sa mère si elle décidait de lui préparer un gâteau pour fêter la transplantation. Au bout de deux ans, il en arrivait même à considérer qu'il avait de la chance, en dépit de tout ce qu'il avait enduré.

Cependant, une récente lubie de Jared laissait Amanda perplexe. Quelques soirs plus tôt, alors qu'elle chargeait le lave-vaisselle, son fils l'avait rejointe à la cuisine et s'était penché sur le plan de travail en lui demandant :

— Hé, m'man ? Tu vas de nouveau t'occuper de cette collecte de fonds pour Duke, à l'automne ?

Dans le passé, il faisait toujours allusion à ces déjeuners en parlant de « trucs de charité ». Pour des raisons évidentes, depuis l'accident, Amanda ne s'était plus occupée de l'événement, pas plus qu'elle ne faisait du bénévolat à l'hôpital.

— Oui, répondit-elle. Ils m'ont demandé de reprendre la présidence du comité.

— Parce que ça fait deux ans qu'ils sabotent le truc depuis que tu ne t'en occupes pas, hein ? C'est ce qu'a dit la mère de Lauren.

— Ils n'ont rien saboté du tout. Tout ne s'est pas passé aussi bien que prévu.

— Je suis content que tu reprennes le flambeau. Pour Bea, je veux dire.

— Moi aussi, dit-elle en souriant.

— Et puis ça plaît à l'hôpital aussi, pas vrai ? Parce que tu lèves des fonds ?

Amanda s'empara d'un torchon pour se sécher les mains et le regarda, l'air intrigué.

— Pourquoi tu t'y intéresses autant, tout à coup ?

Jared gratta d'un air absent sa cicatrice sous son tee-shirt.

— J'espérais que tu pourrais te renseigner pour moi, grâce à tes contacts à l'hôpital. Pour un truc que j'aimerais savoir…

*
**

Pendant que le gâteau refroidissait sur le plan de travail, Amanda sortit sur la véranda et inspecta la pelouse.

Malgré les arroseurs automatiques que Frank avait installés l'année précédente, l'herbe séchait aux endroits où les racines s'étiolaient. Avant qu'il parte au travail ce matin, elle l'avait vu contempler ces parcelles brunâtres d'un air lugubre. Depuis deux ans, Frank était devenu un vrai maniaque du gazon. Contrairement à la plupart de leurs voisins, il insistait pour le tondre lui-même, disant que ça lui permettait de se relaxer après une journée passée à réaliser des plombages ou à tailler des couronnes. Il disait sans doute vrai, mais Amanda y voyait aussi des habitudes compulsives. Qu'il pleuve ou qu'il vente, il passait la tondeuse tous les deux jours, en formant un motif d'échiquier sur la pelouse.

Malgré le scepticisme qu'elle affichait au début, Frank n'avait pas bu une seule bière ni la moindre gorgée de vin depuis le jour de l'accident. À l'hôpital, il avait juré de ne plus boire, et elle devait bien reconnaître qu'il avait tenu sa promesse. Après ces deux ans, Amanda ne craignait plus de le voir céder à tout moment à ses anciennes habitudes, et c'était en grande partie pour cette raison que leur relation s'était améliorée. Sans être devenue parfaite, elle n'était certes plus aussi horrible que par le passé. Dans les jours et les semaines qui avaient suivi l'accident, les disputes survenaient quasiment chaque soir. Le chagrin, la culpabilité et la colère avaient aiguisé leurs paroles comme des couteaux, et ils se déchaînaient souvent l'un contre l'autre. Frank dormit des mois durant dans la chambre d'amis, et le matin leurs regards se croisaient rarement.

Mais aussi difficile que fut cette période, Amanda ne put jamais se résoudre à franchir la dernière étape consistant à demander le divorce. Compte tenu de la fragilité émotionnelle de Jared, elle ne pouvait s'imaginer le traumatiser encore davantage. Elle ne réalisa pas, en revanche, que sa résolution de préserver la famille ne produisit pas l'effet escompté. Quelques mois après le retour de Jared à la maison, Frank parlait à son fils dans le salon quand Amanda arriva. Comme le voulait le fonctionnement de leur couple à cette période, Frank se leva et quitta la pièce. Jared le regarda s'en aller avant de se tourner vers sa mère.

— C'était pas de sa faute, lui dit-il. C'est moi qui conduisais.

— Je sais.

— Alors, arrête de lui en vouloir.

L'ironie du sort voulut que ce soit la thérapeute de Jared qui finit par convaincre Amanda et Frank de consulter un spécialiste pour leurs problèmes de couple. La tension qui régnait dans la maison affectait le rétablissement de Jared, observa la psychologue, en précisant que s'ils tenaient vraiment à aider leur fils ils devaient envisager de voir un conseiller conjugal. En l'absence de tout environnement stable, Jared aurait du mal à accepter et à gérer sa nouvelle situation.

Amanda et Frank prirent chacun leur voiture pour leur première consultation avec le thérapeute conjugal, recommandé par la psychologue de Jared. La séance dégénéra pour s'achever dans le genre de disputes qu'ils avaient depuis des mois. Mais, dès la deuxième, ils purent enfin se parler sans hausser le ton. Et, sur l'insistance du thérapeute, Frank commença à se rendre aux réunions des Alcooliques anonymes, au grand soulagement d'Amanda. Au début, il y allait cinq fois par semaine, mais ces derniers temps il se limitait à une seule, et voilà trois mois qu'il était devenu parrain. Il rencontrait régulièrement au petit déjeuner un banquier de trente-quatre ans récemment divorcé qui, à l'inverse de Frank, ne réussissait pas encore à rester sobre. Jusque-là, Amanda ne s'autorisait pas à croire que Frank lui-même finirait par y parvenir.

De toute évidence, Jared et ses sœurs bénéficièrent grandement de l'atmosphère plus détendue à la maison. Récemment, Amanda considérait même que c'était un nouveau début pour Frank et elle. Lorsqu'ils discutaient, ils parlaient rarement du passé et pouvaient même éclater de rire quand ils se retrouvaient en tête à tête. Chaque vendredi soir, ils sortaient en amoureux – comme le leur avait recommandé le thérapeute conjugal – et s'ils se sentaient encore un peu guindés parfois, tous deux savaient combien c'était important. À maints égards, Frank et Amanda réapprenaient à se connaître pour la première fois depuis des années.

La démarche leur apportait une certaine satisfaction, mais Amanda savait que la passion n'animerait jamais leur couple. Frank ne fonctionnait pas et n'avait jamais fonctionné ainsi. Après tout, elle avait connu le genre d'amour qui méritait qu'on brave tous les dangers pour le vivre, un amour aussi rare qu'une vision fugace du paradis.

*
* *

Deux ans s'étaient donc écoulés depuis son week-end avec Dawson Cole ; deux longues années depuis le jour où Morgan Tanner lui avait appris par téléphone le décès de Dawson.

Amanda conservait les lettres de Tuck, la photo de Tuck et Clara, et le trèfle à quatre feuilles au fond du tiroir où elle rangeait ses pyjamas, un endroit où Frank n'irait jamais fouiller. De temps à autre, quand le chagrin lié à la perte de Dawson se révélait trop dur à supporter, elle sortait ces souvenirs. Elle relisait les lettres et faisait tournoyer le trèfle entre ses doigts, en se demandant ce qu'ils avaient véritablement représenté l'un pour l'autre ce fameux week-end. Ils étaient amoureux, mais n'avaient pas fait l'amour ; ils étaient amis, mais également étrangers après tant d'années. Toutefois, leur passion n'en demeurait pas moins réelle, aussi solide que le sol qu'Amanda foulait.

L'an dernier, deux ou trois jours après l'anniversaire de la mort de Dawson, elle s'était rendue à Oriental. En s'arrêtant au cimetière, elle s'était approchée de la petite butte qui surplombait un bouquet d'arbres. C'était à cet endroit que les restes de Dawson avaient été enterrés, loin des Cole, et encore plus loin des parcelles réservées aux Bennett et aux Collier. Tandis qu'elle se tenait devant la simple pierre tombale, contemplant les lys fraîchement cueillis qu'on y avait déposés, Amanda imagina que si le sort décidait qu'elle se retrouve un jour enterrée dans la concession des Collier, l'âme de Dawson et la sienne finiraient par se retrouver… comme tous deux s'étaient retrouvés dans la vie.

Avant de s'en aller, elle fit un détour pour se recueillir sur la tombe du Dr Bonner, en mémoire de Dawson. Et là, devant la pierre tombale, elle découvrit un bouquet de lys identique au premier. Marilyn Bonner avait dû déposer le même sur chaque tombe, devina-t-elle, en raison de ce que Dawson avait fait pour Alan… et le geste émut Amanda, qui regagna sa voiture les larmes aux yeux.

Le temps n'avait en rien altéré le souvenir de Dawson ; ses sentiments pour lui s'étaient même renforcés. D'une manière étrange, son amour lui avait offert la volonté qui lui manquait pour traverser les épreuves de ces deux dernières années.

À présent qu'elle était assise sur la véranda, alors que le soleil de fin d'après-midi tombait à l'oblique dans les feuillages, elle ferma les yeux et transmit à Dawson un message silencieux. Elle se souvint de son sourire et de la manière dont sa main avait retrouvé la sienne ; elle se souvint du week-end qu'ils avaient passé ensemble, et demain elle s'en souviendrait encore. L'oublier, lui ou le week-end qu'ils avaient partagés, serait le trahir, car s'il existait quelque chose que Dawson méritait, c'était la loyauté… le même genre de loyauté qu'il lui avait témoigné durant toutes ces années de séparation. Elle l'avait aimé autrefois, puis aimé à nouveau, et rien ne changerait jamais les sentiments qu'elle éprouvait à son égard. Après tout, Dawson revivait désormais d'une manière qu'elle n'aurait jamais crue possible.

*
* *

Amanda avait enfourné les lasagnes et remuait à présent la salade, quand Annette rentra à la maison. Frank la suivit quelques minutes plus tard. Après avoir donné un petit baiser à son épouse, il parla brièvement avec elle puis partit se changer. Annette, qui n'arrêtait pas de jacasser au sujet de sa soirée pyjama, ajouta une couche de glaçage sur le gâteau.

Jared arriva ensuite, trois amis dans son sillage. Après avoir avalé un verre d'eau, il partit se doucher, pendant que ses copains s'installaient au salon devant des jeux vidéo.

Une demi-heure plus tard, Lynn fit son apparition. À la surprise d'Amanda, sa fille aînée était accompagnée de deux de ses copines. Tous ces jeunes émigrèrent spontanément vers la cuisine, les copains de Jared flirtant avec les copines de sa sœur, tandis qu'ils leur demandaient ce qu'elles faisaient plus tard, laissant entendre qu'ils les accompagneraient volontiers. Annette se jeta dans les bras de son père qui revenait à la cuisine et le supplia de l'emmener voir un film pour ados dont toutes ses copines parlaient ; Frank avala un thé glacé et la taquina en lui promettant à la place un film d'action avec des tas d'armes et d'explosions, ce qui lui valut des cris de protestation de sa cadette.

Amanda observait d'un œil amusé tout ce petit monde. Ces jours-ci, il n'était pas si rare de rassembler la famille au complet autour d'un dîner, mais ce n'était pas si courant non plus. La présence des amis de ses enfants ne la gênait pas le moins du monde ; ça rendrait la tablée d'autant plus vivante.

Elle se servit un verre de vin et s'éclipsa sur la véranda, en regardant un duo de cardinaux sautiller de branche en branche.

— Tu viens ? l'appela Frank depuis l'embrasure de la porte. Les monstres commencent à s'agiter.

— Dis-leur de se servir, répondit-elle. J'arrive dans une minute.

— Tu veux que je t'apporte une assiette ?

— Ce serait super, dit-elle en hochant la tête. Mais assure-toi d'abord que tout le monde soit servi.

Frank tourna les talons, et elle le regarda par la fenêtre se déplacer parmi les jeunes qui avaient envahi la salle à manger.

Derrière elle, la porte s'ouvrit à nouveau.

— Hé, m'man ! Tu vas bien ?

La voix de Jared ramena Amanda à la réalité.

— Très bien, dit-elle.

Quelques secondes plus tard, il sortait sur la véranda en fermant doucement la porte derrière lui.

—T'es sûre ? On dirait qu'un truc te tracasse.

— Je suis juste un peu fatiguée, dit-elle en esquissant un sourire qui se voulait rassurant. Où est Lauren ?

— Elle arrivera dans un petit moment. Elle voulait passer chez elle se doucher.

— Elle s'est bien amusée pendant le match ?

— Oui, je crois. Elle a touché la balle, en tout cas. Du coup, elle était tout excitée.

Amanda observa son fils en suivant la ligne de ses épaules, son cou, l'ovale de sa joue, le voyant toujours sous les traits d'un petit garçon.

Jared reprit la parole d'une voix hésitante.

— Enfin… euh… je voulais savoir si tu pensais pouvoir m'aider. T'as jamais vraiment répondu à ma question, l'autre soir, dit-il en effleurant du pied une minuscule éraflure sur le plancher. Je voulais envoyer une lettre à la famille. Juste pour les remercier, tu sais ? Sans ce donneur, je ne serais pas là en train de te parler.

Amanda baissa les yeux en se rappelant la conversation à laquelle il faisait allusion.

— C'est naturel de vouloir trouver le nom de celui qui t'a donné son cœur, dit-elle enfin en choisissant ses mots avec soin. Mais ce n'est pas un hasard si la procédure est censée rester anonyme.

Il y avait du vrai dans ses propos, même si elle ne disait pas tout.

— Oh… fit Jared, tandis que ses épaules s'affaissaient. Je pensais que ce serait peut-être possible. Tout ce qu'ils m'ont dit à l'hôpital, c'est qu'il avait quarante-deux ans quand il est mort. Je voulais seulement… en savoir plus sur celui qu'il était.

Je pourrais t'en dire plus, pensa Amanda. *Beaucoup plus*. Elle avait soupçonné la vérité depuis la conversation téléphonique avec Morgan Tanner, avant de passer elle-même des coups de fil qui confirmèrent ses soupçons. Dawson, apprit-elle, avait été débranché de son respirateur artificiel au CarolinaEast Medical Center le lundi, en fin de nuit. Alors qu'ils savaient qu'il ne pourrait se rétablir, les médecins l'avaient maintenu en vie parce qu'il était donneur d'organes.

Dawson avait non seulement sauvé la vie d'Alan… se dit Amanda, mais aussi celle de Jared. Et, à ses yeux, cela valait tout l'or du monde. « Je t'ai donné le meilleur de moi-même », lui avait-il confié un jour et, à chaque battement de cœur de son fils, elle savait que c'était exactement ce que Dawson avait fait.

— Et si tu me faisais un petit câlin, suggéra-t-elle, avant de retourner à l'intérieur ?

Jared roula des yeux, mais lui ouvrit malgré tout les bras.

— Je t'aime, m'man, murmura-t-il en la serrant fort.

Amanda ferma les yeux en écoutant le battement régulier dans la poitrine de son fils.

— Moi aussi, je t'aime.

Remerciements

Certains romans se révèlent plus difficiles à écrire que d'autres, et ce fut le cas pour *Une seconde chance*. Je ne vais pas vous ennuyer avec les raisons de ces difficultés mais, sans le soutien des personnes dont les noms suivent, je travaillerais sans doute encore sur cet ouvrage. Alors, sans plus de cérémonie, je souhaite les remercier.

Cathy, ma femme. Quand nous nous sommes rencontrés, notre amour est né dès le *Premier Regard* et rien n'a changé après toutes ces années que nous avons vécues ensemble. Tu es merveilleuse, et ce sera toujours un privilège pour moi de t'appeler mon épouse.

Miles, Ryan, Landon, Lexie et Savannah. Vous apportez énormément de joie dans ma vie et je suis fier de vous tous. Comme vous êtes mes enfants, vous représenterez toujours le meilleur de moi-même.

Theresa Park, mon agent littéraire. Après avoir terminé la première mouture du roman, je me suis retrouvé au *Tournant de la vie*, et elle mérite toute ma gratitude, non seulement pour m'avoir permis d'améliorer l'histoire mais aussi pour sa patience. J'ai beaucoup de chance de l'avoir comme agent. Merci.

Jamie Raab, mon éditrice. Comme pour *Les Rescapés du cœur*, elle a « mis dans le mille » avec ses suggestions. Bref, c'est une éditrice fabuleuse et une personne formidable. Merci.

Howie Sanders et Keya Khayatian, mes agents au cinéma. J'évoque toujours *La Raison du cœur* pour définir de bonnes relations professionnelles fondées sur l'honneur, l'intelligence et la passion. Vous incarnez tous les deux — et depuis toujours — ces qualités et je vous en remercie. J'ai une chance incroyable de travailler avec vous.

Denise DiNovi, productrice d'*Une bouteille à la mer* et d'autres films adaptés de mes romans, bien sûr. Au fil du temps, notre relation de travail s'est transformée en une solide amitié qui a embelli mon existence. Merci pour tout.

Marty Bowen. Il a fait un boulot formidable en tant que producteur de *Cher John,* et j'apprécie non seulement ses efforts mais aussi son amitié. Je lui décerne un grand coup de chapeau et suis ravi qu'on retravaille ensemble.

David Young, P-DG de Hachette Book Group. Sans l'ombre d'un doute, il est mon *Porte-bonheur* et j'apprécie son travail. Merci.

Abby Koons et Emily Sweet, deux collaboratrices de Park Literary Group. Mes remerciements les plus sincères pour tout le travail que vous accomplissez pour moi. Vous vous donnez toujours un mal fou pour m'épauler, et vous ne sauriez imaginer à quel point je vous suis reconnaissant. Oh ! J'allais oublier... Félicitations à Emily pour le mariage *Comme avant*...

Jennifer Romanello, mon attachée de presse chez Grand Central Publishing : *Le Gardien* de mes tournées... *Grazie* pour tout, comme toujours. Tu excelles dans ton domaine.

Stephanie Yeager, mon assistante. Depuis que tu as travaillé sur le tournage du *Temps d'un ouragan*, tu veilles à me faciliter l'existence. J'apprécie et je te remercie pour tout ce que tu fais.

Courtenay Valenti et Greg Silverman, de Warner Bros. Merci d'avoir parié sur moi et sur ce roman, sans l'avoir lu au préalable. Ce ne fut pas une décision facile à prendre, mais j'apprécie votre *Choix*. Surtout que je déborde d'enthousiasme à l'idée de travailler avec vous deux.

Ryan Kavanaugh et Tucker Tooley, de Relativity Media, et Wyck Godfrey. Je suis très emballé par l'adaptation cinématographique d'*Un havre de paix* et je tiens à vous remercier de m'avoir offert la possibilité d'une nouvelle collaboration. J'en suis honoré et je ne l'oublierai pas, d'autant que je suis persuadé que vous accomplirez un boulot génial.

Adam Shankman et Jennifer Gibgot. Bravo pour votre fabuleux travail sur l'adaptation cinématographique de *La Dernière Chanson*. Je vous ai fait confiance et vous avez réussi un exploit que je n'oublierai jamais.

Lynn Harris et Mark Johnson. En collaborant avec vous deux il y a tant d'années, j'ai pris l'une des meilleures décisions de ma carrière. Vous avez certes produit de nombreux films depuis lors, mais sachez que je *N'oublie jamais* votre version cinématographique des *Pages de notre amour*.

Lorenzo DiBonaventura. Merci pour l'adaptation d'*À tout jamais* sur grand écran. *Le temps d'un automne* qui passe ne diminue en rien l'amour que je porte à ce film.

David Park, Sharon Krassney, Flag et tous les autres de Grand Central Publishing et de United Talent Agency. Voilà quinze ans que je collabore avec vous. Un immense merci pour tout !

Composition : Compo-Méca S.A.R.L.
64990 Mouguerre

Impression réalisée par Imprimerie Lebonfon Inc.
pour le compte des éditions Michel Lafon

Imprimé au Canada
Dépôt légal : octobre 2012
N° d'impression :
ISBN : 978-2-7499-1760-3
LAF 1570